O CASO
CARAVAGGIO

DANIEL SILVA

O CASO
CARAVAGGIO

Tradução de
Marcelo Barbão

HarperCollins*Brasil*

Rio de Janeiro, 2022

Título original: THE HEIST

Copyright © 2014 by Daniel Silva.

Direitos de edição da obra em língua portuguesa no Brasil adquiridos pela Casa dos Livros Editora LTDA. Todos os direitos reservados. Nenhuma parte desta obra pode ser apropriada e estocada em sistema de banco de dados ou processo similar, em qualquer forma ou meio, seja eletrônico, de fotocópia, gravação etc., sem a permissão do detentor do copirraite.
Esta é uma obra de ficção. Os nomes, personagens e incidentes nele retratados são frutos da imaginação da autora. Qualquer semelhança com pessoas reais, vivas ou não, eventos ou locais é uma coincidência.

Publisher: *Kaíke Nanne*
Editora de aquisição: *Renata Sturm*
Editora executiva: *Caroline Chagas*
Coordenação de produção: *Thalita Aragão Ramalho*
Produção Editorial: *Isis Batista Pinto*
Copidesque: *Jaciara Lima*
Revisão: *Flavia de Lavor, Lara Gouvêa*
Diagramação: *Abreu's System*
Adaptação de capa: *Desenho Editorial*

CIP-Brasil. Catalogação na Publicação
Sindicato Nacional dos Editores de Livros, RJ

S579c

Silva, Daniel
   O caso Caravaggio / Daniel Silva ; tradução Marcelo Barbão. - 1. ed. - Rio de Janeiro : HarperCollins Brasil, 2016.
   352 p.

   Tradução de: The heist
   ISBN 978.85.6980.905-0

   1. Ficção policial americana. I. Barbão, Marcelo. II. Título.

15-28224   CDD: 813
                                      CDU: 821.111(73)-3

Os pontos de vista desta obra são de responsabilidade de seu autor, não refletindo necessariamente a posição da HarperCollins Brasil, da HarperCollins Publishers ou de sua equipe editorial.

HarperCollins Brasil é uma marca licenciada à Casa dos Livros Editora LTDA.
Todos os direitos reservados à Casa dos Livros Editora LTDA.
Rua da Quitanda, 86, sala 218 – Centro
Rio de Janeiro, RJ – CEP 20091-005
Tel.: (21) 3175-1030
www.harpercollins.com.br

Como sempre, para minha esposa, Jamie,

e meus filhos, Nicholas e Lily.

A maior parte da arte roubada desaparece para sempre... A única boa notícia é que quanto melhor o quadro, maiores as chances de que seja encontrado algum dia.

— EDWARD DOLNICK, *THE RESCUE ARTIST*

Quem cava um poço cairá nele; quem derruba um muro será picado por uma cobra.

— ECLESIASTES 10:8

PREFÁCIO

Em 18 de outubro de 1969, *Natividade com São Francisco e São Lourenço*, de Caravaggio, desapareceu do Oratorio di San Lorenzo em Palermo, Sicília. *Natividade*, como é conhecida, é uma das últimas grandes obras de Caravaggio, pintada em 1609 enquanto ele era fugitivo da justiça, procurado pelas autoridades papais em Roma por matar um homem durante um duelo de espadas. Durante mais de quatro décadas, o retábulo foi a obra roubada mais procurada do mundo, e mesmo assim, sua localização exata, inclusive seu destino, permaneceu um mistério. Até agora...

PARTE UM

CHIAROSCURO

1

ST. JAMES'S, LONDRES

Tudo começou com um acidente, como sempre acontecia com Julian Isherwood. Na verdade, sua reputação de imprudente e azarado era tão bem estabelecida que, caso o mundo da arte de Londres tivesse ficado sabendo, o que não aconteceu, não teria se surpreendido. Isherwood, declarado um dos maiores especialistas do departamento de Velhos Mestres da Sotheby's, era o santo patrono das causas perdidas, um equilibrista atraído por esquemas cuidadosamente planejados que terminavam em desastre, geralmente não por culpa dele. Em consequência, tanto o admiravam quanto sentiam pena dele, algo incomum para um homem de sua posição. Julian Isherwood fazia com que a vida fosse um pouco menos chata. E, por isso, o grupo da moda de Londres o adorava.

Sua galeria ficava numa das esquinas do quarteirão conhecido como Mason's Yard, ocupando três andares de um decadente galpão vitoriano que já tinha sido propriedade da loja de luxo Fortnum & Mason. De um lado estavam os escritórios da filial londrina de uma pequena empresa de transporte grega; do outro havia um pub frequentado por garotas bonitas que trabalhavam na região e andavam de scooter. Há muito anos, antes das sucessivas ondas de dinheiro árabe e russo que afogaram o mercado imobiliário de Londres, a galeria estava na estilosa New Bond Street, ou New Bondstrasse, como era conhecida no meio. Depois vieram as lojas estilo Hermès, Burberry, Chanel e Cartier, deixando Isherwood e outros como ele — galeristas independentes especializados em quadros de Velhos Mestres que poderiam estar em museus — sem escolha a não ser procurar um santuário em St. James's.

Não era a primeira vez que Isherwood tinha sido forçado a se exilar. Nascido em Paris às vésperas da Segunda Guerra Mundial, filho único do renomado negociante de arte Samuel Isakowitz, ele tinha sido transportado pelos Pireneus depois da invasão alemã e levado escondido para a Grã-Bretanha. Sua infância parisiense e linhagem judia eram apenas duas partes do confuso passado que Isherwood mantinha escondido do resto do mundo da arte de Londres, famoso por ser fofoqueiro. Para todo efeito, ele era um verdadeiro inglês — tão inglês quanto o chá da tarde e os dentes ruins, como adorava falar. Era o incomparável Julian Isherwood, Julie para os amigos, Juicy Julian para seus companheiros de bebedeira ocasional, e Sua Santidade para os historiadores de arte e curadores que frequentemente contavam com seu olho infalível. Era leal como o dia era longo, confiável ao máximo, impecavelmente educado, e não tinha inimigos verdadeiros, uma conquista singular já que tinha passado toda sua vida navegando pelas traiçoeiras águas do mundo da arte. Mais do que tudo, Isherwood era decente — algo em falta hoje em dia, em Londres ou em qualquer outro lugar.

A Isherwood Fine Arts era um negócio vertical: salas de depósito lotadas no térreo, escritórios no primeiro andar e uma sala de exposições formal no segundo. A sala de exposições, considerada por muitos como a mais gloriosa em toda a cidade de Londres, era uma réplica exata da famosa galeria de Paul Rosenberg em Paris, onde Isherwood tinha passado muitas horas felizes quando criança, geralmente na companhia do próprio Picasso. O escritório era uma toca dickensiana com altas pilhas de catálogos e monografias amareladas. Para entrar, os visitantes tinham de passar por duas portas de vidro de segurança, a primeira na entrada de Mason's Yard, a segunda no alto de uma escadaria estreita coberta por um carpete marrom manchado. Ali encontrariam Maggie, uma loira com cara de sono que não conseguiria diferenciar um Ticiano de um papel higiênico. Isherwood já tinha passado vergonha ao tentar seduzi-la e, sem outro recurso, decidiu contratá-la como recepcionista. No momento, ela estava soprando as unhas enquanto o telefone em sua mesa gritava sem resposta.

— Pode atender, Mags? — pediu Isherwood com delicadeza.

— Por quê? — perguntou ela sem um traço de ironia em sua voz.

— Pode ser importante.

Ela revirou os olhos antes de levantar o aparelho, ressentida, e o colocar na orelha, falando: "Isherwood Fine Arts". Alguns segundos depois, ela desligou sem outra palavra e voltou a trabalhar em suas unhas.

— E então? — perguntou Isherwood.

— Não tinha ninguém na linha.

— Seja boazinha e veja o número de quem ligou.

— Ele vai ligar de novo.

Isherwood, franzindo o cenho, voltou à silenciosa avaliação da pintura apoiada sobre o cavalete coberto com um grosso tecido no centro da sala — uma representação de Cristo aparecendo para Maria Madalena, provavelmente por um seguidor de Francesco Albani, que Isherwood tinha conseguido por uma ninharia de uma mansão em Berkshire. O quadro, como o próprio Isherwood, precisava muito de uma restauração. Ele tinha chegado à idade que os planejadores imobiliários chamavam de "o outono de seus anos". Não era um outono dourado, pensou triste. Era o final do outono, com um vento cortante e as luzes de Natal já se acendendo na rua Oxford. Mesmo assim, com seu terno Savile Row feito sob medida e volumosos cachos grisalhos, ele tinha uma figura elegante, apesar de precária, um visual que descrevia como degradação digna. Nesse ponto de sua vida, ele não esperava por nada mais.

— Achei que algum russo horrível viria às quatro para olhar um quadro — falou Isherwood de repente, o olhar ainda sobre o cavalete velho.

— O russo horrível cancelou.

— Quando?

— Essa manhã.

— Por quê?

— Não falou.

— Por que não me avisou?

— Eu avisei.

— Besteira.

— Você deve ter se esquecido, Julian. Isso tem acontecido muito ultimamente.

Isherwood se virou com olhos fulminantes para Maggie, de repente pensando como ele poderia ter ficado atraído por uma criatura tão repulsiva. Depois, sem nenhum outro compromisso na agenda, e sem absolutamente nada melhor para fazer, vestiu seu casaco e foi caminhando até o Green's Restaurant and Oyster Bar, iniciando assim a cadeia de eventos que o levaria a outra calamidade que não foi criada por ele. Haviam passado vinte minutos depois das quatro. Era um pouco cedo para os frequentadores de sempre e o bar estava vazio, exceto por Simon Mendenhall, o sempre bronzeado chefe de leilões da Christie's. Mendenhall já havia participado involuntariamente de uma operação de inteligência conjunta israelense-americana para penetrar em uma rede de terror jihadista que estava bombardeando a Europa Ocidental à luz do dia. Isherwood sabia disso porque havia tido uma pequena participação na operação. Ele não era um espião. Ajudava espiões, um em especial.

— Julie! — chamou Mendenhall. Então, com a voz de alcova que reservava para arrematadores relutantes, acrescentou: — Você parece estar muito bem. Perdeu peso? Foi a um desses spas caros? Garota nova? Qual é o seu segredo?

— Sancerre — respondeu Isherwood antes de se sentar à mesa de sempre, perto da janela com vista para a rua Duke. Ali pediu uma garrafa da bebida, absurdamente gelada, porque um copo não seria suficiente. Mendenhall logo foi embora com seu floreio habitual e Isherwood ficou sozinho com seus pensamentos e sua bebida, uma combinação perigosa para um homem de idade avançada e uma carreira em pleno retrocesso.

Então a porta se abriu e da rua escura e molhada entraram dois curadores da Galeria Nacional. Alguém importante da Tate apareceu logo depois, seguido por uma delegação do Bonhams liderada por Jeremy Crabbe, o acadêmico diretor do departamento de quadros de Velhos Mestres da casa de leilão. Logo atrás deles entrou Roddy Hutchinson, amplamente considerado como o negociante mais inescrupuloso de toda Londres. Sua chegada era um mau presságio, pois onde quer que Roddy fosse, o gorducho Oliver Dimbleby sempre o seguia. Como era de se esperar, este entrou no bar alguns minutos depois com a discrição de um trem apitando à meia-noite. Isherwood pegou seu celular e fingiu uma conversa urgente, mas Oliver não acreditou. Foi direto para a mesa — como um cão encurralando uma raposa, Isherwood lembraria mais tarde — e instalou seu amplo traseiro em uma cadeira vazia.

— Domaine Daniel Chotard — falou com aprovação, erguendo a garrafa de vinho do balde de gelo. — Não se importa, não é?

Estava usando um terno azul chamativo que se ajustava a sua figura corpulenta como um pacote de salsichas e grandes abotoaduras douradas do tamanho de uma moeda. Suas bochechas eram redondas e rosadas; os olhos azul-claros tinham um brilho que sugeria que havia dormido bem à noite. Oliver Dimbleby era um pecador da mais alta ordem, mas sua consciência não o incomodava.

— Não me entenda mal, Julie — falou ele enquanto se servia de uma taça generosa do vinho de Isherwood —, mas você parece uma pilha de roupa suja.

— Não foi o que Simon Mendenhall me disse.

— Simon ganha a vida convencendo as pessoas a gastar dinheiro. Eu, no entanto, sou uma fonte de sinceridade direta, mesmo quando machuca. — Dimbledy olhou para Isherwood com preocupação genuína.

— Ah, não me olhe assim, Oliver.

— Assim como?

— Como se estivesse tentando pensar em algo gentil para dizer antes que o médico desligue os aparelhos.

— Já deu uma olhada no espelho ultimamente?

— Tento evitar os espelhos hoje em dia.

— Dá para ver o motivo. — Dimbleby serviu mais um dedo de vinho em sua taça.

— Posso pedir algo mais para você, Oliver? Um pouco de caviar?

— Eu sempre retribuo, não?

— Não, Oliver, não retribui. Na verdade, se eu estivesse contando, algo que não faço, você me deveria alguns milhares de libras.

Dimbleby ignorou o comentário.

— O que foi, Julian? O que o preocupa dessa vez?

— No momento, Oliver, é você.

— É aquela garota, não é, Julie? É isso que a deixa mal. Qual é o nome dela mesmo?

— Cassandra — respondeu Isherwood olhando para a janela.

— Partiu seu coração, não foi?

— Elas sempre fazem isso.

Dimbledy sorriu.

— Sua capacidade de amar me impressiona. O que eu não daria para me apaixonar pelo menos uma vez.

— Você é o maior mulherengo que conheço, Oliver.

— Ser mulherengo tem pouquíssimo a ver com se apaixonar. Amo as mulheres, *todas as* mulheres. E é aí que está o problema.

Isherwood olhou para a rua. Estava começando a chover de novo, bem na hora do rush.

— Vendeu alguns quadros ultimamente? — perguntou Dimbleby.

— Vários, na verdade.

— Nenhum que eu tenha ouvido falar.

— É porque as vendas foram privadas.

— Besteira — respondeu Oliver com uma risada. — Você não vende nada há meses. Mas isso não o impediu de adquirir quadros novos, não foi? Quantos quadros você tem armazenados naquele seu galpão? O suficiente para encher um museu, com alguns milhares de quadros de reserva. E estão todos queimados, mais mortos do que a proverbial tranca na porta.

Isherwood não respondeu, apenas passou a mão pelas costas. A dor nas costas tinha substituído a tosse forte como seu problema físico mais persistente. Pensou que era uma melhoria. Dor nas costas não perturbava os vizinhos.

— Minha oferta ainda está de pé. — Dimbleby começou a falar.

— Que oferta?

— Vamos, Julie. Não me obrigue a repetir.

Isherwood girou o rosto alguns graus e olhou direto para o rosto rechonchudo e meio infantil de Dimbleby.

— Não está falando em comprar minha galeria de novo, está?

— Estou preparado para ser mais do que generoso. Vou oferecer um preço justo pela pequena porção da sua coleção que pode ser vendida e usar o resto para aquecer o prédio.

— É muito caridoso da sua parte — respondeu Isherwood com sarcasmo —, mas tenho outros planos para a galeria.

— Realistas?

Isherwood ficou em silêncio.

— Muito bem — falou Dimbleby. — Se não quer que eu tome posse daquele desastre que você chama de galeria, pelo menos deixe que eu faça outra coisa para ajudar a tirá-lo do seu atual Período Azul.

— Não quero uma de suas garotas, Oliver.

— Não estou falando de garotas. Estou falando de uma boa viagem para ajudá-lo a se esquecer de seus problemas.

— Para onde?

— Lago Como. Tudo pago. Passagem de primeira classe. Duas noites em uma suíte de luxo na Villa d'Este.

— E o que preciso fazer?

— Um pequeno favor.

— Pequeno de verdade?

Dimbleby se serviu de um pouco mais de vinho e contou a Isherwood toda a história.

Parece que Oliver Dimbleby recentemente tinha conhecido um expatriado inglês que era um colecionador voraz, mas que não tinha um conselheiro de arte com conhecimento para guiá-lo. Além do mais, parecia que as finanças do inglês estavam em decadência, por isso precisava de uma rápida venda de parte de suas posses. Dimbleby tinha concordado em dar uma olhada com calma na coleção, mas agora que era hora de viajar, ele não conseguia enfrentar a perspectiva de tomar outro avião. Ou era o que afirmava. Isherwood suspeitava que os verdadeiros motivos de Dimbleby para não querer viajar eram outros, pois Oliver Dimbleby era feito de carne, osso e motivos escusos.

Mesmo assim, havia algo na ideia de uma viagem inesperada que agradava à Isherwood, e contra todo bom senso, ele aceitou a oferta na hora. Naquela noite fez uma mala pequena e às nove da manhã seguinte estava entrando na primeira classe do voo 576 da British Airways sem escalas para o aeroporto de Malpensa, em Milão. Bebeu uma única taça de vinho durante o voo — para o bem do seu coração, falou para si mesmo — e ao meio-dia e meia, quando entrou em uma Mercedes alugada, estava com o controle completo de suas faculdades. Fez a viagem para o norte até o lago Como sem a ajuda de mapas ou GPS. Um respeitado historiador de arte especializado nos pintores de Veneza, Isherwood tinha feito incontáveis viagens à Itália para rondar por suas igrejas e museus. Mesmo assim, sempre aproveitava a chance de voltar, especialmente quando outra pessoa estava pagando a conta. Julian Isherwood era francês de nascimento e inglês de criação, mas dentro de seu peito afundado batia o coração romântico e indisciplinado de um italiano.

O inglês expatriado com cada vez menos recursos estava esperando Isherwood às duas. Vivia grandiosamente, de acordo com o e-mail escrito às pressas por Dimbleby, na ponta sudoeste do lago, perto da cidade de Laglio. Isherwood chegou alguns minutos antes e encontrou aberto o imponente portão para recebê-lo. Além do portão se estendia um caminho recém-pavimentado, que o levava graciosamente até um pátio de cascalho. Estacionou perto do cais privado da *villa* e caminhou passando por uma coleção de estátuas até a porta da frente. Ninguém atendeu a campainha. Isherwood olhou seu relógio e depois tocou a campainha pela segunda vez. O resultado foi igual.

Neste ponto, Isherwood deveria ter sido esperto, voltado ao carro alugado e ido embora de Como o mais rápido possível. Em vez disso, mexeu no trinco e, infelizmente, descobriu que não estava trancado. Abriu a porta alguns centímetros, berrou um cumprimento para o interior escuro e deu uns passos inseguros no grande hall de entrada. No mesmo instante, viu a poça de sangue no chão de mármore, os dois pés descalços suspensos no espaço e o rosto azul-escuro e inchado olhando para ele de cima. Isherwood sentiu os joelhos tremerem e viu o chão vindo em sua direção. Ficou um tempo ali ajoelhado até passar a onda de enjoo. Então se levantou instável e, com a mão sobre a boca, saiu correndo da casa em direção ao carro. E apesar de não ter percebido na hora, estava xingando o gorducho Oliver Dimbleby a cada passo.

2

VENEZA

No começo da manhã seguinte, Veneza perdeu outra batalha em sua antiga guerra contra o mar. As marés carregaram criaturas marinhas de todos os tipos para dentro do lobby do Hotel Cipriani e inundaram o Harry's Bar. Turistas dinamarqueses nadavam na Piazza San Marco; mesas e cadeiras do Caffè Florian batiam contra os degraus da basílica como escombros de um transatlântico de luxo afundado. Pela primeira vez, não se via nenhuma pomba. As mais espertas fugiram da cidade submersa em busca de terra seca.

Havia porções de Veneza, no entanto, onde a *acqua alta* era mais uma chateação do que uma calamidade. Na verdade, o restaurador encontrou um arquipélago de terra razoavelmente seca que ia da porta de seu apartamento no *sestiere* de Cannaregio a Dorsoduro, na parte sul da cidade. O restaurador não tinha nascido em Veneza, mas conhecia suas passagens e praças melhor do que a maioria dos nativos. Tinha estudado seu ofício em Veneza, amado e sofrido em Veneza, e uma vez, quando era conhecido por um nome que não era o próprio, tinha sido perseguido e expulso de Veneza por seus inimigos. Agora, depois de uma longa ausência, tinha voltado a sua adorada cidade de água e pinturas, a única cidade onde já tinha experimentado algo parecido com felicidade. Não paz, no entanto; para o restaurador, paz era somente o período entre uma guerra e outra. Era algo fugaz, uma falsidade. Poetas e viúvas sonhavam com isso, mas homens como o restaurador nunca se permitiam ser seduzidos pela noção de que a paz poderia realmente ser possível.

Ele parou em um quiosque para ver se estava sendo seguido e depois continuou na mesma direção. Era um pouco mais baixo que a média — 1,72 m talvez, não mais que isso — e tinha o físico magro de um ciclista. O rosto era comprido e estreito no queixo, com maçãs do rosto proeminentes e um nariz delgado que parecia ter sido entalhado na madeira. Os olhos que acompanhavam tudo por baixo da aba de seu chapéu eram estranhamente verdes; os cabelos nas têmporas eram da cor das cinzas. Usava um casaco impermeável e botas Wellington, mas não carregava nenhum guarda-chuva apesar da garoa constante. Por hábito, ele nunca aparecia em público com nenhum objeto que pudesse impedir os movimentos rápidos de suas mãos.

Cruzou para Dorsoduro, o ponto mais alto da cidade, e abriu caminho até a Igreja de San Sebastiano. A porta da frente estava bem trancada, e havia um aviso aparentemente oficial explicando que o prédio estaria fechado ao público até o próximo outono. O restaurador se aproximou de uma pequena porta do lado direito da igreja e a abriu com uma pesada chave mestra. Uma brisa de ar frio vinda de dentro acariciou seu rosto. Fumaça de vela, incenso, mofo antigo: algo nesse cheiro o lembrava da morte. Ele trancou a porta atrás de si, desviou de uma fonte cheia de água benta e entrou.

A nave estava escura e sem os bancos. O restaurador andou silenciosamente sobre as pedras desgastadas e cruzou o portão aberto do trilho do altar. A mesa eucarística ornamentada tinha sido removida para limpeza; em seu lugar havia um andaime de alumínio com nove metros de altura. O restaurador escalou com a agilidade de um gato doméstico e cruzou uma mortalha de lona até sua plataforma de trabalho. Suas coisas estavam exatamente como ele tinha deixado na noite anterior: frascos de produtos químicos, uma bola de algodão, um pacote de cavilhas de madeira, uma lente de aumento, duas fortes lâmpadas halógenas, um aparelho de som portátil manchado de tinta. O retábulo — *Virgem e o Menino em Glória com Santos*, de Paolo Veronese — estava como ele havia deixado, também. Era outro dos muitos quadros incríveis que Veronese tinha produzido para a igreja entre 1556 e 1565. Sua tumba, com o ameaçador busto de mármore, estava à esquerda do presbitério. Em momentos como esse, quando a igreja estava vazia e escura, o restaurador quase podia sentir o fantasma de Veronese observando-o trabalhar.

Ele acendeu as lâmpadas e ficou imóvel por um bom tempo na frente do retábulo. No topo estavam Maria e o Menino Jesus, sentados em cima de nuvens de glória e cercados por anjos musicistas. Embaixo deles, olhando para cima em arrebatamento, havia um grupo de santos, incluindo o santo patrono daquela igreja, Sebastião, que Veronese representou em martírio. Nas últimas três semanas, o restaurador tinha removido, delicadamente, o verniz rachado e amarelado com uma mistura cuidadosamente calibrada de acetona, metil proxitol e destilados minerais. Como ele gostava de explicar, remover o verniz de um quadro barroco não era como espanar um móvel; era mais parecido com esfregar o chão de um porta-aviões com uma escova de dente. Ele tinha primeiro que esfregar com um pedaço de algodão e uma cavilha de madeira. Depois de umedecer o algodão com solvente, ele o aplicava na superfície da tela e girava delicadamente para não lascar a tinta ainda mais. Com cada algodão dava para limpar alguns centímetros quadrados do quadro antes de ficar muito sujo para usar. À noite, quando não estava sonhando com sangue e fogo, ele estava removendo o verniz amarelado de uma tela do tamanho da Piazza San Marco.

Mais uma semana, pensou, e estaria pronto para passar à segunda fase da restauração, retocar essas porções da tela onde a tinta original de Veronese estava lascada. As figuras de Maria e do Menino Jesus estavam bem conservadas, mas o restaurador tinha descoberto várias partes prejudicadas no topo e na base da tela. Se tudo corresse de acordo com o plano, ele terminaria a restauração quando sua esposa estivesse entrando nas semanas finais da gravidez. Se tudo corresse de acordo com o plano, pensou de novo.

Enfiou um CD de *La Bohème* no aparelho de som, e um momento depois o santuário foi tomado pelas notas de abertura de "Non sono in vena". Enquanto Rodolfo e Mimi estavam se apaixonando em um pequeno estúdio em Paris, o restaurador estava parado sozinho em frente a um Veronese, removendo meticulosamente a sujeira da superfície e o verniz amarelado. Ele ia trabalhando aos poucos e com um ritmo tranquilo — *molhar, girar, descartar... molhar, girar, descartar...* — até a plataforma ficar cheia de bolas de algodão sujas. Veronese tinha aperfeiçoado a fórmula para pinturas que não desapareciam com o tempo; e com o restaurador removendo cada pequeno pedaço de verniz marrom-tabaco, as cores por baixo brilhavam intensamente. Era quase como se o mestre tivesse aplicado a pintura na tela ontem em vez de quatro séculos e meio atrás.

O restaurador tinha a igreja para si por mais duas horas. Às dez, ouviu o barulho de botas sobre o chão de pedra da nave. As botas pertenciam a Adrianna Zinetti, limpadora de altares, sedutora de homens. Depois foi a vez de Lorenzo Vasari, um talentoso restaurador de afrescos que tinha ressuscitado quase sozinho a *Última Ceia*, de Leonardo. Depois, o arrastar conspiratório de Antonio Politi, que, para sua contrariedade, era responsável pelos painéis do teto em vez do retábulo principal. Como resultado, passava os dias deitado de costas como um Michelangelo moderno, olhando ressentido para a plataforma protegida do restaurador, no presbitério.

Não era a primeira vez que o restaurador e os outros membros da equipe trabalhavam juntos. Vários anos antes, tinham feito grandes restaurações na Igreja de San Giovanni Crisostomo, em Cannaregio, e antes disso, na Igreja de San Zaccaria, em Castello. Na época, eles conheciam o restaurador como o brilhante, mas totalmente reservado, Mario Delvecchio. Mais tarde, descobririam, junto com o resto do mundo, que ele era um lendário agente da inteligência israelense e assassino chamado Gabriel Allon. Adrianna Zinetti e Lorenzo Vasari tinham conseguido perdoar a mentira de Gabriel, mas não Antonio Politi. Em sua juventude, ele já tinha acusado Mario Delvecchio de ser um terrorista, e via Gabriel Allon da mesma maneira. Secretamente, suspeitava que fosse por causa de Gabriel que ele passava seus dias na parte alta da nave, deitado e contorcido, isolado do contato humano, com solvente e tinta pingando em seu rosto. Os painéis mostravam a história da rainha Esther. Claro, Politi contava a todos que quisessem ouvir, não era coincidência.

Na verdade, Gabriel não teve nada a ver com a decisão; tinha sido tomada por Francesco Tiepolo, dono da mais importante empresa de restauração no Vêneto e diretor do projeto San Sebastiano. Uma figura que lembrava um urso com uma barba grisalha, Tiepolo era um homem de enorme apetite e paixões, capaz de grande raiva e amor ainda maior. Quando chegou ao centro da nave, estava vestido, como de costume, com uma camisa larga estilo túnica e um lenço de seda amarrado no pescoço. A roupa fazia com que parecesse estar supervisionando a construção da igreja em vez de sua restauração.

Tiepolo parou brevemente para dar um olhar admirado para Adrianna Zinetti, com quem já tinha tido um caso que estava entre os segredos mais mal guardados de Veneza. Então subiu ao andaime de Gabriel e enfiou a cabeça no buraco da lona. A plataforma de madeira parecia arquear com seu grande peso.

— Cuidado, Francesco — falou Gabriel, franzindo a testa. — O chão do altar é feito de mármore e está a uma boa distância.

— Do que está falando?

— Estou falando que seria melhor se você perdesse uns quilos. Está começando a desenvolver sua própria força gravitacional.

— Para que eu perderia peso? Eu poderia perder vinte quilos e ainda seria gordo. — O italiano deu um passo adiante e examinou o altar sobre o ombro de Gabriel. — Muito bom — falou com admiração fingida. — Se continuar nesse ritmo, terá terminado a tempo para o primeiro aniversário do seu filho.

— Posso fazer mais rápido — respondeu Gabriel — ou posso fazer direito.

— Não são coisas mutuamente exclusivas, sabe. Aqui na Itália, nossos restauradores trabalham rápido. Mas não você — acrescentou Tiepolo. — Mesmo quando estava fingindo ser um de nós, sempre foi muito lento.

Gabriel montou uma vareta nova, molhou com solvente e girou sobre o torso de Sebastião ferido com uma flecha. Tiepolo ficou olhando intensamente por um momento; então montou uma vareta e passou sobre o ombro do santo. O verniz amarelado dissolveu instantaneamente, expondo a pintura limpa de Veronese.

— Sua mistura de solvente é perfeita — falou Tiepolo.

— Sempre é — respondeu Gabriel.

— Qual é a solução?

— É segredo.

— Tudo precisa ser segredo com você?

Ao ver que Gabriel não responderia, Tiepolo olhou para os frascos de produtos químicos.

— Quanto de acetato metílico você usou?

— A medida exata.

Tiepolo fez uma careta.

— Não fui eu quem conseguiu trabalho para você quando sua esposa decidiu que queria passar a gravidez em Veneza?

— Sim, Francesco.

— E não paguei bem mais do que pago aos outros — sussurrou ele —, apesar de você sempre me deixar na mão quando seus mestres exigem seus serviços?

— Você sempre foi muito generoso.

— Então por que não me conta a fórmula do seu solvente?

— Porque Veronese tinha sua fórmula secreta e eu tenho a minha.

Tiepolo fez um gesto de desprezo com a mão enorme. Então jogou fora seu algodão sujo e preparou um novo.

— Recebi uma ligação da chefe de redação do *New York Times* de Roma ontem à noite — falou, como quem não quer nada. — Ela está interessada em fazer uma matéria sobre a restauração na seção de artes de domingo. Quer vir aqui na sexta-feira e dar uma olhada.

— Se não se importa, Francesco, acho que vou tirar folga na sexta.

— Achei que ia falar isso. — Tiepolo olhou bem para Gabriel. — Não fica nem tentado?

— A quê?

— A mostrar ao mundo o *verdadeiro* Gabriel Allon. O Gabriel Allon que se importa com os trabalhos dos grandes mestres. O Gabriel Allon que pinta como um anjo.

— Só falo com jornalistas como último recurso. E nunca sonharia em conversar sobre mim.

— Você teve uma vida interessante.

— Para não dizer o pior.

— Talvez seja hora de sair de trás das sombras.

— E depois?

— Poderia passar o resto dos seus dias aqui em Veneza com a gente. Sempre foi um veneziano de coração, Gabriel.

— É tentador.

— Mas?

Com sua expressão, Gabriel deixou claro que não queria mais discutir o assunto. Então, virando-se para a tela, perguntou:

— Você recebeu alguma outra ligação que eu deveria saber?

— Só uma — respondeu Tiepolo. — O general Ferrari dos Carabinieri está vindo para a cidade esta manhã. Gostaria de conversar com você em particular.

Gabriel se virou e olhou para Tiepolo.

— Sobre o quê?

— Ele não disse. O general é muito melhor fazendo perguntas do que respondendo. — Tiepolo estudou Gabriel por um momento. — Nunca soube que você e o general eram amigos.

— Não somos.

— Como você o conhece?

— Uma vez ele me pediu um favor e não tive escolha a não ser aceitar.

Tiepolo ficou pensativo.

— Deve ter sido aquele negócio no Vaticano há alguns anos, aquela garota que caiu da cúpula da Basílica. Se bem me lembro, você estava restaurando o Caravaggio deles na época em que aquilo aconteceu.

— Estava?

— Esse era o boato.

— Não devia prestar atenção em boatos, Francesco. Quase sempre estão errados.

— Menos quando envolvem você. — Tiepolo respondeu com um sorriso.

Gabriel permitiu que o comentário ecoasse sem resposta nas alturas da capela. Então retomou seu trabalho. Um momento antes estava usando sua mão direita. Agora estava usando a esquerda, com igual destreza.

— Você é como Ticiano — falou Tiepolo, observando. — Um sol entre pequenas estrelas.

— Se não me deixar em paz, o sol nunca vai terminar esse quadro.

Tiepolo não se moveu.

— Tem certeza de que você não é ele? — perguntou depois de um momento.

— Quem?

— Mario Delvecchio.

— Mario está morto, Francesco. Mario nunca existiu.

3

VENEZA

O QUARTEL REGIONAL DOS Carabinieri, a polícia militar da Itália, estava localizado no *sestiere* de Castello, perto do Campo San Zaccaria. O general Cesare Ferrari saiu do prédio exatamente à uma da tarde. Ele tinha abandonado o uniforme azul com suas várias medalhas e insígnia, e estava usando um terno de executivo. Uma mão segurava firme uma mala de aço inoxidável; a outra, a que não tinha dois dedos, estava enfiada no bolso de um sobretudo de corte impecável. Tirou a mão o suficiente para apertar a de Gabriel. Seu sorriso foi breve e formal. Como sempre, o sorriso não teve influência sobre seu falso olho direito. Mesmo Gabriel achava difícil aguentar aquele olhar sem vida e inflexível. Era como ser observado pelo olho que tudo vê de um deus impiedoso.

— Você está muito bem — falou o general Ferrari. — Estar de volta a Veneza obviamente lhe faz bem.

— Como soube que eu estava aqui?

O segundo sorriso do general durou um pouco mais do que o primeiro.

— Não há muitas coisas que acontecem na Itália que eu não saiba, especialmente quando dizem respeito a você.

— Como você soube? — Gabriel perguntou de novo.

— Quando você pediu permissão de nossos serviços de inteligência para voltar a Veneza, eles enviaram essa informação para todos os ministérios e divisões relevantes das forças públicas. Um desses lugares era o *palazzo*.

O *palazzo* ao qual se referia o general estava na Piazza di Sant'Ignazio, no centro antigo de Roma. Abrigava a Divisão para a Defesa do Patrimônio Cultural, que era mais conhecida como Esquadrão de Arte. O general Ferrari era o comandante. E estava certo sobre uma coisa, pensou Gabriel. Não havia muitas coisas acontecendo na Itália que o general não soubesse.

Filho de professores da empobrecida região da Campânia, Ferrari há muito era visto como um dos oficiais mais competentes e bem-sucedidos da Itália. Durante a década de 1970, uma época de atentados terroristas no país, ele ajudou a neutralizar as Brigadas Vermelhas Comunistas. Depois, durante as guerras da Máfia nos anos 1980, serviu como comandante na divisão de Nápoles, infestada pela Camorra. A indicação era tão perigosa que a esposa e as três filhas de Ferrari foram forçadas a viver 24 horas sob proteção. O próprio Ferrari foi alvo de várias tentativas de assassinato, incluindo o ataque com uma carta bomba que lhe custou o olho e dois dedos.

O posto no Esquadrão de Arte deveria ser uma recompensa por uma carreira longa e destacada. Achavam que Ferrari ia simplesmente seguir os passos de seu apagado antecessor, que iria mexer em uns papéis, fazer longos almoços romanos e, de vez em quando, encontrar um ou dois quadros valiosos que eram roubados todo ano dos museus italianos. Em vez disso, ele imediatamente começou a modernizar uma unidade que já tinha sido muito eficiente, mas que tinham permitido que se atrofiasse por idade e negligência. Poucos dias depois de sua chegada, ele demitiu metade do pessoal e logo reabasteceu os postos com jovens oficiais agressivos que conheciam um pouco de arte. Deu uma ordem simples. Não estava muito interessado nas gangues de rua que realizavam os roubos; ele queria os peixes grandes, os chefes que traziam os bens roubados para o mercado. Não demorou muito para que a nova abordagem de Ferrari começasse a dar frutos. Mais de uma dúzia de ladrões importantes agora estavam presos, e as estatísticas sobre roubo de arte, apesar de ainda serem muito altas, estavam começando a melhorar.

— Então, o que o traz a Veneza? — Gabriel perguntou enquanto caminhava com o general entre os lagos temporários no Campo San Zaccaria.

— Tinha negócios no norte — lago Como, mais especificamente.

— Algo foi roubado?

— Não — respondeu o general. — Alguém foi assassinado.

— Desde quando assassinatos são da alçada do Esquadrão de Arte?

— Quando o morto tem uma conexão com o mundo da arte.

Gabriel parou de caminhar e se virou para encarar o general.

— Você ainda não respondeu minha pergunta — falou ele. — Por que está em Veneza?

— Por sua causa, é claro.

— O que um assassinato em Como tem a ver comigo?

— A pessoa que encontrou o corpo.

O general sorriu de novo, mas o olho falso estava olhando inexpressivamente para lugar nenhum. Era o olho de um homem que sabia tudo, pensou Gabriel. Um homem que não aceitaria um não como resposta.

Entraram na igreja pela entrada principal do *campo* e foram até o famoso retábulo de San Zaccaria feito por Bellini. Um grupo de turistas estava parado na frente dele enquanto um guia dava uma explicação sobre a recente restauração da pintura, sem saber que o homem que tinha feito aquilo estava entre a plateia. Até o general Ferrari parecia interessado, apesar de que depois de um momento, seu olhar de um olho só começou a vagar. O Bellini era a obra mais importante de San Zaccaria, mas a igreja continha vários outros quadros notáveis também, incluindo trabalhos de Tintoretto, Palma o Velho e Van Dyke. Era só um exemplo de por que os Carabinieri mantinham uma unidade dedicada de detetives de arte. A Itália tinha sido abençoada com duas coisas em abundância: arte e criminosos profissionais. Boa parte da arte, como a que estava naquela igreja, era mal protegida. E muitos dos criminosos estavam dispostos a roubar tudo que pudessem.

No lado oposto da nave havia uma pequena capela onde ficava a cripta de seu patrono e uma tela de um pintor veneziano de pouca expressão que ninguém tinha se importado em limpar em mais de um século. O general Ferrari se sentou em um dos bancos, abriu sua maleta de metal e tirou uma pasta. Depois, da pasta, tirou uma foto 8x10, que entregou a Gabriel. Mostrava um homem de meia idade pendurado pelos pulsos em um candelabro. A causa da morte não estava clara pela imagem, apesar de ser óbvio que o homem tinha sido selvagemente torturado. O rosto era uma bagunça ensanguentada e inchada e vários pedaços de pele e carne tinham sido dilacerados do peito.

— Quem era ele? — perguntou Gabriel.

— Seu nome era James Bradshaw, mais conhecido como Jack. Era cidadão britânico, mas passava a maior parte do tempo em Como, junto com vários milhares de seus compatriotas. — O general fez uma pausa. — Os britânicos não parecem gostar muito de viver em seu próprio país hoje em dia, não é?

— Parece que não.

— Por que será?

— Precisa perguntar a eles. — Gabriel olhou para a fotografia e piscou. — Ele era casado?

— Não.

— Divorciado?

— Não.

— Algum relacionamento?

— Parece que não.

Gabriel devolveu a fotografia ao general e perguntou o que Jack Bradshaw fazia para viver.

— Ele se descrevia como consultor.

— De que tipo?

— Trabalhou no Oriente Médio durante vários anos como diplomata. Depois se aposentou cedo e começou a trabalhar por conta própria. Aparentemente, dava consultoria a empresas britânicas que queriam fazer negócio no mundo árabe. Devia ser bom no que fazia — acrescentou o general —, porque sua *villa* estava entre uma das mais caras dessa região do lago. Também tinha uma impressionante coleção de arte e antiguidades italianas.

— O que explica o interesse do Esquadrão de Arte em sua morte.

— Parcialmente — falou o general. — Afinal, ter uma boa coleção não é crime.

— A menos que a coleção tenha sido comprada de uma forma que infrinja a lei italiana.

— Você sempre está um passo à frente de todo mundo, não é, Allon? — O general olhou para o quadro escuro pendurado na parede da capela. — Por que esse não foi limpo na última restauração?

— Não tinham dinheiro suficiente.

— O verniz está quase totalmente opaco. — O general parou, depois acrescentou: — Exatamente como Jack Bradshaw.

— Que descanse em paz.

— Isso não é muito provável, não depois de uma morte como essa. — Ferrari olhou para Gabriel e perguntou: — Já teve a oportunidade de contemplar sua própria morte?

— Infelizmente, várias vezes. Mas se não se importa, preferia conversar sobre os hábitos de colecionador de Jack Bradshaw.

— O falecido sr. Bradshaw tinha a reputação de comprar quadros que não estavam realmente à venda.

— Quadros roubados?

— São suas palavras, meu amigo. Não minhas.

— Você o estava seguindo?

— Digamos que o Esquadrão de Arte monitorava suas atividades o melhor que podíamos.

— Como?

— Das formas de sempre — respondeu o general, de forma evasiva.

— Suponho que seus homens estejam fazendo um inventário completo da coleção dele.

— Nesse exato momento.

— E?

— Até agora não encontraram nada de nosso banco de dados de obras perdidas ou roubadas.

— Então acho que você terá de retirar todas as coisas horríveis que disse sobre Jack Bradshaw.

— Só porque não há provas, não quer dizer que não seja verdade.

— Fala como um verdadeiro policial italiano.

Ficou claro pela expressão do general Ferrari que ele interpretou o comentário de Gabriel como um elogio. Depois de um momento, falou:

— Ouvimos outras coisas sobre o falecido Jack Bradshaw.

— Que tipo de coisas?

— Que ele não era apenas um colecionador privado, que estava envolvido na exportação ilegal de quadros e outras obras de arte de solo italiano. — O general baixou a voz e acrescentou: — O que explica por que seu amigo Julian Isherwood está metido em grandes problemas.

— Julian Isherwood não trabalha com arte roubada.

O general nem se preocupou em responder. Para ele, todos os negociantes de arte eram culpados de algo.

— Onde ele está? — perguntou Gabriel.

— Sob minha custódia.

— Ele foi acusado de algo?

— Ainda não.

— De acordo com a lei italiana, não podem detê-lo por mais de 48 horas sem apresentá-lo a um juiz.

— Ele foi encontrado com um cadáver. Vou pensar em algo.

— Você sabe que Julian não teve nada a ver com o assassinato de Bradshaw.

— Não se preocupe — respondeu o general. — Não tenho intenção de apresentar nenhuma acusação nesse momento. Mas se viesse a público que seu amigo ia se encontrar com um conhecido contrabandista, sua carreira estaria terminada. Veja, Allon, no mundo da arte, percepção é realidade.

— O que tenho de fazer para manter o nome de Julian fora dos jornais?

O general não respondeu imediatamente; estava esquadrinhando a fotografia do corpo de Jack Bradshaw.

— Por que você acha que ele foi torturado antes de morrer? — perguntou finalmente.

— Talvez porque devesse dinheiro.

— Talvez — concordou o general. — Ou talvez ele tivesse algo que os assassinos queriam, algo mais valioso.

— Você ia me falar o que tenho que fazer para salvar meu amigo.

— Descubra quem matou Jack Bradshaw. E o que estavam procurando.

— E se me recusar?
— O mundo da arte de Londres vai ser tomado por terríveis boatos.
— Você é um chantagista barato, general Ferrari.
— Chantagem é uma palavra feia.
— É — falou Gabriel. — Mas no mundo da arte, percepção é realidade.

4

VENEZA

Gabriel conhecia um bom restaurante perto da igreja, em uma esquina tranquila de Castello onde os turistas raramente se aventuravam. O general Ferrari pediu muita comida; Gabriel ficou mexendo em seu prato e tomou um pouco de água mineral com limão.

— Não está com fome? — perguntou o general.
— Estava esperando passar mais umas horas com meu Veronese essa tarde.
— Então deveria comer algo. Vai precisar de energia.
— Não funciona assim.
— Não come quando está restaurando?
— Café e um pouco de pão.
— Que tipo de dieta é essa?
— O tipo que permite me concentrar.
— Não me espanta que esteja tão magro.

O general Ferrari foi até a bandeja de antepastos e encheu seu prato pela segunda vez. Não havia mais ninguém no restaurante, a não ser o dono e sua filha, uma garota bonita de cabelo escuro com 12 ou 13 anos. A criança tinha uma semelhança incrível com a filha de Abu Jihad, o segundo em comando da OLP, que Gabriel, em uma noite quente de primavera em 1988, tinha assassinado em sua casa em Túnis. O assassinato tinha sido realizado no escritório de Abu Jihad no segundo andar, onde ele estava assistindo a vídeos da intifada palestina. A garota tinha assistido a tudo: dois tiros imobilizadores no peito, dois tiros fatais na cabeça, tudo sob a música da rebelião árabe. Gabriel não conseguia mais se lembrar do rosto de Abu Jihad, mas o retrato da jovem garota, serena, mas fervendo de raiva, ficou pendurado com destaque na sala de exposição de sua memória. Quando o general voltou a sua cadeira, Gabriel apagou o rosto dela com uma camada de tinta. Então se inclinou para frente sobre a mesa e perguntou:

— Por que eu?

— Por que *não* você?

— Devo começar com os motivos óbvios?

— Se achar melhor.

— Não sou um policial italiano. Na verdade, sou exatamente o contrário.

— Tem um longo histórico aqui na Itália.

— Nem sempre agradável.

— Verdade — concordou o general. — Mas pelo caminho, fez contatos importantes. Você tem amigos em lugares de prestígio como o Vaticano. E, talvez mais crucial, tem amigos em lugares ruins, também. Conhece o país de uma ponta a outra, fala nossa língua como um nativo e está casado com uma italiana. Praticamente é um dos nossos.

— Minha esposa não é mais italiana.

— Que língua falam em casa?

— Italiano — admitiu Gabriel.

— Mesmo quando estão em Israel?

Gabriel assentiu.

— Caso encerrado. — O general ficou em silêncio, pensativo. — Isso pode surpreendê-lo — falou, finalmente —, mas quando um quadro some, ou alguém se machuca, eu normalmente tenho uma boa ideia de quem está por trás. Temos mais de cem informantes em nossa folha de pagamentos e grampeamos mais telefones e contas de e-mail que a NSA. Quando algo acontece no lado criminoso do mundo da arte, sempre há rumores. Como vocês dizem no negócio do contraterrorismo, as luzes se acendem.

— E agora?

— O silêncio está ensurdecedor.

— O que você acha que isso quer dizer?

— Quer dizer que, mais provavelmente, os homens que mataram Jack Bradshaw não são da Itália.

— Algum palpite de onde são?

— Não — falou o general, balançando a cabeça devagar —, mas o nível de violência me preocupa. Já vi muitos corpos durante minha carreira, mas esse foi diferente. As coisas que fizeram com Jack Bradshaw foram... — Sua voz falhou um pouco, até sair: — Medievais.

— E agora você quer que *eu* lide com essa gente.

— Até onde sei você é um homem que sabe como se cuidar.

Gabriel ignorou o comentário.

— Minha esposa está grávida. Não posso deixá-la sozinha.
— Vamos ficar de olho nela. — O general baixou a voz e acrescentou: — Já estamos.
— É bom saber que o governo italiano está nos espionando.
— Não esperava outra coisa, não é?
— Claro que não.
— Foi o que pensei. Além disso, Allon, é para seu próprio bem. Você tem muitos inimigos.
— E agora quer que eu faça mais um.

O general soltou o garfo e olhou contemplativo pela janela da mesma forma que *Doge Leonardo Loredan,* de Bellini.

— É meio irônico — falou depois de um momento.
— O que é irônico?
— Que um homem como você escolhesse morar em um gueto.
— Na verdade, eu não moro no gueto.
— Bastante perto — falou o general.
— É um bom bairro, o melhor de Veneza, se quiser minha opinião.
— Está cheio de fantasmas.

Gabriel olhou de relance para a garotinha.

— Não acredito em fantasmas.

O general limpou, cético, o canto da boca.

— Como funcionaria? — perguntou Gabriel.
— Considere-se um dos meus informantes.
— E o que isso quer dizer?
— Aprofunde-se no submundo da arte e descubra quem matou Jack Bradshaw. Eu cuido do resto.
— E se eu não encontrar nada?
— Tenho certeza de que vai encontrar.
— Isso parece uma ameaça.
— Parece?

O general não falou mais nada. Gabriel suspirou profundamente.

— Vou precisar de algumas coisas.
— Tipo quais?
— O de sempre — respondeu Gabriel. — Registros de telefone, cartões de crédito, e-mails, históricos de navegação na internet e uma cópia do HD de seu computador.

O general apontou para sua maleta.

— Está tudo aí — falou —, junto com todos os piores rumores que já ouvimos sobre ele.

— Também vou precisar dar uma olhada em sua *villa* e coleção.
— Darei uma cópia do inventário quando estiver completo.
— Não quero um inventário. Quero ver os quadros.
— Certo — falou o general. — Algo mais?
— Suponho que alguém deveria falar a Francesco Tiepolo que vou sair de Veneza por alguns dias.
— E à sua esposa, também.
— É — falou Gabriel, distante.
— Talvez fosse melhor dividir o trabalho. Eu falo com Francesco, você fala com sua esposa.
— Alguma chance de trocarmos?
— Infelizmente, não. — O general levantou sua mão direita, a que não tinha dois dedos. — Já sofri o suficiente.

Só faltava resolver a situação de Julian Isherwood. Como tinham dito, ele estava no quartel regional dos Carabinieri, em uma sala sem janelas que não era exatamente uma cela, mas tampouco uma sala de espera. A entrega aconteceu na Ponte della Paglia, sob a vista da ponte dos Suspiros. O general não parecia irritado por se livrar do prisioneiro. Ele ficou na ponte, com sua mão defeituosa enfiada no bolso do casaco e o olho falso sem piscar, enquanto Gabriel e Isherwood caminharam por Molo San Marco até o Harry's Bar. Isherwood bebeu dois Bellinis muito rápido enquanto Gabriel tratava em silêncio dos preparativos para a viagem. Havia um voo da British Airways saindo de Veneza às seis daquela tarde, chegando em Heathrow alguns minutos depois das sete.

— Isso me deixa com tempo suficiente — falou Isherwood de modo sombrio — para matar Oliver Dimbleby e chegar em casa para assistir ao *News at Ten*.

— Como seu representante informal nesse assunto — falou Gabriel —, eu o aconselho a não fazer isso.

— Acha que eu deveria esperar até de manhã antes de matar o Oliver?

Gabriel sorriu contra a própria vontade.

— O general foi generoso ao concordar em manter seu nome fora disso — falou ele. — Se eu fosse você, não diria nada em Londres sobre seu breve encontro com a polícia italiana.

— Não foi tão breve assim — falou Isherwood. — Não sou como você, meu querido. Não estou acostumado a passar noites na cadeia. E claro que não estou acostumado a encontrar gente morta. Meu Deus, você deveria ter visto o cara. Estava cortado como um filé.

— Mais um motivo para não contar nada quando chegar em casa — disse Gabriel. — A última coisa que você vai querer é que os assassinos de Jack Bradshaw vejam seu nome nos jornais.

Isherwood mordeu o lábio e assentiu lentamente, concordando.

— O general parece pensar que Bradshaw estava contrabandeando quadros roubados — falou depois de algum tempo. — Também parece achar que eu estava fazendo negócios com ele. Ele me assustou muito.

— E você estava, Julian?

— Fazendo negócios com Jack Bradshaw?

Gabriel assentiu.

— Não vou nem responder isso.

— Eu tinha que perguntar.

— Fiz muitas coisas feias durante minha carreira, normalmente por ordem sua. Mas eu nunca, e enfatizo *nunca*, vendi um quadro que soubesse que tinha sido roubado.

— E um quadro contrabandeado?

— Defina *contrabandeado* — falou Isherwood com um sorriso travesso.

— E o Oliver?

— Está me perguntando se Oliver Dimbleby está vendendo quadros roubados?

— Acho que sim.

Isherwood teve que pensar por um momento antes de responder.

— Eu não duvidaria muito do que Oliver Dimbleby é capaz de fazer — falou finalmente. — Mas não, não acredito que esteja negociando quadros roubados. Foi tudo um caso de azar e momento errado.

Isherwood chamou o garçom e pediu outro Bellini. Estava finalmente começando a relaxar.

— Tenho de admitir — falou ele —, você era a última pessoa do mundo que esperava ver hoje.

— O sentimento é mútuo, Julian.

— Imagino que você e o general sejam amigos.

— Trocamos nossos cartões de visita.

— Ele é uma das criaturas mais desagradáveis que já conheci.

— Ele não é tão ruim depois de o conhecer melhor.

— Quanto ele sabe sobre o nosso relacionamento?

— Ele sabe que somos amigos e que limpei alguns quadros para você. E se fosse adivinhar — acrescentou Gabriel —, ele provavelmente sabe sobre suas conexões com o Boulevard Rei Saul.

O Boulevard Rei Saul era o endereço do serviço de inteligência estrangeira de Israel. Um nome comprido e enganador que tinha muito pouco a ver com a verdadeira natureza de seu trabalho. Quem trabalhava lá chamava de Escritório e nada mais. Era assim que Julian Isherwood o chamava. Ele não era um empregado direto do Escritório; era membro do *sayanim*, uma rede global de ajudantes voluntários. Eram banqueiros que forneciam dinheiro aos agentes do Escritório em emergências; médicos que faziam tratamento em segredo quando se feriam; donos de hotéis que forneciam quartos sob nomes falsos e empresas de aluguel de carros que forneciam veículos que não deixavam traços. Isherwood tinha sido recrutado na metade dos anos 1970, durante uma onda de ataques terroristas palestinos contra alvos israelenses na Europa. Ele só tinha uma missão — ajudar na construção e manutenção da operação secreta de um jovem restaurador de arte e assassino chamado Gabriel Allon.

— Acho que minha liberação não foi gratuita — disse Isherwood.

— Não — respondeu Gabriel. — Na verdade, foi bem cara.

— Quanto?

Gabriel contou.

— Ruim para seu período sabático em Veneza — disse Isherwood. — Parece que arruinei tudo.

— É o mínimo que posso fazer, Julian. Tenho uma grande dívida com você.

Isherwood sorriu melancólico.

— Quanto tempo faz? — perguntou.

— Cem anos.

— E agora você vai ser pai de novo, e de gêmeos. Nunca achei que viveria para ver esse dia.

— Nem eu.

Isherwood olhou para Gabriel.

— Você não parece muito animado com a perspectiva de ter filhos.

— Não seja ridículo.

— Mas?

— Estou velho, Julian. — Gabriel parou, depois acrescentou: — Talvez velho demais para começar outra família.

— A vida lhe deu péssimas cartas, meu rapaz. Você tem direito a um pouco de felicidade na velhice. Devo admitir que sinto um pouco de inveja. Está casado com uma jovem bonita que vai lhe dar duas lindas crianças. Gostaria de estar no seu lugar.

— Cuidado com o que deseja.

Isherwood bebeu devagar seu Bellini, mas não disse nada.

— Não é tarde demais, você sabe.

— Para ter filhos? — perguntou ele incrédulo.

— Para encontrar alguém para passar o resto da sua vida.

— Infelizmente, já passei da data de validade — respondeu Isherwood. — Nesse momento, estou casado com minha galeria.

— Venda a galeria — falou Gabriel. — Aposente-se numa *villa* no sul da França.

— Ficaria louco em uma semana.

Eles saíram do bar e caminharam um pouco até o Grand Canal. Um largo barco táxi de madeira brilhou na ponta do cais lotado. Isherwood pareceu relutar na hora de entrar.

— Se eu fosse você — falou Gabriel —, sairia da cidade antes que o general mude de ideia.

— Bom conselho — respondeu Isherwood. — Posso lhe dar um também?

Gabriel ficou em silêncio.

— Diga ao general para encontrar outra pessoa.

— Infelizmente, é muito tarde para isso.

— Então, tome muito cuidado. E não banque o herói de novo. Você tem coisas mais importantes na sua vida.

— Vai perder seu avião, Julian.

Isherwood entrou cambaleante no barco táxi. Enquanto se afastava do cais, virou-se para Gabriel e gritou:

— O que digo para o Oliver?

— Vai pensar em algo.

— É — falou Isherwood. — Eu sempre penso.

Entrou na cabine e desapareceu.

5

VENEZA

G ABRIEL TRABALHOU NO Veronese até as janelas da nave escurecerem com o entardecer. Então ligou para Francesco Tiepolo em seu *telefonino* e deu a notícia de que tinha que resolver um assunto particular para o general Cesare Ferrari dos Carabinieri. Não entrou em detalhes.

— Quanto tempo você vai precisar? — perguntou Tiepolo.
— Um ou dois dias — respondeu Gabriel. — Talvez um mês.
— O que digo para os outros?
— Diga que morri. Vai deixar o Antonio alegre.

Gabriel arrumou sua plataforma de trabalho com mais cuidado do que o normal e saiu na noite fria. Seguiu sua rota para o norte, como sempre, cruzando San Polo e Cannaregio, até chegar a uma ponte de ferro, a única ponte de ferro em toda Veneza. Na Idade Média, havia um portão no centro da ponte, e à noite um vigia cristão ficava de guarda para evitar que quem estivesse preso do outro lado não pudesse escapar. Agora a ponte estava vazia exceto por uma gaivota que olhava de forma maligna para Gabriel enquanto ele passava.

Entrou em um *sottoportego* escuro. No final da passagem, abria-se uma ampla praça à sua frente, o Campo di Ghetto Nuovo, o coração do antigo gueto de Veneza. Ele cruzou a praça e parou na porta do número 2899. Uma pequena placa de latão dizia COMUNITÀ EBRAICA DI VENEZIA: COMUNIDADE JUDAICA DE VENEZA. Ele tocou a campainha e, então, instintivamente, afastou o rosto da câmera de segurança.

— Posso ajudar? — perguntou uma familiar voz feminina em italiano.
— Sou eu.
— Eu, quem?
— Abra a porta, Chiara.

Ouviu um zumbido e a se fechadura abrindo. Gabriel entrou por uma passagem apertada e seguiu até outra porta, que abriu automaticamente quando ele se aproximou. Dava para uma pequena sala, onde Chiara estava sentada empertigada atrás de uma mesa arrumada. Estava usando um suéter branco de inverno, leggings coloridas e um par de botas de couro. Seu cabelo ruivo despenteado caía sobre os ombros e o cachecol de seda que Gabriel tinha comprado na ilha de Córsega. Resistiu ao impulso de beijar sua boca ampla. Não achou apropriado expressar afeto físico na presença da recepcionista do rabino chefe de Veneza, mesmo porque a recepcionista também era a filha devota do rabino.

Chiara estava prestes a falar algo, mas foi interrompida pelo toque do telefone. Gabriel se sentou na ponta de sua mesa e ouviu como ela resolvia uma pequena crise afligindo uma comunidade cada vez menor de crentes. Ela se parecia muito com a linda jovem que ele tinha conhecido, dez anos antes, quando tinha ligado para o rabino Jacob Zolli pedindo informações sobre o destino dos judeus italianos durante a Segunda Guerra Mundial. Gabriel não sabia no momento que Chiara era uma agente da inteligência israelense ou que tinha sido enviada pelo Boulevard Rei Saul para espioná-lo durante a restauração do retábulo de San Zaccaria. Ela contou tudo pouco tempo depois em Roma, após um incidente envolvendo um tiroteio e a polícia italiana. Escondido com Chiara em um apartamento seguro, Gabriel quis desesperadamente tocá-la. Esperou até o caso estar resolvido e voltarem a Veneza. Ali, numa casa no canal de Cannaregio, tinham feito amor pela primeira vez, em uma cama com lençóis limpos. Foi como fazer amor com uma figura pintada pela mão de Veronese.

No dia do primeiro encontro deles, Chiara tinha oferecido café. Ela não bebia mais café, só água e suco de fruta, bebericando diretamente de uma garrafa plástica que sempre carregava consigo. Era o único sinal externo de que, depois de uma longa batalha contra a infertilidade, ela estava finalmente grávida de gêmeos. Tinha jurado não resistir ao inevitável aumento de peso com dietas ou exercícios, que via como outra obsessão imposta sobre o mundo pelos norte-americanos. Chiara era veneziana de coração e os venezianos não usavam aparelhos cardiovasculares ou levantamento de peso para aumentar seus músculos. Eles comiam e bebiam bem, faziam amor e quando precisavam de um pouco de exercício, passeavam pelas areias do Lido ou caminhavam até Zattere para tomar um sorvete.

Ela desligou o telefone e olhou para ele. Seus olhos eram da cor de caramelo com manchas douradas, uma combinação que Gabriel nunca tinha sido capaz de reproduzir perfeitamente na tela. No momento, estavam muito brilhantes. Estava feliz, ele pensou, mais feliz do que ele já tinha visto antes. De repente, ele não teve coragem de contar que o general Ferrari tinha aparecido como uma enchente para estragar tudo.

— Como está se sentindo? — perguntou ele.

Ela girou os olhos e tomou um gole de sua garrafa de água plástica.

— Falei algo errado?

— Você não precisa me perguntar como estou me sentindo o tempo *todo*.

— Quero que saiba que estou preocupado com você.

— Sei que está preocupado, querido. Mas não estou com uma doença terminal, estou apenas grávida.

— O que deveria perguntar?

— Deveria me perguntar o que quero jantar.

— Estou faminto — falou ele.

— Estou sempre faminta.

— Vamos comer fora?

— Na verdade, estou com vontade de cozinhar.

— Você pode fazer isso?

— Gabriel!

Ela começou a arrumar os papéis em sua mesa. Não era um bom sinal. Chiara sempre arrumava as coisas quando estava brava.

— Como foi no trabalho? — perguntou ela.

— Cheio de animação.

— Não me diga que está entediado com o Veronese.

— Remover verniz sujo não é a parte mais recompensadora de uma restauração.

— Sem surpresas?

— Com o quadro?

— Em geral — perguntou ela.

Era uma pergunta estranha.

— Adrianna Zinetti veio trabalhar vestida como Groucho Marx — respondeu Gabriel —, mas tirando isso foi um dia normal na Igreja de San Sebastiano.

Chiara franziu a testa. Em seguida, abriu uma gaveta com a ponta de sua bota e sem pensar enfiou uns papéis em uma pasta. Gabriel não ficaria surpreso se os papéis não tivessem nenhuma relação com os outros que já estavam arquivados.

— Tem algo a incomodando? — perguntou ele.

— Você não vai me perguntar como estou me sentindo de novo, vai?

— Nem sonharia em fazer isso.

Ela fechou a gaveta com mais força do que o necessário.

— Fui até a igreja na hora do almoço para fazer uma surpresa — disse ela depois de um momento —, mas você não estava. Francesco disse que recebeu um visitante. Afirmou não saber quem era.

— E você sabia que Francesco estava mentindo, claro.

— Não precisa ser uma agente da inteligência treinada para ver isso.

— Continue — falou Gabriel.

— Liguei para a Mesa de Operações para ver se alguém do Boulevard Rei Saul estava na cidade, mas a Mesa de Operações me disse que ninguém estava procurando por você.

— Que novidade.

— Quem veio vê-lo hoje, Gabriel?

— Isso está começando a parecer um interrogatório.

— Quem era? — perguntou ela de novo.

Gabriel levantou a mão direita e depois abaixou dois dedos.

— O general Ferrari?

Gabriel assentiu. Chiara olhou para a mesa como se estivesse procurando algo fora do lugar.

— Como está se sentindo? — perguntou Gabriel, com a voz baixa.

— Estou bem — respondeu ela sem olhar para ele. — Mas se você fizer essa pergunta mais uma vez...

Era verdade que Gabriel e Chiara não viviam realmente no antigo gueto de Veneza. O apartamento alugado deles estava no segundo andar de um antigo *palazzo*, em um quarteirão silencioso de Cannaregio onde os judeus nunca tinham sido proibidos de entrar. De um lado havia uma praça silenciosa; do outro estava um canal onde o Boulevard Rei Saul mantinha um barco pequeno e rápido, caso Gabriel precisasse fugir de Veneza pela segunda vez em sua carreira. Tel Aviv tinha bons motivos para temer por sua segurança; depois de muitos anos de resistência, ele tinha concordado em se tornar o próximo chefe do Escritório. Faltava um ano para começar seu período. Depois disso, cada momento acordado seria devotado a proteger o Estado de Israel daqueles que queriam destruí-lo. Não haveria mais restaurações ou longas estadias em Veneza com sua linda e jovem esposa — pelo menos, não sem um exército de guarda-costas cuidando deles.

O apartamento possuía um sofisticado sistema de segurança, que fazia um barulho acolhedor quando Gabriel abria a porta. Ao entrar, ele tirou a rolha de uma garrafa de Bardolino e se sentou ao balcão da cozinha, ouvindo as notícias da BBC, enquanto Chiara preparava um prato de *bruschetta*. Um painel da ONU tinha previsto um aquecimento apocalíptico do clima global, um carro-bomba tinha matado quarenta pessoas em um bairro xiita de Bagdá e o presidente sírio, o carniceiro de Damasco, tinha usado mais uma vez armas químicas contra seu próprio povo. Chiara franziu a testa e desligou o rádio. Então olhou com vontade para a garrafa de vinho aberta. Gabriel sentiu pena dela. Chiara sempre adorava beber um Bardolino na primavera.

— Não vai fazer mal a eles se der apenas um gole — falou ele.

— Minha mãe nunca tocou em vinho quando estava grávida de mim.

— E olha como você saiu.

— Perfeita em todos os sentidos.

Ela sorriu e colocou a *bruschetta* na frente de Gabriel. Ele pegou duas fatias — uma com azeitonas cortadas, a outra com feijão branco e alecrim — e jogou um pouco de Bardolino por cima. Chiara tirou a casca de uma cebola e com rápidos movimentos da faca a transformou em uma pilha de perfeitos cubinhos brancos.

— É melhor tomar cuidado — falou Gabriel, olhando para ela — ou vai terminar como o general.

— Não me dê ideias.

— O que eu deveria falar para ele, Chiara?

— Poderia ter falado a verdade.

— Qual versão da verdade?

— Você tem um ano até fazer seu juramento, querido. Depois disso, estará às ordens do primeiro-ministro, e a segurança do Estado será sua responsabilidade. Sua vida será uma longa reunião intercalada por uma crise ocasional.

— E foi por isso que eu recusei o cargo várias vezes antes de finalmente aceitar.

— Mas agora é seu. E esta é sua última chance de tirar algum tempo, merecido, de férias antes de voltar a Israel.

— Tentei explicar isso ao general sem entrar em todos os detalhes sórdidos. Foi quando ele ameaçou deixar Julian apodrecendo numa cela de prisão italiana.

— Ele não tinha nada contra Julian. Estava blefando.

— Pode ser verdade — concordou Gabriel. — Mas e se algum repórter britânico decidisse fazer alguma pesquisa sobre o passado de Julian? E se o mesmo repórter descobrisse, de alguma forma, que ele estava ligado ao Escritório? Eu nunca me perdoaria se ele fosse arrastado para a lama. Sempre me ajudou quando precisei.

— Lembra-se de quando você pediu para ele cuidar do gato daquele desertor russo?

— Como poderia esquecer? Nunca imaginei que Julian fosse alérgico a gatos. Ele ficou se coçando por um mês.

Chiara sorriu. Ela colocou a cebola em uma frigideira pesada com azeite de oliva e manteiga, cortou rapidamente uma cenoura e colocou tudo no fogo.

— O que está fazendo?

— É um prato local de carne chamado *calandraca*.

— Onde você aprendeu a fazer?

Chiara olhou para o teto, como se dissesse que o conhecimento estava no ar e na água da Itália. Não estava longe da verdade.

— Como posso ajudar? — perguntou Gabriel.

— Pode parar de ficar me espiando.

Gabriel levou o prato de bruschetta e o vinho para a pequena sala de estar. Antes de se sentar no sofá, tirou a arma das costas e a colocou com cuidado na mesinha de café, em cima de uma pilha de revistas coloridas que tratavam de gravidez e parto. A arma era uma Beretta 9 mm, e seu cabo de nogueira estava manchado de tinta: uma pincelada de Ticiano, um pouco de Bellini, uma gota de Rafael e Tintoretto. Logo ele não carregaria mais uma arma; outros iriam carregar armas por ele. Imaginou como seria andar pelo mundo desarmado. Seria o mesmo, pensou, que sair de casa sem colocar as calças antes. Alguns homens usavam gravata quando iam ao escritório. Gabriel Allon carregava uma arma.

— Ainda não entendo por que o general precisa de *você* para encontrar quem matou Jack Bradshaw — gritou Chiara da cozinha.

— Parece que ele pensa que estavam procurando algo — respondeu Gabriel, folheando uma das revistas. — Ele gostaria que eu encontrasse antes que eles.

— Procurando o quê?

— Ele não foi específico, mas suspeito que sabe mais do que está dizendo.

— Normalmente é assim.

Chiara colocou cubos de carne de vitela levemente passados na farinha dentro da frigideira e logo o apartamento estava tomado pelo cheiro da carne tostando. Em seguida, acrescentou um pouco de molho de tomate, vinho branco e ervas que ela media na palma da mão. Gabriel viu as luzes de um barco passando lentamente pelas águas escuras do canal. Então, cuidadoso, contou a Chiara que planejava ir ao lago Como logo pela manhã.

— Quando vai voltar? — perguntou ela.

— Isso depende.

— Do quê?

— Do que encontrar dentro da *villa* de Jack Bradshaw.

Chiara estava cortando batatas sobre uma tábua. Por causa do barulho da faca, quase não deu para ouvir sua declaração de que tinha a intenção de acompanhá-lo. Gabriel se afastou da janela e olhou bravo para ela.

— O que foi? — perguntou ela depois de um momento.

— Você não vai a lugar nenhum — respondeu ele afinal.

— É o lago Como. O que poderia acontecer?

— Posso dar alguns exemplos?

Chiara ficou em silêncio. Gabriel se virou para olhar de novo o barco subindo o canal, mas em seus pensamentos estavam as imagens de uma longa e turbulenta carreira. Era uma carreira, estranhamente, que o tinha levado a alguns dos cenários mais glamorosos da Europa. Ele tinha assassinado pessoas em Cannes e Saint-Tropez e lutado por sua vida nas ruas de Roma e nas montanhas da Suíça. E certa vez, muitos anos antes, tinha perdido a esposa e um filho em um atentado de carro-bomba em uma rua pitoresca do Primeiro Distrito de Viena. Não, pensou agora, Chiara não iria acompanhá-lo ao lago Como. Ele a deixaria em Veneza, sob os cuidados de sua família e sob a proteção da polícia italiana. E que Deus ajude o general se ele permitir que algo aconteça com ela.

Chiara cantava baixinho, umas daquelas bobas canções pop italianas que ela adorava tanto. Acrescentou as batatas cortadas à panela, abaixou o fogo e foi para a sala de estar com Gabriel. O arquivo do general Ferrari sobre Jack Bradshaw estava na mesa de café, próximo à Beretta. Ela o pegou, mas Gabriel a impediu; não queria que visse o desastre que os assassinos de Jack Bradshaw tinham feito no seu corpo. Ela encostou a cabeça no ombro dele. Seu cabelo tinha cheiro de baunilha.

— Quanto tempo demora para a *calandraca* ficar pronta? — perguntou Gabriel.

— Mais ou menos uma hora.

— Não consigo esperar tanto.

— Coma outra bruschetta.

Ele comeu. Chiara também. Então, ela levou a taça de Bardolino até o nariz, mas não bebeu.

— Não vai fazer mal a eles se tomar apenas um gole.

Ela devolveu a taça para a mesa e colocou a mão sobre a barriga. Gabriel colocou a mão perto da dela, e por um instante achou que tinha detectado a leve palpitação de dois coraçõezinhos. São meus, pensou, segurando-os bem apertados. E que Deus ajude o homem que tentar fazer algum mal a eles.

6

LAGO COMO, ITÁLIA

Na manhã seguinte, os moradores do Reino Unido acordaram com a notícia de que um de seus compatriotas, o empresário expatriado James "Jack" Bradshaw, tinha sido brutalmente assassinado em sua *villa* às margens do lago Como. As autoridades italianas citaram latrocínio como um motivo possível, apesar de não terem provas de que algo havia sido roubado. O nome do general Ferrari não apareceu na cobertura; nem havia nenhuma menção de que Julian Isherwood, o conhecido comerciante de arte de Londres, tinha descoberto o corpo. Todos os jornais esforçaram-se ao máximo para encontrar alguém que tivesse uma palavra gentil para falar sobre Bradshaw. O *The Times* conseguiu desenterrar um velho colega do Ministério de Relações Exteriores que o descreveu como "um bom funcionário", mas fora isso parecia que a vida de Bradshaw não merecia homenagens. A fotografia que apareceu na BBC parecia ter pelo menos vinte anos. Mostrava um homem que não gostava de aparecer em fotos.

Havia outro fato importante que não apareceu na cobertura do assassinato de Jack Bradshaw: Gabriel Allon, o lendário, apesar de caprichoso, filho da inteligência israelense, tinha sido silenciosamente cooptado pelo Esquadrão de Arte para investigar o caso. Sua investigação começou às sete e meia quando inseriu um pendrive de alta capacidade em seu notebook. Entregue pelo general Ferrari, o pendrive continha todo o conteúdo do computador pessoal de Jack Bradshaw. A maioria dos documentos era relacionada à sua empresa, a Meridian Global Consulting Group — um nome curioso, pensou Gabriel, pois a empresa parecia não ter outros empregados. O *flash drive* continha mais de vinte mil documentos. Além disso, havia milhares de números de telefones e endereços de e-mail que tinham de ser verificados e cruzados. Era muito material para Gabriel examinar sozinho. Ele precisava de um assistente, um pesquisador experiente que sabia algo de questões criminais e, preferencialmente, de arte italiana.

— *Eu?* — perguntou Chiara incrédula.

— Tem alguma ideia melhor?

— Tem certeza de que quer que eu responda?

Gabriel não falou nada. Dava para ver que algo nessa ideia interessou Chiara. Ela adorava resolver quebra-cabeças e problemas.

— Seria mais fácil se eu pudesse cruzar os números de telefone e endereços de e-mail com os computadores do Boulevard Rei Saul — falou ela, depois de pensar um momento.

— Claro que sim — respondeu Gabriel. — Mas a última coisa que quero fazer é contar ao Escritório que estou investigando um caso para os italianos.

— Eles vão acabar descobrindo. Sempre descobrem.

Gabriel copiou os arquivos de Bradshaw para o HD do notebook e ficou com o pendrive. Depois, fez uma pequena mala com duas mudas de roupa e dois kits de identidade enquanto Chiara tomava banho e se vestia para trabalhar. Ele a acompanhou até o gueto, e nos degraus do centro comunitário colocou sua mão na barriga dela uma última vez. Ao sair, não deixou de notar o jovem italiano de boa aparência tomando café no bar kosher. Ligou para o general Ferrari no *palazzo* em Roma. O general confirmou que o jovem italiano era um oficial dos Carabinieri especializado em proteção pessoal.

— Não dava para ter colocado alguém para vigiar minha esposa que não parecesse uma estrela de cinema?

— Não me diga que o grande Gabriel Allon está com ciúmes.

— Só quero que garanta que nada vai acontecer com ela. Está me ouvindo?

— Só tenho um olho — respondeu o general —, mas ainda tenho os dois ouvidos, e eles funcionam muito bem.

Como muitos venezianos, temporários ou não, Gabriel mantinha um carro, um sedã Volkswagen, em uma garagem perto da Piazzale Roma. Ele cruzou a ponte até o continente e depois pegou a *autostrada*. Quando o trânsito diminuiu, apertou o acelerador e viu o ponteiro do velocímetro subir até cem. Durante semanas ele tinha se arrastado pela vida de um lado para o outro. Agora, o ruído de um motor de combustão interna dava, de repente, um enorme prazer cheio de culpa. Ele levou o carro até o limite e viu com satisfação os campos do pântano do Veneto passarem por sua janela em um borrão verde e castanho.

Acelerou para o oeste, passando por Pádua, Verona e Bérgamo, e chegou perto de Milão trinta minutos mais cedo do que tinha imaginado. Dali, dirigiu-se ao norte para Como; e então seguiu a borda sinuosa do lago até chegar ao portão da *villa* de Jack Bradshaw. Através das barras dava para ver um carro sem identificação dos Carabinieri estacionado no pátio. Ligou para o general em Roma, contou onde estava e rapidamente desligou. Trinta segundos depois, o portão se abriu.

    Gabriel entrou devagar pelo caminho, em direção à casa de um homem cuja vida tinha sido resumida em uma única linha vazia. *"Um bom funcionário..."* Ele tinha certeza apenas de uma coisa, que Jack Bradshaw, diplomata aposentado, consultor de empresas em atividade no Oriente Médio e colecionador de arte italiana, tinha sido um mentiroso profissional. Sabia disso porque também era um mentiroso. Portanto, quando saiu de seu carro, sentiu certa proximidade com o homem cuja vida estava a ponto de revirar. Não vinha como inimigo, mas como amigo, a ferramenta perfeita para um trabalho desagradável. Na morte, não há segredos, pensou enquanto cruzava o pátio. E se houvesse algum segredo escondido na linda *villa* perto do lago, ele iria encontrar.

Um *carabinieri* com roupas civis esperava na entrada. Ele se apresentou como Lucca — sem sobrenomes ou posto, somente Lucca — e ofereceu a Gabriel nada mais que um par de luvas de borracha e cobertura de plástico para os sapatos. Gabriel ficou feliz ao colocá-las. A última coisa que precisava nesse ponto de sua vida era deixar seu DNA em outra cena de crime italiana.

    — Você tem uma hora — falou o *carabinieri*. — E vou acompanhá-lo.

    — Vou demorar o quanto precisar — respondeu Gabriel. — E você vai ficar bem aqui.

    Quando o oficial não falou nada, Gabriel vestiu as luvas e as coberturas para os sapatos e entrou na *villa*. A primeira coisa que notou foi o sangue. Era difícil não notar; todo o chão de pedra do hall de entrada estava escuro. Ficou pensando por que o assassinato tinha acontecido aqui e não em uma parte mais isolada da casa. Era possível que Bradshaw tivesse enfrentado seus assassinos logo depois de terem entrado na residência, mas não havia evidências de uma entrada forçada na porta nem no portão. A explicação mais lógica era que Bradshaw tivesse deixado seus agressores entrarem. Ele os conhecia, pensou Gabriel. E, ingenuamente, tinha confiado o suficiente neles para deixar que entrassem em sua casa.

    Do hall de entrada, Gabriel passou para a sala principal. Tinha elegantes sofás e cadeiras cobertos de seda, e era adornada com mesas caras, lâmpadas e enfeites de todos os tipos. Uma parede era feita toda de grandes janelas que davam para o lago; nas outras estavam pendurados quadros de Velhos Mestres italianos. A maioria eram peças devocionais ou retratos produzidos por viajantes ou seguidores de conhecidos pintores de Veneza e Florença. Um, no entanto, era um *ca-*

priccio arquitetônico romano que era claramente obra de Giovanni Paolo Panini. Gabriel lambeu a ponta de sua luva e passou pela superfície. O Panini, como os outros quadros na sala, estava precisando muito de uma boa limpeza.

Gabriel limpou a sujeira em sua calça jeans e caminhou até uma antiga escrivaninha. Nela, havia duas fotografias emolduradas de Jack Bradshaw em épocas mais felizes. Na primeira ele posava em frente à Grande Pirâmide de Gizé, um topete juvenil sobre um rosto que estava cheio de esperança e promessa. Na segunda foto, a paisagem era a antiga cidade de Petra, na Jordânia. Tinha sido tirada, supôs Gabriel, quando Bradshaw estava servindo na embaixada britânica em Amã. Ele parecia mais velho, mais duro, talvez mais sábio. O Oriente Médio era assim. Transformava esperança em desespero, idealistas em maquiavélicos.

Gabriel abriu a gaveta da escrivaninha, não encontrou nada interessante, depois repassou o registro de ligações perdidas no telefone. Um número, 621-5845, aparecia sete vezes — cinco vezes antes da morte de Bradshaw e duas depois. Gabriel levantou o fone, apertou o botão de discar o último número chamado e, após uns segundos, ouviu o tom distante de um telefone. Depois de vários toques ouviu uma série de cliques e sons indicando que a pessoa do outro lado da linha tinha atendido a ligação e rapidamente desligado. Gabriel ligou de novo com o mesmo resultado. Mas quando tentou o número pela terceira vez, uma voz masculina atendeu e falou em italiano:

— É o padre Marco. Como posso ajudá-lo?

Gabriel pousou o fone de volta delicadamente sem falar nada. Próximo ao telefone havia um bloco de anotações. Arrancou a primeira página, anotou o número do telefone na folha seguinte e enfiou as duas no bolso. Aí decidiu subir.

Havia quadros no amplo corredor central e cobrindo as paredes de dois quartos vazios. Bradshaw tinha usado um terceiro dormitório como depósito. Várias dezenas de quadros, alguns em molduras, outros em tensores, estavam encostados nas paredes como cadeiras dobráveis depois que a festa acabou. A maioria dos quadros eram italianos, mas havia vários trabalhos de artistas alemães, flamencos e holandeses também. Um deles, um quadro de lavadeiras holandesas trabalhando em um jardim, provavelmente pintado por um imitador de Willem Kalf, parecia ter sido restaurado recentemente. Gabriel ficou pensando por que Bradshaw tinha decidido limpar aquele quadro enquanto os outros em sua coleção, alguns mais valiosos, mofavam debaixo de camadas de verniz amarelado — e por que, tendo feito isso, ele o havia deixado encostado na parede de um depósito.

Do lado oposto do corredor central estava o quarto e o escritório de Bradshaw. Gabriel rapidamente deu uma olhada neles com a meticulosidade de um homem que sabia como esconder as coisas. No quarto, escondido debaixo de uma pilha de camisas coloridas dignas de Gatsby, encontrou um envelope de papel pardo amassado cheio de milhares de euros que tinham, de alguma forma, escapado da atenção dos homens do general Ferrari. No escritório, encontrou pastas de arquivos cheias de papéis, junto com uma impressionante coleção de monografias e catálogos. Também descobriu uma documentação sugerindo que a Meridian Global Consulting tinha alugado um cofre no Freeport de Genebra. Ficou pensando se aqueles documentos também tinham escapado da atenção dos homens do general.

Gabriel colocou a documentação do Freeport no bolso de seu casaco e cruzou o corredor até o quarto que Bradshaw tinha usado como depósito. As três lavadeiras ainda estavam trabalhando em seu jardim de pedra, sem se importar com a presença dele. Gabriel se agachou na frente do quadro e examinou cuidadosamente a pintura. Era bastante óbvio que era obra de um imitador, pois faltava qualquer traço de confiança ou espontaneidade. Na verdade, na opinião de especialista de Gabriel, tinha uma qualidade de cópia bem feita, como se o artista estivesse olhando para o original enquanto trabalhava. Talvez estivesse.

Gabriel desceu e, sob o olhar cuidadoso do *carabinieri*, retirou uma lanterna ultravioleta de sua maleta. Quando lançada sobre a tela de um Velho Mestre em um quarto escuro, a lâmpada revelaria a extensão da última restauração ao fazer com que os retoques aparecessem como manchas pretas. Em geral, o quadro de um Velho Mestre holandês daquele período teria sofrido perdas de pequenas a moderadas, o que significava que os retoques — ou restaurações, como eram conhecidas no mercado — apareceriam como pontos pretos.

Gabriel voltou ao quarto no primeiro andar da *villa*, fechou a porta e as janelas. Então acendeu a lâmpada ultravioleta e apontou para o quadro. As três lavadeiras holandesas não estavam mais visíveis. Todo o quadro estava preto como carvão.

7

LAGO COMO, ITÁLIA

EM UMA EMPRESA DE PRODUTOS QUÍMICOS no bairro industrial de Como, Gabriel comprou acetona, álcool, água destilada, um béquer de vidro, além de óculos e máscara protetora. Em seguida, parou em uma loja de artesanato no centro da cidade onde comprou cavilhas de madeira e um pacote de algodão hidrófilo. Ao voltar à *villa* perto do lago, encontrou o *carabinieri* esperando na entrada com novas luvas e protetores para os sapatos. Dessa vez, o italiano não falou nada sobre limite de hora. Percebeu que Gabriel ia demorar um bom tempo.

— Você não vai contaminar nada, vai?

— Só meus pulmões — respondeu Gabriel.

No andar de cima, ele tirou a tela da moldura, colocou sobre uma cadeira sem braços e iluminou sua superfície com o máximo de luz que conseguiu. Então misturou quantidades iguais de acetona, álcool e água destilada no béquer e improvisou um cotonete usando as cavilhas e o algodão. Trabalhando rapidamente, ele tirou o verniz fresco e a restauração de um pequeno retângulo — cerca de dois por um centímetro — no canto esquerdo inferior da tela. Restauradores chamavam essa técnica de "abrir uma janela". Normalmente, era feita para testar a força e a eficácia de uma solução solvente. Nesse caso, no entanto, Gabriel estava abrindo uma janela para tirar as camadas de superfície do quadro para ver o que havia por baixo. O que ele descobriu foram dobras exuberantes de uma roupa carmim. Claramente, havia uma pintura intacta por baixo das três lavadeiras holandesas trabalhando em um jardim — um quadro que, na opinião de Gabriel, tinha sido produzido por um verdadeiro Velho Mestre de considerável talento.

Ele rapidamente abriu mais três janelas, uma na parte inferior direita da tela e duas mais no alto. Na inferior direita, encontrou mais tecido, mais escuro e menos nítido; mas no alto à direita, a tela estava quase preta. No alto à esquerda, ele encontrou um arco romano marrom-amarelado que parecia ser parte de um fundo arquitetônico. As quatro janelas abertas davam uma visão superficial de como as figuras estavam ordenadas na tela. Mais importante ainda, diziam que, muito provavelmente, o quadro era o trabalho de um italiano e não de um artista das escolas holandesa ou flamenca.

Gabriel abriu uma quinta janela alguns centímetros abaixo do arco romano e descobriu uma cabeça masculina careca. Ao expandir, encontrou a base de um nariz e um olho que estava voltado direto para o espectador. Em seguida, abriu a janela alguns centímetros para a direita e encontrou a testa pálida e luminosa de uma jovem. Ele expandiu essa janela, também, e encontrou um par de olhos castos. Um nariz comprido surgiu logo após, acompanhado por um par de pequenos lábios vermelhos e um queixo delicado. Então, depois de outro minuto de trabalho, Gabriel viu a mão esticada de uma criança. *Um homem, uma mulher, uma criança...* Gabriel estudou a mão da criança — especificamente, a forma como o dedão e o indicador estavam tocando o queixo da mulher. A pose era familiar. Assim como a técnica das pinceladas.

Cruzou o corredor até o escritório de Jack Bradshaw, ligou o computador e foi até o site do Registro de Arte Perdida, o maior banco de dados do mundo sobre obras de arte roubadas, perdidas e saqueadas. Depois de alguns cliques, a fotografia de um quadro apareceu na tela — o mesmo quadro que agora estava encostado em uma cadeira no quarto em frente. Debaixo da foto havia uma breve descrição:

A Sagrada Família, óleo sobre tela, Parmigianino (1503-1540), roubado de um laboratório de restauração no histórico hospital Santo Spirito, em Roma, 31 de julho de 2004.

O Esquadrão de Arte estava procurando o quadro desaparecido por mais de uma década. E agora Gabriel o havia encontrado, na *villa* de um inglês assassinado, escondido sob uma cópia de um quadro holandês de Willem Kalf. Ele começou a ligar para o número do general Ferrari, mas parou. Onde havia um, pensou, certamente haveria outros. Levantou da mesa do morto e começou a procurar.

Gabriel descobriu dois outros quadros no depósito que, quando submetidos à luz ultravioleta, ficaram totalmente pretos. Um era uma cena costeira da Escola Holandesa reminiscente do trabalho de Simon de Vlieger; o outro era um vaso de flores que parecia ser uma cópia de um quadro do artista vienense Johann Baptist Drechsler. Gabriel começou a abrir janelas.

Molhar, girar, descartar...

Uma árvore volumosa contra um céu cheio de nuvens, as pregas de uma saia espalhada em um prado, o flanco nu de uma mulher corpulenta...

Molhar, girar, descartar...

Um pedaço de fundo azul-esverdeado, uma blusa florida, um olho grande e sonolento sobre uma bochecha rosada...

Gabriel reconheceu os dois quadros. Sentou-se no computador e voltou ao site do Registro de Arte Perdida. Depois de uns cliques, a fotografia de um quadro apareceu na tela:

Jovens Mulheres no Campo, óleo sobre tela, Pierre-Auguste Renoir (1841-1919), 41,6x50,8 cm, desaparecido desde 13 de março de 1981, do Musée de Bagnols-sur-Cèze, Gard, França. Valor atual estimado: desconhecido.

Mais algumas teclas apertadas, outro quadro, outra história de desaparecimento:

Retrato de uma Mulher, óleo sobre tela, Gustav Klimt (1862-1918), 82,8x54,8 cm, desaparecido desde 18 de fevereiro de 1997, da Galleria Ricci Oddi, Piacenza, Itália. Valor atual estimado: quatro milhões de dólares.

Gabriel colocou o Renoir e o Klimt perto do Parmigianino, tirou uma foto com seu celular e rapidamente enviou ao *palazzo*. O general Ferrari ligou trinta segundos depois. A ajuda estava a caminho.

Gabriel carregou os três quadros para o andar de baixo e colocou-os sobre os sofás da sala principal. *Parmigianino, Renoir, Klimt...* Três quadros desaparecidos de três artistas famosos, todos escondidos debaixo de peças de menor valor. Mesmo assim, as cópias eram de ótima qualidade. Era o trabalho de um mestre falsificador, pensou Gabriel. Talvez até um restaurador. Mas por que todo o trabalho de pedir uma cópia para esconder uma obra roubada? Claramente, Jack Bradshaw estava conectado a uma sofisticada rede que trabalhava com arte roubada e contrabandeada. Onde havia três, pensou Gabriel, olhando para os quadros, poderia haver mais. Muito mais.

Pegou uma das fotos do jovem Jack Bradshaw. Seu currículo parecia algo de uma era perdida. Educado em Eton e Oxford, fluente em árabe e persa, tinha sido enviado ao mundo para trabalhar para um império outrora poderoso que havia caído em um declínio terminal. Talvez tivesse sido um diplomata comum, distribuidor de vistos, carimbador de passaportes, escritor de telegramas espirituosos que ninguém dava a mínima. Ou talvez tivesse sido algo totalmente diferente. Gabriel conhecia um homem em Londres que poderia colocar um pouco de carne nos ossos do currículo estranhamente magro de Jack Bradshaw. A verdade teria um preço. Nos negócios da espionagem, a verdade sempre tem.

Gabriel largou a foto e usou seu celular para reservar uma passagem para o voo do dia seguinte para Heathrow. Pegou o pedaço de papel no qual tinha escrito o número que estava na agenda do telefone de Bradshaw.

621-5845

"É o padre Marco. Como posso ajudá-lo?"

Discou o número de novo, mas dessa vez ninguém atendeu. Então, um pouco relutante, enviou o número à Central de Operações no Boulevard Rei Saul e pediu uma verificação de rotina. Dez minutos depois veio a resposta: 621-5845 era um número privado localizado na residência da Igreja de San Giovanni Evangelista, em Brienno, que estava localizada a poucos quilômetros do lago.

Gabriel pegou o pedaço de papel que estava no alto do bloco de anotações ao lado do telefone de Jack Bradshaw na noite de seu assassinato. Aproximando-o do abajur, estudou as marcas deixadas pela caneta-tinteiro de Bradshaw. Tirou um lápis da primeira gaveta da mesa e raspou a ponta gentilmente pela superfície até aparecer um padrão de linhas. A maior parte era uma bagunça impenetrável: o número quatro, o número oito, as letras C, V e O. No fim da página, no entanto, uma única palavra estava bem visível.

Samir...

8

STOCKWELL, LONDRES

A ESTRADA SE CHAMAVA Paradise, mas era um paraíso perdido: blocos mal conservados de prédios de tijolos vermelhos, um pequeno jardim de grama pisada, um playground vazio no qual um carrossel girava devagar ao sabor do vento. Gabriel ficou parado ali tempo suficiente para ter certeza de que não estava sendo seguido. Levantou a aba de seu casaco até a orelha e tremeu. A primavera ainda não tinha chegado a Londres.

Além do playground havia um caminho sujo que levava a Clapham Road. Gabriel virou para a esquerda e caminhou em meio à luz do trânsito até a estação de metrô de Stockwell. Outra curva o levou a uma silenciosa rua com casas escuras do pós-guerra. O número oito tinha uma cerca de ferro escura e torta e um pequeno jardim de cimento sem nenhuma decoração, a não ser uma lata de lixo azul. Gabriel levantou a tampa, viu que a lata estava vazia e subiu os três degraus até a porta da frente. Havia um aviso dizendo que pedintes de qualquer tipo não eram bem-vindos. Ignorando-o, apertou a campainha — dois toques curtos, um terceiro mais longo, como tinham falado.

— Sr. Baker — falou o homem que apareceu na porta. — Que bom que veio. Sou o Davies. Estou aqui para cuidar do senhor.

Gabriel entrou na casa e esperou até a porta fechar antes de se virar de frente para o homem que tinha aberto a porta. Tinha o cabelo claro e o rosto inocente de um padre do interior. Seu nome não era Davies. Era Nigel Whitcombe.

— Por que toda essa coisa secreta? — perguntou Gabriel. — Não estou desertando. Só preciso falar com o chefe.

— O Serviço de Inteligência não gosta do uso de nomes verdadeiros em casas seguras. Davies é meu nome de trabalho.

— Gostei — falou Gabriel.

— Eu mesmo escolhi. Sempre gostei dos Kinks.

— Quem é Baker?

— Você é o Baker — respondeu Whitcombe sem um traço de ironia na voz.

Gabriel entrou na pequena sala de estar. Estava mobiliada com todo o charme de uma sala de embarque de aeroporto.

— Não dava para encontrar uma casa segura em Mayfair ou Chelsea?

— Todas as propriedades de West End estão ocupadas. Além disso, esta é mais perto de Vauxhall Cross.

Vauxhall Cross era o quartel-general do Serviço de Inteligência Secreto da Grã-Bretanha, também conhecido como MI6. Houve um tempo em que o serviço operava de um prédio sombrio na Broadway e seu diretor-geral era conhecido apenas como "C". Agora os espiões trabalhavam em um dos lugares mais bonitos de Londres e o nome de seus chefe aparecia sempre nos jornais. Gabriel gostava mais dos velhos tempos. Em questões de inteligência, assim como de arte, ele era um tradicionalista por natureza.

— O Serviço de Inteligência permite café em casas seguras hoje em dia? — perguntou ele.

— Não de verdade — respondeu Whitcombe, sorrindo. — Mas pode ter uma jarra de café solúvel na despensa.

Gabriel deu de ombros, como se dissesse que poderia ter coisas piores que café solúvel, e seguiu Whitcombe até a cozinha. Parecia pertencer a um homem que tinha se separado recentemente e esperava uma rápida reconciliação. Havia realmente um recipiente de café, junto com uma caixa de chá que parecia estar ali desde que Edward Heath tinha sido primeiro-ministro. Whitcombe encheu a chaleira elétrica com água enquanto Gabriel procurava uma caneca nos armários. Havia duas, uma com o logo dos Jogos Olímpicos de Londres, a outra com o rosto da rainha. Quando Gabriel escolheu a caneca com a rainha, Whitcombe sorriu.

— Nunca soube que você era admirador de Sua Majestade.

— Ela tem bom gosto em arte.

— Ela tem dinheiro para isso.

Whitcombe fez esse comentário não como crítica, mas somente como uma observação. Ele era assim: cuidadoso, astuto, opaco como uma parede de concreto. Tinha começado a carreira no MI5, onde havia ganhado experiência operacional trabalhando com Gabriel contra um oligarca russo e traficante de armas chamado Ivan Kharkov. Logo depois, ele se tornou o principal assistente e garoto de recados informal de Graham Seymour, vice-diretor do MI5. Seymour tinha recentemente sido nomeado novo chefe do MI6, uma mudança que surpreendeu todo mundo no ramo da inteligência, exceto Gabriel. Whitcombe continuava trabalhando para seu chefe, o que explicava sua presença na casa segura de Stockwell. Ele colocou uma colher de café na caneca e viu o vapor subindo do bico da chaleira.

— Como está a vida no Seis? — perguntou Gabriel.

— Assim que chegamos, havia muita suspeita entre as tropas. Acho que tinham o direito de ficarem preocupados. Afinal, estávamos cruzando o rio vindo de um serviço rival.

— Não é como se Graham fosse um total estranho. Seu pai era uma lenda no MI6. Ele foi praticamente criado dentro do serviço.

— Motivo pelo qual as preocupações duraram pouco tempo. — Whitcombe tirou um celular do bolso no peito de seu terno e olhou a tela. — Ele está chegando agora. Você consegue servir seu café sozinho?

— Jogar a água, depois mexer, certo?

Whitcombe saiu. Gabriel preparou o café e foi até a sala de estar. Ao entrar, viu um homem alto usando um terno cinza-escuro com corte perfeito e gravata de listras azuis. Seu rosto era forte e bem proporcionado; o cabelo tinha um tom prateado que fazia com que parecesse um modelo que podia ser visto em anúncios de coisas caras e desnecessárias. Estava falando ao celular, que segurava com a mão esquerda. Esticou a direita distraidamente para Gabriel. Seu aperto era firme, confiante e com duração apropriada. Era uma arma injusta a ser usada contra oponentes inferiores. Mostrava que ele tinha frequentado as melhores escolas, pertencido aos melhores clubes e era bom em jogos de cavalheiros, como tênis e golfe, e acontece que tudo isso era verdade. Graham Seymour era uma relíquia do glorioso passado britânico, filho das classes executivas criadas, educadas e programadas para liderar. Alguns meses antes, cansado depois de anos tentando proteger o território britânico das forças do extremismo islâmico, ele tinha confidenciado a Gabriel seus planos de deixar a inteligência e se aposentar em sua *villa* em Portugal. Agora, inesperadamente, ele tinha recebido as chaves da velha organização de seu pai. Gabriel de repente se sentiu culpado por ter vindo a Londres. Estava a ponto de entregar a Seymour sua primeira crise em potencial no MI6.

Seymour murmurou algumas palavras ao celular, cortou a comunicação e entregou o aparelho para Nigel Whitcombe. Então se virou para Gabriel e o olhou com curiosidade por um momento.

— Pelo nosso longo histórico juntos — falou Seymour, finalmente —, estou um pouco relutante de perguntar o que o traz à cidade. Mas acho que não tenho escolha.

Gabriel respondeu contando a Seymour uma pequena parte da verdade — que ele tinha ido a Londres porque estava investigando o assassinato de um inglês expatriado que vivia na Itália.

— O expatriado inglês tinha nome? — perguntou Seymour.

— James Bradshaw — respondeu Gabriel. Ele parou, depois acrescentou: — Mas seus amigos o chamavam de Jack.

O rosto de Seymour continuou sem reação.

— Acho que li algo sobre isso nos jornais — falou. — Trabalhava no Ministério de Relações Exteriores, não era? Fazia consultoria no Oriente Médio. Foi assassinado em sua *villa* em Como. Ao que parece, foi um caos.

— Bastante — concordou Gabriel.

— O que isso tem a ver comigo?

— Jack Bradshaw não era diplomata, não é mesmo, Graham? Ele era do MI6. Um espião.

Seymour conseguiu manter sua compostura por mais algum tempo. Depois apertou os olhos e perguntou:

— O que mais você tem?

— Três quadros roubados, um cofre no Freeport de Genebra e alguém chamado Samir.

— Isso é tudo? — Seymour balançou a cabeça lentamente e se virou para Whitcombe. — Cancele meus compromissos para o resto da tarde, Nigel. E consiga algo para beber. Isso vai demorar um tempo.

9

STOCKWELL, LONDRES

WHITCOMBE SAIU PARA COMPRAR os ingredientes para um gim e tônica enquanto Gabriel e Graham Seymour se instalaram na sala de estar pequena e sem charme. Gabriel ficou pensando em que tipos de reuniões de inteligência tinham acontecido nesse lugar antes dele. Um desertor da KGB querendo vender sua alma por trinta moedas de prata ocidental? Um cientista nuclear iraquiano com uma pasta cheia de mentiras? Um agente duplo jihadista afirmando saber a hora e o lugar do próximo ataque espetacular da Al-Qaeda? Ele olhou para a parede em cima da lareira elétrica e viu dois cavaleiros com jaquetas vermelhas conduzindo seus cavalos por um prado verde inglês. Então olhou pela janela e viu um querubim corpulento sobre a grama vigiando solitário o jardim escuro. Graham Seymour parecia ignorar totalmente o que havia ao redor. Estava olhando para as mãos, como se tentasse decidir por onde começar sua história. Não se importava em delinear as regras, porque isso era desnecessário. Gabriel e Seymour eram tão próximos quanto dois espiões de serviços opostos poderiam ser, o que significava que desconfiavam só um pouco um do outro.

— Os italianos sabem que você está aqui? — perguntou Seymour finalmente.

Gabriel negou.

— E o Escritório?

— Não falei que estava vindo, mas isso não significa que não estejam observando todos meus movimentos.

— Aprecio sua honestidade.

— Sempre sou honesto com você, Graham.

— Pelo menos quando lhe interessa.

Gabriel não se deu ao trabalho de responder. Em vez disso, ouviu atentamente enquanto Seymour, com a voz incomodada de alguém que preferia discutir outras questões, contava a breve vida e a carreira de James "Jack" Bradshaw. Era um território familiar para um homem como Seymour, porque ele tinha vivido uma versão da vida de Bradshaw. Os dois eram produtos de lares de classe média razoavelmente felizes, os dois tinham sido enviados para caras, mas frias escolas particulares, e os dois tinham sido admitidos em universidades de elite, embora Seymour tenha estudado em Cambridge e Bradshaw em Oxford. Ali, enquanto ainda estava na graduação, chamou a atenção de um professor da faculdade de Estudos Orientais. O professor era na verdade um olheiro do MI6. Graham Seymour também o conhecia.

— O olheiro era seu pai? — perguntou Gabriel.

Seymour assentiu.

— Ele estava no fim de sua carreira. Já estava cansado de tanto estar em campo, e não queria nem saber de um trabalho administrativo. Então foi mandado para Oxford e lhe disseram para ficar de olho em potenciais recrutas. Um dos primeiros estudantes que notou foi Jack Bradshaw. Era difícil não notar o Jack — acrescentou Seymour. — Ele era um meteoro. E o mais importante, ele era sedutor, naturalmente enganador e sem escrúpulos ou moral.

— Em outras palavras, tinha tudo para ser um perfeito espião.

— Na melhor tradição inglesa — acrescentou Seymour com um sorriso irônico.

E assim foi, ele continuou, que Jack Bradshaw entrou pelo mesmo caminho que tantos outros tinham seguido antes dele — o que levava das quadras tranquilas de Cambridge e Oxford à entrada criptografada do Serviço Secreto de Inteligência. Era 1985 quando ele chegou. A Guerra Fria estava perto do fim, e o MI6 ainda estava procurando uma razão para justificar sua existência depois de ser destruída internamente por Kim Philby e os outros membros do círculo de espiões de Cambridge. Bradshaw passou dois anos no programa de treinamento do MI6 e depois foi mandado ao Cairo para seu estágio. Tornou-se especialista em extremismo islâmico e previu com precisão o surgimento de uma rede internacional de terror jihadista liderada por veteranos da guerra do Afeganistão. Em seguida foi a Amã, onde estabeleceu boas conexões com o chefe da GID, o poderoso serviço de inteligência e segurança da Jordânia. Em pouco tempo, Jack Bradshaw era considerado o principal oficial de campo do MI6 no Oriente Médio. Pressupôs que seria o próximo chefe da divisão, mas o cargo acabou sendo atribuído a um rival que imediatamente mandou Bradshaw para Beirute, um dos postos mais perigosos e ingratos da região.

— E aí — falou Seymour —, foi quando começaram os problemas.

— Que tipo de problemas?
— Os de sempre — respondeu Seymour. — Começou a beber muito e trabalhar pouco. Também desenvolveu um complexo de superioridade. Chegou a acreditar que era o cara mais inteligente em qualquer lugar que estivesse e que seus superiores em Londres eram muito incompetentes. Qual outra explicação para o fato de não ter recebido a promoção quando era, claramente, o candidato mais qualificado para o cargo? Então conheceu uma mulher chamada Nicole Devereaux, e a situação foi de mal a pior.
— Quem era ela?
— Fotógrafa funcionária da AFP, a agência de notícias francesa. Ela conhecia Beirute melhor do que a maioria de seus concorrentes porque era casada com um empresário libanês chamado Ai Rashid.
— Como Bradshaw a conheceu? — perguntou Gabriel.
— Uma festa numa sexta-feira à noite na embaixada britânica: jornalistas, diplomatas e espiões trocando fofocas e histórias de horror em Beirute com cerveja quente e salgadinhos velhos.
— E começaram a ter um caso?
— Bastante tórrido, na verdade. Até onde sei, Bradshaw estava apaixonado por ela. Os rumores começaram a se espalhar, claro, e em pouco tempo chegaram aos ouvidos do *rezident* da KGB na embaixada soviética. Ele conseguiu algumas fotos de Nicole no quarto de Bradshaw. E aí atacou.
— Um recrutamento?
— É uma forma de dizer — afirmou Seymour. — Na verdade, foi a velha e boa chantagem.
— A especialidade da KGB.
— A sua, também.
Gabriel ignorou o comentário e perguntou sobre a natureza da chantagem.
— O *rezident* deu a Bradshaw uma escolha simples — respondeu Seymour. — Ele podia trabalhar como agente pago da KGB ou os russos iriam entregar as fotos de Nicole Devereaux em flagrante delito para o marido dela.
— Aposto que Ali Rashid não teria reagido tranquilamente à notícia de que sua esposa estava tendo um caso com um espião britânico.
— Rashid era um homem perigoso. — Seymour fez uma pausa, depois acrescentou: — E com uma boa rede de conexões, também.
— Que tipo de conexões?
— Inteligência síria.
— Então Bradshaw tinha medo de que Rashid a matasse?
— Com bons motivos. Não é preciso dizer que ele concordou em cooperar.
— O que entregou a eles?

— Nomes de agentes do MI6, operações em curso, noções sobre a política britânica na região. Resumindo, toda nossa agenda no Oriente Médio.

— Como vocês descobriram isso?

— *Nós* não descobrimos — falou Seymour. — Os norte-americanos descobriram que Bradshaw tinha uma conta bancária na Suíça com meio milhão de dólares. Revelaram a informação com grande fanfarra durante uma reunião terrível em Langley.

— Por que Bradshaw não foi preso?

— Você é um homem experiente — falou Seymour. — Diga você.

— Porque levaria a um escândalo que o MI6 não poderia aguentar na época.

Seymour tocou seu nariz.

— Eles até deixaram o dinheiro na conta bancária suíça porque não encontraram uma forma de retê-lo sem levantar uma bandeira vermelha. Possivelmente foi a rede de segurança mais lucrativa na história do MI6. — Seymour balançou a cabeça lentamente. — Não exatamente o nosso melhor momento.

— O que aconteceu com Bradshaw depois que saiu do MI6?

— Ficou em Beirute por alguns meses lambendo as próprias feridas antes de voltar para a Europa e abrir sua própria empresa de consultoria. Para que fique registrado — acrescentou Seymour —, a inteligência britânica nunca acreditou na Meridian Global Consulting Group.

— Sabiam que Bradshaw estava vendendo arte roubada?

— Suspeitávamos que estivesse envolvido em negócios que não eram exatamente legais, mas simplesmente olhávamos para o outro lado e torcíamos para que nada acontecesse.

— E quando souberam que ele tinha sido assassinado na Itália?

— Mantivemos a ficção de que era diplomata. O Ministério de Relações Exteriores deixou claro, no entanto, que iriam negar isso ao primeiro indício de problema. — Seymour fez uma pausa, depois perguntou: — Esqueci alguma coisa?

— O que aconteceu com Nicole Devereaux?

— Aparentemente, alguém contou ao marido sobre o caso. Ela desapareceu uma noite depois de sair da sede da AFP. Encontraram o corpo alguns dias depois no vale de Bekaa.

— Foi o Rashid quem a matou?

— Não — respondeu Seymour. — Ele pediu para os sírios fazerem isso. Se divertiram um pouco com ela antes de enforcá-la em um poste e cortar sua garganta. Foi bastante feio. Mas acho que era de se esperar. Afinal — acrescentou ele sombrio —, eram sírios.

— Fico pensando se foi uma coincidência — falou Gabriel.
— O quê?
— Que alguém matou Jack Bradshaw exatamente da mesma maneira.

Seymour não falou nada, apenas olhou seu relógio com o ar de um homem que ia chegar tarde para uma reunião que preferia não participar.

— Helen está me esperando para jantar — falou com uma profunda falta de entusiasmo. — Infelizmente, ela está em uma fase africana no momento. Não tenho certeza, mas é possível que tenha comido cabra na semana passada.

— Você é um homem de sorte, Graham.
— Helen diz a mesma coisa. Meu médico não tem tanta certeza.

Seymour colocou o copo sobre a mesa e se levantou. Gabriel não se moveu.

— Acho que você tem mais uma pergunta — falou Seymour.
— Duas, na verdade.
— Estou ouvindo.
— Alguma chance de conseguir dar uma olhada no arquivo de Bradshaw?
— Próxima pergunta.
— Quem é Samir?
— Sobrenome?
— Estou trabalhando nisso.

Seymour olhou para o teto.

— Há um Samir que é dono de um mercadinho na esquina do meu apartamento. É membro devoto da Irmandade Muçulmana que acredita que a Grã--Bretanha deveria ser governada pela lei da *sharia*. — Olhou para Gabriel e sorriu. — Tirando isso, é um cara bem legal.

A embaixada israelense estava localizada do outro lado do rio Tâmisa, em uma esquina tranquila de Kensington perto da High Street. Gabriel entrou no prédio através de uma porta escondida no fundo e desceu para as salas de segurança reservadas para o Escritório. O chefe de estação não estava presente, só um jovem assistente chamado Noah que se levantou assim que viu o futuro diretor entrar pela porta sem ser anunciado. Gabriel entrou no módulo de comunicações seguras — no léxico do Escritório era chamado de Santo dos Santos — e enviou uma mensagem para o Boulevard Rei Saul pedindo acesso a qualquer arquivo relacionado com um empresário libanês chamado Ali Rashid. Não se preocupou em explicar o motivo de seu pedido. Seu futuro cargo tinha seus privilégios.

Vinte minutos se passaram até que o arquivo aparecesse através de um link seguro — tempo suficiente, considerou Gabriel, para que o atual chefe do Escritório aprovasse sua transmissão. Era breve, cerca de mil palavras, e escrito no estilo conciso exigido dos analistas do Escritório. Afirmava que Ali Rashid era uma peça conhecida da inteligência síria, que financiava uma grande rede síria no Líbano, e que morreu num ataque de carro bomba na capital libanesa em 2011, cuja autoria era desconhecida. No fim do arquivo havia uma cifra numérica de seis dígitos do oficial que havia criado o arquivo. Gabriel reconheceu; a analista já tinha sido a maior especialista do Escritório na Síria e no Partido Baath. Hoje em dia era famosa por outro motivo. Era a esposa do futuro ex-chefe.

Como a maioria dos postos ao redor do mundo, a estação de Londres continha um pequeno quarto para momentos de crise. Gabriel conhecia bem o quarto, pois tinha ficado nele várias vezes. Ele se deitou na desconfortável cama de solteiro e tentou dormir, mas não conseguiu; o caso não abandonava seus pensamentos. Um promissor espião britânico que se perdeu, um colaborador da inteligência síria explodido em pedaços por um carro-bomba, três quadros roubados cobertos por falsificações de ótima qualidade, um cofre no Freeport de Genebra... As possibilidades, pensou Gabriel, eram infinitas. Não valia a pena tentar forçar as peças agora. Ele precisava abrir outra janela — uma janela para o mercado global de quadros roubados — e para isso precisava da ajuda de um mestre na arte do roubo.

Assim ficou deitado, sem sono, na cama dura, lutando contra suas lembranças e pensando em seu futuro, até as seis da manhã seguinte. Depois de tomar uma ducha e mudar de roupas, saiu da embaixada enquanto ainda estava escuro e pegou o metrô até St. Pancras. Um Eurostar estava saindo para Paris às sete e meia; ele comprou alguns jornais antes de embarcar e terminou de lê-los quando o trem parou na Gare du Nord. Do lado de fora, uma fila de táxis molhados esperava debaixo de um céu cinza-escuro. Gabriel passou por eles e passou uma hora caminhando pelas ruas cheias ao redor da estação até ter certeza de que não estava sendo seguido. Então partiu para o oitavo *Arrondissement* e uma rua chamada rue de Miromesnil.

10

RUE DE MIROMESNIL, PARIS

N o SERVIÇO DE INTELIGÊNCIA, como na vida, às vezes é necessário tratar com indivíduos cujas mãos não estão nada limpas. A melhor forma de pegar um terrorista é usar outro terrorista como fonte. O mesmo era verdade, reconheceu Gabriel, quando se estava tentando pegar um ladrão. O que explicava o motivo pelo qual, às 9h55, ele estava sentado numa mesa ao lado da janela de uma boa *brasserie* na rue de Miromesnil, com uma cópia do *Le Monde* aberta a sua frente e um café com creme fumegante. Às 9h58, ele viu um homem com um casaco enorme e chapéu caminhando rapidamente pela calçada na direção do Palácio do Eliseu. O homem entrou em uma pequena loja chamada Antiquités Scientifiques às dez em ponto, acendeu as luzes, e mudou o cartaz na janela de FERMÉ para OUVERT. Maurice Durand, pensou Gabriel, sorrindo, era alguém totalmente confiável. Terminou seu café e cruzou a rua vazia até a entrada da loja. O intercomunicador, quando ele tocou, gemeu como uma criança inconsolável. Vinte segundos se passaram sem nenhum convite para entrar. Então a fechadura se abriu com um ruído pouco hospitaleiro e Gabriel adentrou na loja.

A pequena loja, como o próprio Durand, era um modelo de ordem e precisão. Microscópios e barômetros antigos estavam arrumados em fileiras nas prateleiras, o latão brilhando como botões de uma farda de soldado; câmeras e telescópios espreitando cegamente para o passado. No centro do salão havia um globo terrestre italiano do século XIX, preço disponível sob consulta. A pequena mão de Durand descansava sobre a Ásia Menor. Estava usando um terno escuro, uma gravata dourada e o sorriso menos sincero que Gabriel já tinha visto. Sua careca brilhava sob a luz do teto. Seus pequenos olhos estavam fixos em Gabriel como um terrier em alerta.

— Como andam os negócios? — perguntou Gabriel cordialmente.

Durand se moveu para os aparelhos fotográficos e pegou uma câmera do começo do século XX com lente de latão de Poulenc de Paris.

— Estou enviando para um colecionador na Austrália — falou ele. — Seiscentos euros. Não tanto quanto eu esperava, mas ele barganhou muito.

— Não esse negócio, Maurice.

Durand não respondeu.

— Foi uma obra adorável que você e seus homens conseguiram em Munique no mês passado — falou Gabriel. — Um retrato de El Greco desaparece da Alte Pinakothek, e ninguém viu ou ouviu falar dele desde então. Nenhum pedido de resgate. Nenhum indício de que a polícia alemã esteja perto de resolver o caso. Nada, a não ser silêncio e um espaço vazio na parede de um museu onde costumava estar uma obra de arte.

— Não faça perguntas sobre meus negócios — falou Durand —, e não faço sobre os seus. Essas são as regras da nossa relação.

— Onde está o El Greco, Maurice?

— Em Buenos Aires, nas mãos de um dos meus melhores clientes. Ele tem uma fraqueza — acrescentou Durand —, um apetite insaciável que só eu posso satisfazer.

— E qual é?

— Gosta de possuir o impossuível. — Durand colocou a câmera de novo na prateleira. — Imagino que esta não seja uma visita social.

Gabriel negou com a cabeça.

— O que você quer dessa vez?

— Informações.

— Sobre o quê?

— Um inglês morto chamado Jack Bradshaw.

O rosto de Durand permaneceu impassível.

— Suponho que você o conhecia. — falou Gabriel.

— Só sua reputação.

— Alguma ideia de quem o cortou em pedaços?

— Não — falou Durand, balançando a cabeça lentamente. — Mas eu poderia indicar a direção correta.

Gabriel foi até a janela e virou o cartaz de OUVERT para FERMÉ. Durand respirou fundo e colocou seu sobretudo.

Era uma das duplas mais improváveis que alguém poderia ter encontrado em Paris naquela manhã fria, o ladrão de arte e o agente da inteligência, caminhando lado a lado pelas ruas do oitavo *Arrondissement*. Maurice Durand, meticuloso em tudo, começou fazendo um guia rápido sobre o negócio de arte roubada. A cada ano, milhares de quadros e outros *objets d'art* desapareciam de museus, galerias, instituições públicas e residências. Estimativas do seu valor chegavam a seis bilhões de dólares, fazendo do roubo de arte a quarta atividade ilícita mais lucrativa do mundo, atrás somente do tráfico de drogas, lavagem de dinheiro e comércio de armas. E Maurice Durand era responsável por boa parte disso. Trabalhando com um grupo estável de ladrões profissionais estabelecidos em Marselha, ele tinha realizado alguns dos maiores roubos de obras de arte da história. Não pensava em si mesmo como um simples ladrão de arte. Era um empresário global, um tipo de corretor, especializado na silenciosa aquisição de quadros que não estavam à venda.

— Na minha humilde opinião — continuou ele sem um traço de humildade na voz —, há quatro tipos diferentes de ladrões de arte. O primeiro é o que procura emoção, o amante de arte que rouba para conseguir algo que nunca poderia comprar. Eu me lembro de Stéphane Breitwieser. — Ele olhou de lado para Gabriel. — Conhece o nome?

— Breitwieser foi o garçom que roubou mais de um bilhão de dólares em arte para sua coleção particular.

— Incluindo *Sibila de Cleves*, de Lucas Cranach, o Velho. Depois de ter sido preso, sua mãe cortou os quadros em pequenos pedaços e os jogou no lixo da cozinha. — O francês balançou a cabeça, reprovando. — Estou longe de ser perfeito, mas nunca destruí um quadro. — Olhou de novo para Gabriel. — Mesmo quando deveria.

— E a segunda categoria?

— O perdedor incompetente. Rouba um quadro, não sabe o que fazer com ele e entra em pânico. Às vezes, consegue receber um resgate ou uma recompensa. Geralmente é pego. Francamente — acrescentou Durand —, esse tipo me deixa triste. Dá às pessoas como eu uma má reputação.

— Profissionais que realizam roubos sob encomenda.

Durand assentiu. Estavam caminhando pela avenida Matignon. Passaram pelos escritórios em Paris da Christie's e entraram na Champs-Élysées. Os galhos das castanheiras estavam nus contrastando com o céu cinzento.

— Há alguns policiais que insistem que eu não existo — retomou Durand. — Acham que sou uma fantasia, uma idealização. Não entendem que há pessoas muito ricas no mundo que cobiçam grandes obras de arte e não se importam se são roubadas ou não. Na verdade, há algumas pessoas que querem uma obra de arte *porque* é roubada.

— Qual é a quarta categoria?

— Crime organizado. São bons roubando quadros, mas não tão bons em colocá-los no mercado. — Durand parou, então acrescentou: — É onde entra Jack Bradshaw. Ele era um intermediário entre os ladrões e os compradores — um intermediário de luxo, pode-se dizer. E era bom no que fazia.

— Que tipo de compradores?

— Às vezes, ele vendia direto para colecionadores — respondeu Durand. — Mas na maioria das vezes enviava as obras roubadas para uma rede de comerciantes aqui na Europa.

— Onde?

— Paris, Bruxelas e Amsterdã são excelentes mercados para arte roubada. Mas as leis de propriedade e privacidade da Suíça ainda fazem com que seja a Meca para colocar propriedades roubadas no mercado.

Cruzaram a Place de la Concorde e entraram no Jardin des Tuileries. À esquerda estava o Jeu de Paume, o pequeno museu que os nazistas tinham usado como um tipo de depósito quando saquearam a França de sua arte. Durand parecia fazer um esforço consciente para não olhar para lá.

— Seu amigo Jack Bradshaw estava em uma linha perigosa de trabalho — disse ele. — Tinha que lidar com o tipo de pessoa que facilmente usa a violência quando não consegue o que quer. As gangues sérvias são especialmente ativas na Europa Ocidental. Os russos, também. É possível que Bradshaw tenha sido assassinado como resultado de um negócio que deu errado. Ou... — A voz de Durand falhou.

— Ou o quê?

Durand hesitou antes de responder.

— Escutei rumores — finalmente falou. — Nada concreto, entenda. Só especulação.

— Que tipo de especulação?

— Que Bradshaw estava envolvido na aquisição de um grande número de quadros no mercado negro para um único indivíduo.

— Sabe o nome desse indivíduo?

— Não.

— Está me contando a verdade, Maurice?

— Isso pode surpreendê-lo — respondeu Durand —, mas quando alguém está comprando uma coleção de quadros roubados, normalmente não divulga o que está fazendo.

— Continue.

— Ouvi rumores de outro tipo sobre Bradshaw, rumores de que estava intermediando um acordo para uma obra de arte. — Durand fez uma verificação quase imperceptível dos arredores antes de continuar. Era um movimento, pensou Gabriel, típico em um espião profissional. — Uma obra de arte que está desaparecida há várias décadas.

— Sabe qual era o quadro?

— Claro. E você também. — Durand parou de caminhar e se virou para encarar Gabriel. — Era uma natividade pintada por um artista barroco no final de sua carreira. Seu nome era Michelangelo Merisi, mas a maioria das pessoas o conhece pelo nome da vila de sua família perto de Milão.

Gabriel pensou nas três letras que tinha encontrado no bloco de notas de Bradshaw: *C... V... O...*

As letras não eram aleatórias.

Eram de Caravaggio.

11

JARDIN DES TUILERIES, PARIS

Dois séculos após sua morte, ele tinha sido quase esquecido. Seus quadros juntavam poeira nos depósitos de galerias e museus, muitos eram atribuídos equivocadamente, suas figuras dramaticamente iluminadas recuando lentamente no vazio de seus característicos fundos negros. Finalmente, em 1951, o famoso historiador de arte Roberto Longhi reuniu suas obras conhecidas e fez uma exposição para o mundo no *palazzo* Reale, em Milão. Muitos dos que visitaram a incrível exposição nunca tinham ouvido falar de Caravaggio.

Os detalhes de sua vida eram no máximo esboços, fracas linhas de carvão em uma tela em branco. Nasceu no vigésimo nono dia de setembro de 1571, provavelmente em Milão, onde seu pai era um construtor e arquiteto bem-sucedido. No verão de 1576, a peste voltou à cidade. Quando ela finalmente passou, um quinto da diocese de Milão tinha morrido, incluindo o pai, o avô e o tio do jovem Caravaggio. Em 1584, aos 13 anos, ele entrou na oficina de Simone Peterzano, um maçante, mas competente, maneirista que afirmava ter sido pupilo de Ticiano. O contrato, que ainda existe, obrigava Caravaggio a treinar "noite e dia" por um período de quatro anos. Não se sabe se ele foi bem ou mesmo se completou seu aprendizado. Claramente, o trabalho fraco e sem vida de Peterzano teve pouca influência sobre ele.

As circunstâncias exatas sobre a saída de Caravaggio de Milão estão, como quase todo o resto de sua vida, perdidas no tempo e envoltas em mistério. Registros indicam que sua mãe morreu em 1590 e que, de seus modestos bens, ele recebeu uma herança igual a seiscentos *scudi* de ouro. Em um ano o dinheiro tinha acabado. Não existe nenhuma sugestão, em lugar nenhum, de que o volúvel jovem que tinha sido treinado para ser artista pintou algo em seus últimos anos em

Milão. Parece que estava muito ocupado com outras atividades. Giovanni Pietro Bellori, autor de uma de suas primeiras biografias, sugere que Caravaggio teve de fugir da cidade, talvez depois de um incidente envolvendo uma prostituta e uma navalha, talvez depois do assassinato de um amigo. Ele viajou para o leste, até Veneza, escreveu Bellori, onde ficou enfeitiçado pela paleta de Giorgione. Então, no outono de 1592, foi para Roma.

A partir daí, a vida de Caravaggio começa a tomar relevos claros. Entrou na cidade, como todos os migrantes do norte, através dos portões do porto del Popolo e chegou ao bairro dos artistas, uma confusão de ruas sujas ao redor do Campo Marzio. De acordo com o pintor Baglione, ele dividiu um quarto com um artista da Sicília, embora outro biógrafo, um médico que conheceu Caravaggio em Roma, tenha registrado que ele encontrou alojamento na casa de um padre que o forçava a limpar a casa e só lhe dava verduras para comer. Caravaggio chamava o padre de *Monsignor Insalata* e saiu da casa dele após poucos meses. Viveu em dezenas de lugares diferentes durante seus primeiros anos em Roma, inclusive na oficina de Giuseppe Cesari, onde dormia num colchão de palha. Andava pelas ruas com meias pretas esfarrapadas e uma capa preta surrada. Seu cabelo preto era um caos completo.

Cesari só permitia que Caravaggio pintasse flores e frutas, uma das tarefas mais baixas para um aprendiz em um ateliê. Entediado, convencido de seu talento superior, ele começou a produzir seus próprios quadros. Vendeu alguns nos becos perto da Piazza Navona. Mas um deles, uma imagem luminosa de um garotinho romano sendo enganado por uma dupla de trapaceiros, foi vendido para um negociante cuja loja estava localizada em frente ao *palazzo* ocupado pelo cardeal Francesco del Monte. A transação iria mudar completamente o curso da vida de Caravaggio, pois o cardeal, conhecedor e patrono das artes, gostou muito do quadro e o comprou por alguns *scudi*. Logo depois, comprou um segundo quadro de Caravaggio mostrando uma vidente que, sorrindo, roubava o anel de um garoto de Roma enquanto lia a palma de sua mão. Em algum momento, os dois homens se conheceram, embora não esteja claro quem tomou a iniciativa. O cardeal ofereceu ao jovem artista comida, roupas, alojamento e um estúdio no *palazzo*. Tudo que pedia de Caravaggio era que ele pintasse. O artista, com 24 anos na época, aceitou a proposta do cardeal. Foi uma das poucas decisões sábias que tomou.

Depois de se estabelecer em seu quarto no *palazzo*, Caravaggio produziu vários quadros para o cardeal e seu círculo de amigos ricos, incluindo *O Tocador de Ataúde, Os Músicos, Baco, Marta e Maria Madalena* e *São Francisco de Assis em Êxtase*. Então, em 1599, recebeu seu primeiro pedido público: dois quadros retratando cenas da vida de São Mateus para a capela Contarelli na Igreja de San

Luigi dei Francesi. Os quadros, apesar de controversos, instantaneamente estabeleceram Caravaggio como o artista mais procurado de Roma. Outros pedidos logo se seguiram, incluindo *O Martírio de São Pedro* e *A Conversão de São Paulo* para a capela Cerasi da Igreja de Santa Maria del Popolo, *A Ceia de Emaús, João Batista, A Captura de Cristo, A Incredulidade de São Tomé* e *O Sacrifício de Isaac*. Nem todas suas obras foram aprovadas quando ficaram prontas. *Madonna e a Criança com Santa Ana* foi retirada da basílica de São Pedro porque a hierarquia da igreja aparentemente não aprovou o decote de Maria. O retrato dela com pernas nuas em *Morte da Virgem* foi considerado tão ofensivo que a igreja que fez o pedido, Santa Maria della Scala, em Trastevere, se recusou a aceitá-lo. Rubens afirmou que era uma das melhores obras de Caravaggio e o ajudou a encontrar um comprador.

O sucesso como pintor não trouxe tranquilidade à vida pessoal de Caravaggio — na verdade, ela continuava tão caótica e violenta como sempre. Foi preso por andar com uma espada sem autorização no Campo Marzio. Enfiou um prato de alcachofras no rosto de um garçom na Osteria del Moro. Foi preso por jogar pedras na *sbirri*, a polícia papal, na via dei Greci. O incidente de jogar pedras ocorreu às nove e meia de uma noite de outubro de 1604. Nesse momento, Caravaggio estava morando em uma casa alugada apenas com Cecco, seu aprendiz e modelo ocasional, como companhia. Sua aparência física tinha se deteriorado; era novamente a figura desleixada usando roupas pretas desalinhadas que vendia seus quadros na rua. Apesar de ter várias encomendas, trabalhava esporadicamente. De alguma forma conseguiu entregar um monumental retábulo chamado *A Deposição de Cristo*. Foi considerado por muitos como seu melhor quadro.

Houve mais atritos com as autoridades — seu nome aparece nos registros policiais de Roma cinco vezes só em 1605 —, mas nada mais sério do que o incidente que aconteceu em 28 de maio de 1606. Era um domingo e, como sempre, Caravaggio fora até as quadras de via della Pallacorda para uma partida de tênis. Lá, ele encontrou Ranuccio Tomassoni, um lutador de rua e rival nos afetos de uma linda e jovem cortesã que tinha posado para vários dos quadros de Caravaggio. Palavras foram trocadas, e espadas, desembainhadas. Os detalhes do *mêlée* são pouco claros, mas terminou com Tomassoni caído no chão com uma profunda ferida no alto de sua coxa. Morreu pouco depois e, à noite, Caravaggio era o alvo de uma caçada humana por toda a cidade. Procurado por assassinato, um crime com uma única punição possível, ele fugiu para as colinas Albanas. Nunca mais veria Roma.

Foi para o sul até Nápoles, onde sua reputação como grande pintor o precedia, a despeito do assassinato. Ele deixou para trás *As Sete Obras de Misericórdia* antes de navegar para Malta. Lá foi admitido nos Cavalheiros de Malta, uma honra cara pela qual pagou com quadros e, por um breve momento, viveu como um nobre. Então, uma briga com outro membro da ordem o levou novamente a passar um tempo na prisão. Conseguiu escapar e fugiu para a Sicília onde, segundo informações, era uma alma louca e perturbada que dormia com uma adaga. Mesmo assim, conseguia pintar. Em Siracusa, ele deixou *O Enterro de Santa Lúcia*. Em Messina, produziu dois quadros monumentais: *A Ressurreição de Lázaro* e o doloroso *Adoração dos Pastores*. E para o Oratorio di San Lorenzo, em Palermo, pintou *Natividade com São Francisco e São Lourenço*. Trezentos e cinquenta e nove anos depois, na noite de 18 de outubro de 1969, dois homens entraram na capela através de uma janela e cortaram a tela de sua moldura. Uma cópia do quadro está pendurada atrás da mesa do general Cesare Ferrari no *palazzo* em Roma. Era o alvo número um do Esquadrão de Arte.

— Suspeito que o general já saiba sobre a conexão entre o Caravaggio e Jack Bradshaw — falou Maurice Durand. — Isso explicaria por que ele insistiu tanto para que você assumisse o caso.

— Você conhece bem o general — falou Gabriel.

— Não tanto — respondeu o francês. — Mas eu o encontrei uma vez.

— Onde?

— Aqui em Paris, em um simpósio sobre crimes contra a arte. O general era um dos palestrantes.

— E você?

— Eu estava na plateia.

— Com que desculpa?

— Como negociante de antiguidades valiosas, claro. — Durand sorriu. — Ele me pareceu um homem sério, muito capaz. Já faz tempo que roubei um quadro na Itália.

Estavam caminhando por uma trilha de cascalho da *allée centrale*. As nuvens pesadas tinham drenado as cores dos jardins. Era Sisley em vez de Monet.

— É possível? — perguntou Gabriel.

— Que o Caravaggio esteja à venda?

Gabriel assentiu. Durand pareceu pensar muito antes de responder.

— Ouvi todo tipo de história — falou, finalmente. — Que o colecionador que encomendou o roubo se recusou a aceitar o quadro porque ficou muito danificado quando foi cortado da moldura. Que os chefes da máfia da Sicília costumavam levá-lo durante as reuniões como um tipo de troféu. Que foi destruído em uma enchente. Que foi comido por ratos. Mas também ouvi rumores — acrescentou ele — de que já esteve à venda antes.

— Quanto valeria no mercado negro?

— Os quadros que Caravaggio produziu enquanto estava fugindo não possuem a mesma profundidade de suas grandes obras romanas. Mesmo assim — acrescentou Durand —, um Caravaggio ainda é um Caravaggio.

— Quanto, Maurice?

— A regra geral é que um quadro roubado retém dez por cento de seu valor no mercado negro. Se o Caravaggio valesse cinquenta milhões no mercado aberto, sujo chegaria a uns cinco milhões.

— Não existe mercado aberto para um Caravaggio.

— O que significa que é realmente único. Alguns homens no mundo pagariam quase qualquer valor por ele.

— Você conseguiria vendê-lo?

— Com apenas um telefonema.

Chegaram ao pequeno cais onde vários pequenos veleiros estavam navegando em um minúsculo mar revirado por uma tempestade. Gabriel parou na beira e explicou como tinha encontrado três quadros roubados — um Parmigianino, um Renoir e um Klimt — escondidos sob cópias de menor valor na *villa* de Jack Bradshaw no lago Como. Durand, olhando os barcos, assentia pensativo.

— Parece que estavam prontos para transporte e venda.

— Por que pintar por cima?

— Assim poderiam ser vendidos como obras legítimas. — Durand parou, depois acrescentou: — Obras legítimas de menor valor, claro.

— E quando as vendas fossem finalizadas?

— Uma pessoa como você seria contratada para remover as imagens de cima e preparar os quadros para serem pendurados.

Duas turistas, jovens garotas, posavam para uma fotografia do lado oposto do cais. Gabriel puxou Durand pelo cotovelo e o guiou até a pirâmide do Louvre.

— A pessoa que pintou esses quadros falsos era boa — falou ele. — Boa o suficiente para enganar alguém como eu numa primeira olhada.

— Há muitos artistas talentosos por aí que estão dispostos a oferecer seus serviços para nós, que estamos no lado escuro do negócio. — O francês olhou para Gabriel e perguntou: — Já teve a ocasião de falsificar um quadro?

— Eu posso ter falsificado um Cassatt uma vez.

— Por uma boa causa, sem dúvida.

Eles continuaram andando, o cascalho fazendo barulho debaixo de seus pés.

— E você, Maurice? Já precisou dos serviços de um falsificador?

— Estamos entrando em território sensível — falou Durand.

— Cruzamos essa fronteira há algum tempo, eu e você.

Eles chegaram à place du Carrousel, viraram à direita e foram até o rio.

— Sempre que possível — falou Durand —, prefiro criar a ilusão de que um quadro roubado não foi realmente roubado.

— Deixa uma cópia no lugar.

— Chamamos de obras substitutas.

— Quantas estão penduradas em museus e casas na Europa?

— Preferia não falar.

— Vamos lá, Maurice.

— Há um homem que faz todo esse trabalho para mim. Ele é rápido, confiável e bastante bom.

— Esse homem tem nome?

Durand hesitou antes de responder. O nome do falsificador era Yves Morel.

— Onde ele estudou?

— Na École Nationale des Beaux-Arts, em Lyon.

— Bastante prestigiada — falou Gabriel. — Por que ele mesmo não se tornou artista?

— Ele tentou. Não saiu como planejava.

— Então se vingou do mundo da arte tornando-se um falsificador?

— Mais ou menos isso.

— Quanta nobreza.

— Quem tem teto de vidro...

— A sua relação é exclusiva?

— Gostaria que fosse, mas não tenho tanto trabalho para ele. Em certas ocasiões, ele aceita pedidos de outros clientes. Um desses clientes era um intermediário recém-falecido chamado Jack Bradshaw.

Gabriel parou de caminhar e se virou para encarar Durand.

— E é por isso que você sabe tanto sobre as operações de Bradshaw — falou ele. — Estiveram dividindo os serviços do mesmo falsificador.

— Foi tudo bastante Caravaggiesco — respondeu Durand, assentindo.

— Onde Morel trabalhava para Bradshaw?

— Em um quarto no Freeport de Genebra. Bradshaw tinha uma galeria de arte bastante interessante ali. Yves costumava chamar de galeria dos desaparecidos.

— Onde ele está agora?

— Aqui em Paris.

— Onde, Maurice?

Durand tirou a mão do bolso de seu casaco e indicou que o falsificador poderia ser encontrado em algum ponto perto de Sacré-Coeur. Entraram no metrô, o ladrão de arte e o agente da inteligência, e foram para Montmartre.

12

MONTMARTRE, PARIS

Yves Morel vivia em um prédio de apartamentos na rue Ravignon. Quando Durand apertou o botão da campainha, ninguém atendeu.
— Ele deve estar na place du Tertre.
— Fazendo o quê?
— Vendendo cópias de quadros impressionistas famosos para turistas para que as autoridades francesas acreditem que ele tem uma renda legítima.

Caminharam até a praça, uma confusão de cafés a céu aberto com artistas de rua perto da basílica, mas Morel não estava em seu ponto de sempre. Então foram até seu bar favorito na rue Norvins, mas não havia nenhum sinal dele ali também. Não atendeu uma ligação no seu celular.

— *Merde* —, falou Durand baixinho, enfiando o celular de novo no bolso do casaco.
— E agora?
— Tenho uma chave do seu apartamento.
— Por quê?
— De vez em quando, ele deixa coisas em seu estúdio para que eu recolha.
— Parece alguém que confia em você.
— Contrariando o dito popular — falou Durand —, há muita honra entre ladrões.

Eles caminharam de volta ao prédio e tocaram a campainha pela segunda vez. Não havendo resposta, Durand tirou um molho de chaves de seu bolso e usou uma para abrir a porta. Usou a mesma chave para abrir a porta do apartamento de Morel. Estava tomado pela escuridão. Durand mexeu no interruptor da parede, iluminando uma grande sala aberta que funcionava como estúdio e sala de estar. Gabriel caminhou até um cavalete, sobre o qual havia uma cópia não finalizada de uma paisagem de Pierre Bonnard.

— Ele vai vender essa para os turistas na place du Tertre?
— Essa é para mim.
— Para quê?
— Use sua imaginação.

Gabriel examinou o quadro mais de perto.

— Se fosse adivinhar — falou ele —, sua intenção é pendurá-lo no Musée des Beaux-Arts, em Nice.

— Você tem um bom olho.

Gabriel se afastou do cavalete e caminhou até a mesa grande e retangular no centro do estúdio. Em cima dela havia uma lona manchada de tinta. Embaixo havia um objeto de aproximadamente 1,82 m de comprimento e 60 cm de largura.

— Morel é escultor?
— Não.
— Então o que está debaixo da lona?
— Não sei, mas é melhor você dar uma olhada.

Gabriel levantou a ponta da lona e deu uma espiada.

— E então? — perguntou Durand.
— Acho que você vai ter que encontrar outra pessoa para terminar o Bonnard, Maurice.
— Deixe-me ver.

Gabriel levantou a lona.

— *Merde* — falou Durand baixinho.

PARTE DOIS

GIRASSÓIS

13

SAN REMO, ITÁLIA

O GENERAL FERRARI ESPERAVA PERTO DAS paredes da velha fortaleza em San Remo às duas e meia da tarde seguinte. Usava terno, casaco de lã e óculos escuros que escondiam seu olho falso que tudo via. Gabriel, vestido de jeans e couro, parecia o irmão mais jovem, o que tinha feito todas as piores escolhas na vida e que precisava, outra vez, de dinheiro. Enquanto caminhavam pela fonte suja, ele contou ao general o que tinha descoberto, apesar de não revelar suas fontes. O general não pareceu surpreso com nada do que estava ouvindo.

— Você esqueceu uma coisa — falou ele.

— E qual é?

— Jack Bradshaw não era diplomata. Era espião.

— Como você sabia?

— Todo mundo no negócio de arte sabia do passado de Bradshaw. Era um dos motivos pelos quais ele era tão bom. Mas não se preocupe — acrescentou o general. — Não vou complicar sua situação com seus amigos de Londres. Tudo que quero é meu Caravaggio.

Eles deixaram a fonte e desceram a colina até o centro da cidade. Gabriel ficou pensando por que alguém iria querer passar as férias ali. A cidade lembrava uma mulher que já tinha sido bonita e que se arrumava para que pintassem seu retrato.

— Você me enganou — disse ele.

— De jeito nenhum — respondeu o general.

— Como descreveria o que fez?

— Eu não contei certos fatos para não atrapalhar sua investigação.

— Sabia que o Caravaggio estava à venda quando me pediu para investigar a morte de Bradshaw?

— Ouvi rumores sobre isso.

— Já ouviu rumores sobre um colecionador comprando muita arte roubada?

O general assentiu.

— Quem é?

— Não tenho ideia.

— Está me contando a verdade dessa vez?

O general colocou sua mão boa sobre o coração.

— Não sei a identidade da pessoa que está comprando toda peça de arte roubada que consegue encontrar. Nem sei quem está por trás da morte de Jack Bradshaw. — Ele fez uma pausa, depois acrescentou: — Apesar de suspeitar que seja a mesma pessoa.

— Por que Bradshaw foi assassinado?

— Acho que pode ter perdido sua utilidade.

— Porque ele entregou o Caravaggio?

O general assentiu em dúvida.

— Então por que foi torturado primeiro?

— Talvez seus assassinos quisessem um nome.

— Yves Morel?

— Bradshaw deve ter usado Morel para dar uma melhorada no quadro de modo que pudesse ser vendido. — Ele olhou para Gabriel e perguntou: — Como o mataram?

— Quebraram seu pescoço. Parece ter sido uma separação completa da medula.

O general fez uma careta.

— Silencioso e sem sangue.

— E muito profissional.

— O que você fez com o pobre coitado?

— Vão cuidar dele — falou Gabriel baixinho.

— Quem?

— É melhor não saber os detalhes.

O general balançou a cabeça lentamente. Era agora cúmplice de um crime. Não era a primeira vez.

— Vamos esperar — falou depois de um momento — que a polícia francesa nunca descubra que você esteve no apartamento de Morel. Com seu histórico, eles poderiam ter a impressão errada.

— Exato — falou Gabriel, taciturno. — Esperemos que não.

Eles entraram na via Roma. Reverberava com o barulho de centenas de scooters. Gabriel, quando voltou a falar, teve de elevar a voz para ser ouvido.

— Quem foi o último dono? — perguntou ele.
— Do Caravaggio?
Gabriel assentiu.
— Nem eu tenho certeza — admitiu o general. — Sempre que prendíamos um mafioso, independentemente de sua importância, ele nos oferecia informações sobre a localização da *Natividade* em troca de uma redução da sentença. Chamamos de "carta de Caravaggio". Não é preciso dizer que perdemos incontáveis horas de trabalho procurando pistas falsas.
— Achei que você quase o tivesse encontrado há uns anos.
— Eu também, mas escorreu pelos meus dedos. Estava começando a pensar que nunca teria outra oportunidade de recuperá-lo. — Ele sorriu, contra vontade. — E agora isso.
— Se o quadro foi vendido, provavelmente não está mais na Itália.
— Concordo. Mas minha experiência diz — acrescentou o general — que o melhor momento para encontrar um quadro roubado é imediatamente depois de ter mudado de mãos. Precisamos agir rapidamente, no entanto. De outra forma, nós poderemos ter que esperar outros 45 anos.
— Nós?
O general parou de caminhar, mas não falou nada.
— Meu envolvimento nesse assunto — falou Gabriel acima do barulho do trânsito — está oficialmente terminado.
— Você prometeu descobrir quem matou Jack Bradshaw em troca de manter o nome do seu amigo fora dos jornais. Até onde vejo, não completou sua missão.
— Forneci uma pista importante, sem mencionar três quadros roubados.
— Mas não o quadro que eu quero. — O general tirou os óculos escuros e fixou seu olhar monocular em Gabriel. — Seu envolvimento nesse caso não terminou, Allon. Na verdade, está apenas começando.

Eles caminharam até um pequeno bar que dava para a marina. Estava vazio exceto por dois jovens que se queixavam sobre a triste situação da economia. Era uma visão comum na Itália desses dias. Não havia empregos, nem perspectivas, nem futuro — só as lindas lembranças do passado que o general e sua equipe no Esquadrão de Arte tinham jurado proteger. Pediu um café e um sanduíche e levou Gabriel até uma mesa do lado de fora, sob a luz fria do sol.
— Francamente — falou ele quando estavam sozinhos de novo —, não sei como você pode pensar em deixar esse caso agora. Seria como deixar um quadro inacabado.

— Meu quadro inacabado está em Veneza — respondeu Gabriel — junto com minha esposa grávida.

— Seu Veronese está seguro. Assim como sua esposa.

Gabriel olhou para uma lata de lixo cheia na ponta da marina e balançou a cabeça. Os antigos romanos tinham inventado o aquecimento central, mas em algum ponto do caminho seus descendentes tinham esquecido como jogar fora o lixo.

— Poderia demorar meses para encontrar esse quadro — falou ele.

— Não temos meses. Eu diria que temos algumas semanas no máximo.

— Então suponho que você e seus homens deveriam se mexer.

O general balançou a cabeça lentamente.

— Somos bons em grampear telefones e fazer acordos com a escória da máfia. Mas não somos bons em operações secretas, principalmente fora da Itália. Preciso de alguém que jogue uma isca nas águas do mercado de arte roubada e veja se conseguimos tentar o sr. Grandão a fazer outra aquisição. Ele está aí fora em algum lugar. Você só precisa encontrar algo que o interesse.

— Em geral, não *encontramos* obras de arte que valem milhões. Elas são roubadas.

— De forma espetacular — acrescentou o general. — O que significa que não deve ser de uma casa ou galeria particular.

— Está percebendo o que está falando?

— Estou. — O general deu um sorriso conspiratório. — A maioria das operações secretas envolve enviar um comprador falso. Mas a sua será diferente. Você vai aparecer como o ladrão com uma peça importante para vender. O quadro precisa ser real.

— Por que não me empresta algumas das adoráveis peças da Galleria Borghese?

— O museu nunca aceitaria. Além disso — acrescentou o general —, o quadro não pode ser da Itália. Ou a pessoa que tem o Caravaggio poderia suspeitar do meu envolvimento.

— Você nunca vai conseguir acusar alguém depois de algo assim.

— Acusar alguém está, definitivamente, fora das minhas prioridades. Quero aquele Caravaggio de volta.

O general ficou em silêncio. Gabriel teve que admitir que estava intrigado pela ideia.

— Não tenho como estar à frente da operação — falou depois de um tempo. — Meu rosto é muito conhecido.

— Então, acho que terá que encontrar um bom ator para o papel. E se eu fosse você, contrataria um pouco de músculos também. O submundo pode ser um lugar perigoso.

— Não me diga.

O general não respondeu.

— Músculos não saem barato — falou Gabriel. — E nem ladrões competentes.

— Consegue pegar emprestado alguns do seu serviço?

— Músculos ou ladrões?

— Os dois.

— Sem chance.

— Quanto dinheiro você precisa?

Gabriel pensou um pouco.

— Dois milhões, no mínimo.

— Eu poderia ter um milhão num cofrinho embaixo da minha mesa.

— Eu aceito.

— Na verdade — falou o general, sorrindo —, o dinheiro está no porta-malas do meu carro. Também tenho uma cópia do arquivo do caso Caravaggio. Algo para você ler enquanto espera o sr. Grandão colocar o barco na água.

— E se ele não morder a isca?

— Acho que você vai ter que roubar outra coisa. — O general deu de ombros. — É a maravilha de roubar obras de arte. Não é tão difícil assim.

O dinheiro, como prometido, estava no porta-malas do sedã oficial do general — um milhão de euros em notas usadas, cuja fonte ele se recusou a especificar. Gabriel colocou a mala no banco do passageiro de seu carro e foi embora sem falar nada. Quando chegou perto de San Remo, ele já tinha completado os primeiros rascunhos de sua operação para recuperar o Caravaggio perdido. Tinha financiamento e acesso ao mais bem-sucedido ladrão de arte do mundo. Tudo que precisava agora era alguém para colocar um quadro roubado no mercado. Um amador não serviria. Precisava de um agente experiente que tivesse sido treinado nas artes negras da fraude. Alguém que se sentisse confortável na presença de criminosos. Alguém que poderia se virar se as coisas ficassem pesadas. Gabriel conhecia um homem assim do outro lado do mar, na ilha de Córsega. Era um pouco como Maurice Durand, um velho adversário que agora era cúmplice, mas as semelhanças terminavam aí.

14

CÓRSEGA

ERA QUASE MEIA-NOITE QUANDO a balsa chegou ao porto de Calvi, longe da hora aceitável para se fazer uma ligação telefônica na Córsega, então Gabriel fez o check-in em um hotel perto do terminal e dormiu. De manhã, tomou café em uma pequena lanchonete de frente para o mar; depois entrou em seu carro e seguiu a sinuosa estrada na costa oeste. Por um tempo a chuva continuou, mas gradualmente as nuvens diminuíram e o mar passou de granito a turquesa. Gabriel parou na cidade de Porto para comprar duas garrafas de rosé da Córsega bem geladas e seguiu uma estrada estreita cercada de oliveiras e pinheiros-larício para o interior da ilha. O ar tinha cheiro de *macchia* — a densa vegetação formada por alecrim, estevas e lavanda que cobria boa parte da ilha — e nas vilas ele viu muitas mulheres totalmente cobertas de roupas pretas da viuvez, um sinal de que tinham perdido homens da família para a *vendetta*. Em outros tempos, as mulheres poderiam ter apontado para ele da maneira típica da Córsega a fim de avisar sobre os efeitos da *occhju*, o mau-olhado, mas agora elas evitavam fitá-lo por muito tempo. Sabiam que ele era amigo de dom Anton Orsati, e amigos do Dom podiam viajar para qualquer lugar na Córsega sem medo de represálias.

Por mais de dois séculos, o clã Orsati estava associado a duas coisas na ilha da Córsega: azeite de oliva e morte. O azeite vinha das oliveiras que se espalhavam por suas grandes propriedades; a morte vinha das mãos de seus assassinos. Os Orsatis matavam em nome daqueles que não poderiam matar por si mesmos: poderosos que eram muito sensíveis para sujar suas mãos; mulheres que não tinham homens para realizar a tarefa para elas. Ninguém sabia quantos moradores da ilha tinham morrido nas mãos dos assassinos dos Orsati, muito menos os próprios Orsatis, mas a tradição colocava o número nos milhares. Poderia ser significativamente mais alto se não fosse pelo rigoroso processo de veto do clã. Os Orsatis operavam com um código estrito. Recusavam-se a realizar um assassinato se não tivessem certeza de que a pessoa pedindo tivesse sido injustiçada e uma vingança com sangue fosse realmente necessária.

Isso mudou, no entanto, com dom Anton Orsati. Quando ele assumiu o controle da família, as autoridades francesas tinham erradicado as disputas e as vinganças em quase todas as partes, menos nos bolsões mais isolados da ilha, deixando poucos moradores com a necessidade de pedir os serviços de seu *taddunaghiu*. Com a demanda local em declínio, Orsati precisou procurar oportunidades em outro lugar — quer dizer, do outro lado do mar, na Europa continental. Ele agora aceitava quase qualquer oferta que cruzava sua mesa, não importava se fosse desagradável, e seus assassinos eram vistos como os mais confiáveis e profissionais do continente. Na verdade, Gabriel era uma das únicas duas pessoas que já tinham sobrevivido a um contrato da família Orsati.

Dom Anton Orsati vivia nas montanhas no centro da ilha, cercado pelas muralhas de *macchia* e muitos guarda-costas. Dois estavam parados no portão. Ao verem Gabriel, eles convidaram-no a entrar. Uma estrada de terra o levou através de oliveiras Van Gogh e, no final, até a entrada da imensa *villa*. Mais guarda-costas esperavam do lado de fora. Fizeram uma revista apressada nos pertences de Gabriel, em seguida, um assassino moreno de cara comprida, que parecia ter uns vinte anos, o acompanhou até o escritório de Orsati no andar de cima. Era um espaço largo com móveis rústicos e um terraço que dava para um vale particular. A madeira *macchia* queimava na lareira de pedra. Perfumava o ar com alecrim e sálvia.

No centro da sala estava a larga mesa de carvalho na qual Dom trabalhava. Havia uma garrafa decorativa de azeite de oliva Orsati, um telefone que ele raramente usava e um livro com capa de couro que continha os segredos de seu negócio. Seus *taddunaghiu* eram todos empregados da Companhia de Azeite de Oliva Orsati, e os assassinatos que realizavam eram agendados como pedidos de produto, o que significava que, no mundo de Orsati, azeite e sangue fluíam juntos em um empreendimento homogêneo. Todos seus assassinos eram descendentes de moradores locais, exceto um. Por causa de seu extenso treinamento, ele era encarregado apenas dos trabalhos mais difíceis. Também era diretor de vendas de um lucrativo mercado central europeu.

O Dom era um homem grande para os padrões da Córsega, com mais de 1,80 m e de costas e ombros largos. Estava usando calças soltas, sandálias de couro empoeiradas e uma camisa branca que sua mulher passava para ele toda manhã e novamente de tarde quando ele se levantava de sua sesta. Seu cabelo era negro, como seus olhos. Sua mão, quando apertou a de Gabriel, parecia ter sido esculpida em pedra.

— Bem-vindo à Córsega — falou Orsati, enquanto pegava as duas garrafas de rosé que Gabriel trazia. — Eu sabia que não conseguiria ficar longe por muito tempo. Não entenda mal, Gabriel, mas sempre achei que você tinha um pouco de sangue da Córsega nas veias.

— Posso garantir, dom Orsati, que não é o caso.

— Não importa. Você praticamente é um dos nossos agora. — O Dom abaixou a voz e acrescentou: — Homens que matam juntos desenvolvem uma ligação que não pode ser quebrada.

— Esse é um dos seus provérbios da Córsega?

— Nossos provérbios são sagrados e corretos, o que já é um provérbio em si. — Orsati sorriu. — Achei que estaria em Veneza com sua esposa.

— Eu estava — respondeu Gabriel.

— Então, o que o traz à Córsega? Negócios ou prazer?

— Negócios, infelizmente.

— O que foi dessa vez?

— Um favor.

— Outro?

Gabriel assentiu.

— Aqui na Córsega — falou o Dom, franzindo a testa em desaprovação — acreditamos que o destino de um homem está escrito ao nascer. E você, meu amigo, parece destinado a sempre resolver problemas para outras pessoas.

— Há destinos piores, Dom Orsati.

— Deus ajuda a quem se ajuda.

— Quanta caridade — falou Gabriel.

— Caridade é para padres e tolos. — Olhou para a maleta na mão de Gabriel. — O que tem na mala?

— Um milhão de euro em notas usadas.

— Onde conseguiu tudo isso?

— Com um amigo em Roma.

— Um italiano?

Gabriel assentiu.

— No final de muitos desastres — falou Dom Orsati, sombrio —, há sempre um italiano.

— Estou casado com uma.

— E é por isso que sempre acendo velas por você.

Gabriel tentou, mas não conseguiu reprimir um sorriso.

— Como ela está? — perguntou o Dom.

— Parece que sempre a deixo brava. Tirando isso, está muito bem.

— É a gravidez — falou Orsati, pensativo. — Quando as crianças nascerem, tudo vai ser diferente.

— Como?

— Será como se você não existisse. — Ele voltou a olhar para a maleta. — Por que você anda por aí com um milhão de euros em notas usadas?

— Pediram-me que encontrasse algo valioso e vai ser preciso bastante dinheiro para recuperá-lo.

— Outra garota perdida? — perguntou o Dom.

— Não — respondeu Gabriel. — Isso.

Gabriel entregou a Orsati a fotografia de uma moldura vazia pendurada em cima do altar do Oratorio di San Lorenzo. Dom Orsati reconheceu imediatamente.

— A *Natividade*? — perguntou ele.

— Nunca soube que você era um homem das artes, dom Orsati.

— Não sou — admitiu ele—, mas segui o caso durante uns anos.

— Algum motivo em particular?

— Por acaso estava em Palermo na noite em que o Caravaggio foi roubado. Na verdade — acrescentou dom Orsati, com um sorriso —, tenho quase certeza de que fui eu quem descobriu que tinha sumido.

No terraço de frente para o vale, dom Anton Orsati contou como, no final do verão de 1969, apareceu na Córsega um empresário siciliano chamado Renato Francona. O siciliano queria vingança por sua linda filha, que tinha sido assassinada algumas semanas antes por Sandro di Luca, um membro importante da Cosa Nostra. Dom Carlu Orsati, então chefe do clã Orsati, não queria participar disso. Mas seu filho, um assassino talentoso chamado Anton, acabou convencendo seu pai para que deixasse que ele fizesse o trabalho pessoalmente. Tudo aconteceu como planejado naquela noite exceto pelo clima, que o impediu de sair de Palermo. Não tendo nada melhor para fazer, o jovem Anton procurou uma igreja para confessar seus pecados. A igreja em que entrou foi o Oratorio di San Lorenzo.

— E isso — falou Orsati, segurando a foto da moldura vazia —, foi exatamente o que eu vi naquela noite. Claro que não informei a polícia sobre o roubo.

— O que aconteceu com Renato Francona?

— A Cosa Nostra o matou algumas semanas depois.

— Eles presumiram que estava por trás do assassinato de di Luca?

Orsati assentiu, sério.

— Mas pelo menos morreu com honra.

— Por quê?

— Porque tinha vingado o assassinato de sua filha.

— E ainda perguntam por que a Sicília não é a força econômica e intelectual do Mediterrâneo.

— Não se ganha dinheiro com a felicidade — falou o Dom.

— O que quer dizer?

— A vingança manteve essa família nos negócios por gerações — respondeu. — E o assassinato de Sandro di Luca provou que poderíamos operar fora da Córsega sem sermos detectados. Meu pai foi contra aquilo até sua morte. Mas quando faleceu, transformei os negócios da família em algo internacional.

— Se você não cresce, morre.

— Isso é um provérbio judeu?

— Provavelmente — respondeu Gabriel.

A mesa estava posta para um tradicional almoço da Córsega com comidas condimentadas com *macchia*. Gabriel se serviu com os vegetais e queijos, mas ignorou a linguiça.

— É kosher — falou o Dom, enquanto colocava vários pedaços de carne no prato de Gabriel.

— Não sabia que havia algum rabino na Córsega.

— Muitos — garantiu.

Gabriel deixou a linguiça de lado e perguntou ao Dom se ele ainda ia à igreja depois de matar alguém.

— Se eu fosse — respondeu ele —, passaria mais tempo de joelhos do que uma lavadeira. Além disso, nesse ponto já não tenho mais salvação. Deus pode fazer o que quiser comigo.

— Gostaria de ver a conversa entre você e Deus.

— Poderia ser durante um típico almoço da Córsega. — Orsati sorriu e encheu a taça de Gabriel com o rosé. — Vou lhe contar um segredo — falou, colocando a garrafa de volta no centro da mesa. — A maioria das pessoas que matamos merece morrer. Do nosso jeito, o clã Orsati fez do mundo um lugar melhor.

— Se sentiria assim se tivesse me matado?

— Não seja tolo — respondeu o Dom. — Permitir que você vivesse foi a melhor decisão que já tomei.

— Até onde me lembro, dom Orsati, você não teve nada a ver com a decisão de me deixar viver. Na verdade — acrescentou Gabriel enfaticamente —, você era contra.

— Mesmo eu, o infalível dom Anton Orsati, cometo erros de vez em quando, apesar de que nunca faria nada tão tolo quanto concordar em encontrar um Caravaggio para os italianos.

— Não tive muita escolha nessa questão.

— É algo ridículo.

— Minha especialidade.

— Os *carabinieri* estão procurando aquele quadro há mais de quarenta anos, e nunca conseguiram achar. Na minha opinião, provavelmente foi destruído há muito tempo.

— Não é o que se diz por aí.

— O que você ouviu?

Gabriel respondeu a questão contando ao Dom as mesmas coisas que tinha dito ao general Ferrari em San Remo. Então explicou seu plano para recuperar o quadro. O Dom ficou bastante intrigado.

— O que isso tem a ver com os Orsatis? — perguntou.

— Preciso de um de seus homens emprestado.

— Algum em especial?

— O diretor de vendas da Europa central.

— Que surpresa.

Gabriel não falou nada.

— E se eu concordar?

— Uma mão lava a outra — falou Gabriel — e as duas lavam o rosto.

O Dom sorriu.

— Talvez você seja da Córsega, afinal de contas.

Gabriel olhou para o vale e sorriu.

— Não tive essa sorte, dom Orsati.

15

CÓRSEGA

NFELIZMENTE, O HOMEM que Gabriel precisava para encontrar o Caravaggio estava fora da ilha a negócios. Dom Orsati não quis dizer onde ele estava ou se seus negócios tinham a ver com azeite ou sangue, só que iria voltar em dois dias, três no máximo. Deu a Gabriel um revólver Tanfoglio e as chaves de uma *villa* no vale seguinte, onde poderia esperar. Gabriel conhecia bem a *villa*. Tinha ficado ali com Chiara depois da última operação deles e, em seu terraço tomado pelo sol, recebido a notícia de que ela estava grávida. Só havia um problema com a casa: para chegar até lá, Gabriel tinha que passar por três antigas oliveiras onde sempre estava o infeliz bode de dom Casabianca tomando conta, desafiando todos que ousassem entrar em seu território. O bode velho era uma criatura maligna em geral, mas parecia reservar um ódio especial contra Gabriel, com quem já tivera numerosos confrontos cheios de mútuas ameaças e insultos. Dom Orsati, no final do almoço, prometeu falar com dom Casabianca em nome de Gabriel.

— Talvez ele possa convencer a besta — acrescentou o Dom, cético.

— Ou talvez ele possa transformar o bicho em uma bolsa e um par de sapatos.

— Não venha com ideias — disse. — Se você tocar um pelo da cabeça daquele maldito bode, vai ser um desastre.

— E se ele simplesmente desaparecesse?

— A *macchia* não tem olhos — avisou o Dom —, mas vê tudo.

Com isso, acompanhou Gabriel até a saída para seu carro. Ele seguiu o caminho até voltar à estrada de terra, continuou um pouco mais adiante, e quando chegou até uma curva fechada à esquerda, viu o bode de dom Casabianca amarrado a uma das três antigas oliveiras, com um olhar de humilhação em sua cara grisalha. Gabriel abaixou a janela e, em italiano, soltou vários insultos contra o bode falando de sua aparência, seus ancestrais e da degradação de sua situação atual. Depois, rindo, subiu a colina até a *villa*.

Era uma casa pequena, com um telhado vermelho e grandes janelas voltadas para o vale. Quando Gabriel entrou, percebeu instantaneamente que ele e Chiara tinham sido os últimos ocupantes. Seu bloco de desenho estava sobre a mesinha de centro na sala de estar, e na geladeira encontrou uma garrafa fechada de Chablis que tinha sido um presente do ausente diretor de vendas europeias de dom Orsati. As prateleiras da despensa estavam vazias. Gabriel abriu as portas francesas para que a brisa da tarde entrasse e se sentou no terraço, lendo o arquivo de Caravaggio do general, até que o frio o obrigou a entrar. Nesse momento, era um pouco depois das quatro da tarde e o sol parecia se equilibrar sobre a beira do vale. Tomou um banho rápido, mudou de roupa e foi de carro até a vila para fazer umas compras antes que as lojas fechassem.

Já havia um povoado nesse canto isolado da Córsega desde os dias complicados depois da queda do Império Romano, quando os vândalos saqueavam as costas com tanta violência que os nativos aterrorizados não tiveram outra escolha a não ser fugir para as colinas para sobreviver. Uma única e velha rua subia em espiral passando por casas de campo e edifícios de apartamentos até uma grande praça no ponto mais alto da vila. Em três lados havia lojas e cafés; no quarto, estava a velha igreja. Gabriel encontrou um lugar para estacionar e começou a andar até o mercado, mas decidiu que precisava de um *espresso* antes. Entrou em um dos cafés e sentou-se a uma mesa onde conseguia ver os homens jogando *boules* na praça sob a luz de um poste. Um dos homens reconheceu Gabriel como um dos amigos de dom Orsati e o convidou a jogar. Gabriel fingiu que tinha um problema no ombro e, em francês, disse que preferia apenas olhar. Não disse que precisava fazer compras. Na Córsega, ainda são as mulheres que fazem as compras.

Nesse momento, os sinos da igreja marcaram as cinco horas. Alguns minutos depois, suas pesadas portas de madeira se abriram e um padre com batina preta saiu na escada. Ele ficou sorrindo ali, benevolente, enquanto vários paroquianos, principalmente mulheres velhas, enchiam a praça. Uma das mulheres, depois de cumprimentar o padre, parou de repente, como se só ela tivesse percebido a presença do perigo. Então voltou a caminhar e desapareceu por uma porta de uma velha casa ao lado da paróquia.

Gabriel pediu outro café. Então mudou de ideia e pediu uma taça de vinho tinto no lugar. O crepúsculo já era apenas uma lembrança; as luzes iluminavam as lojas e as janelas da casinha torta ao lado da paróquia. Um menino de uns dez anos com cabelo encaracolado comprido estava agora parado na porta, que estava aberta alguns centímetros. Uma pequena mão pálida apareceu na abertura segurando um pedaço de papel azul. O menino agarrou o papel e cruzou a praça até o café, onde o colocou em cima da mesa de Gabriel ao lado da taça de vinho tinto.

— O que foi dessa vez? — perguntou ele.

— Ela não falou — respondeu o menino. — Ela nunca fala.

Gabriel deu umas moedas ao menino para comprar um doce e bebeu o vinho enquanto a noite caía sobre a praça. Finalmente, pegou o pedaço de papel e leu a única frase que estava escrita ali:

Posso ajudá-lo a encontrar o que você está procurando.

Gabriel sorriu, enfiou o papel no bolso, e terminou seu vinho. Então se levantou e cruzou a praça.

Ela estava parada na entrada para recebê-lo, um xale sobre seus ombros magros. Os olhos eram fundos e negros; seu rosto era tão branco quanto farinha. Ela olhou um tempo para ele antes de finalmente esticar sua mão. Era quente e leve. Parecia que estava segurando um passarinho.

— Bem-vindo de volta à Córsega — falou ela.

— Como soube que eu estava aqui?

— Eu sei de tudo.

— Então me conte como cheguei à ilha.

— Não me insulte.

O ceticismo de Gabriel era fingido. Ele há muito tempo tinha abandonado as dúvidas de que a velha tinha capacidade de ver tanto o passado quanto o futuro. Ela apertou as mãos dele e fechou os olhos. — Você estava vivendo na cidade da água com sua esposa e trabalhando numa igreja onde um grande pintor foi enterrado. Estava feliz, realmente feliz, pela primeira vez em sua vida. Então uma criatura de um olho só apareceu e...

— Certo — falou Gabriel. — Já me convenceu.

Ela liberou a mão de Gabriel e apontou para a pequena mesa de madeira em sua sala. Em cima havia um prato raso com água e uma garrafa de azeite de oliva. Eram as ferramentas que usava. A velha era uma *signadora*. Os habitantes da ilha acreditavam que ela tinha o poder de curar os infectados pelo *occhju*, o mau--olhado. Gabriel já suspeitou que ela era apenas uma charlatã, mas tinha mudado de ideia.

— Sente-se — falou ela.

— Não — respondeu Gabriel.

— Por que não?
— Porque não acreditamos nessas coisas.
— Israelitas?
— Isso — respondeu ele. — Israelitas.
— Mas já fez isso antes.
— Você me contou coisas sobre meu passado, coisas que não poderia saber.
— Então estava curioso?
— Acho que sim.
— E não está curioso agora?

A mulher se sentou em seu lugar de sempre à mesa e acendeu uma vela. Depois de um momento de hesitação, Gabriel se sentou em frente a ela. Empurrou a jarra de azeite para o centro da mesa e entrelaçou as mãos, concentrado. A velha fechou os olhos.

— A criatura de um olho só pediu que você encontrasse algo para ele, não foi?
— Foi — respondeu Gabriel.
— É um quadro, não é? O trabalho de um louco, um assassino. Foi roubado de uma pequena igreja há muitos anos, de uma ilha do outro lado do mar.
— Dom Orsati contou isso para você?

A velha abriu os olhos.

— Nunca falei com o Dom sobre esse assunto.
— Continue.
— O quadro foi roubado por homens como o Dom, só que piores. Eles trataram o quadro muito mal. Uma parte dele foi destruída.
— Mas o quadro sobreviveu?
— Sobreviveu — falou ela, assentindo lentamente. — Ele sobreviveu.
— Onde está agora?
— Está perto.
— Perto de onde?
— Não sei dizer. Mas se você realizar o teste do azeite e da água — acrescentou ela olhando para o centro da mesa —, talvez eu possa ajudar.

Gabriel não se moveu.

— Do que você tem medo? — perguntou a velha.
— De você — respondeu Gabriel, honestamente.
— Você tem a força de Deus. Por que iria ter medo de alguém tão frágil e velha como eu?
— Porque você tem poderes também.
— Poderes de visão — falou ela. — Mas não poderes terrenos.
— A capacidade de ver o futuro é uma grande vantagem.

— Especialmente para alguém em sua linha de trabalho.
— Exato — concordou Gabriel, sorrindo.
— Então por que você não quer realizar o teste do azeite e da água?
Gabriel ficou em silêncio.
— Você perdeu muitas coisas — disse a velha, suavemente. — Uma esposa, um filho, sua mãe. Mas seus dias de luto ficaram para trás.
— Os meus inimigos vão tentar matar minha esposa?
— Nem ela nem seus filhos vão sofrer.

A velha apontou com a cabeça para a jarra de azeite de oliva. Dessa vez, Gabriel enfiou o dedo indicador nela e deixou que três gotas caíssem sobre a água. Pelas leis da física, o azeite deveria ter se juntado em uma única porção. Em vez disso, ele se dividiu em milhares de gotinhas e logo desapareceu.

— Você está infectado com o *occhju* — falou a velha, com gravidade. — Seria bom que me deixasse entrar em seu sistema.
— Prefiro tomar duas aspirinas.

A mulher olhou para o prato de água e azeite.
— O quadro que você está procurando mostra o Menino Jesus, não é?
— É.
— Que curioso que um homem como você esteja procurando nosso Senhor e salvador. — Ela olhou novamente para o prato de água e azeite. — O quadro foi retirado da ilha pela água. Parece diferente do que era antes.
— Por quê?
— Foi reparado. O homem que fez o trabalho agora está morto. Mas você já sabe disso.
— Algum dia você vai ter que me mostrar como faz isso.
— Não é algo que pode ser ensinado. É um dom de Deus.
— Onde está o quadro agora?
— Não sei dizer.
— Quem está com ele?
— Está além dos meus poderes saber o nome dele. A mulher pode ajudar você a encontrá-lo.
— Que mulher?
— Não sei dizer. Não deixe que nenhum mal aconteça com ela ou vai perder tudo.

A cabeça da velha caiu sobre seu ombro; a profecia a deixara exausta. Gabriel colocou várias notas debaixo do prato de água e azeite.
— Tenho mais uma coisa para contar antes de você ir embora — falou a velha quando Gabriel se levantou.
— O que é?

— Sua esposa deixou a cidade de água.
— Quando? — perguntou Gabriel.
— Enquanto você estava na companhia da criatura de um olho só na cidade perto do mar.
— Onde ela está agora?
— Está esperando por você — falou a velha — na cidade da luz.
— Isso é tudo?
— Não — falou ela enquanto fechava suas pálpebras. — O velho não vai viver muito. Faça as pazes com ele antes que seja tarde demais.

Ela estava certa pelo menos sobre uma coisa: parecia que Chiara tinha realmente saído de Veneza. Durante uma breve ligação para seu celular, ela tinha falado que estava se sentindo bem e que tinha voltado a chover. Gabriel rapidamente verificou o clima em Veneza e viu que fazia sol há vários dias. Ligações para o telefone no apartamento deles não tinham resposta, e seu pai, o inescrutável rabino Zolli, parecia ter uma lista de desculpas prontas para explicar por que sua filha não estava em sua mesa. Ela estava fazendo compras, ou na livraria do gueto, ou visitando os idosos no asilo. "Vou pedir que ligue para você assim que voltar. Shalom, Gabriel." Gabriel se perguntava se o guarda-costas bonitão do general era cúmplice no desaparecimento de Chiara ou se ele tinha sido enganado, também. Suspeitava que era a segunda opção. Chiara era mais bem treinada e experiente do que qualquer *carabinieri* musculoso.

Ia duas vezes à vila, uma de manhã para tomar *espresso* com pão e novamente à tarde para tomar uma taça de vinho no café perto do jogo de *boules*. Nas duas ocasiões ele via a *signadora* saindo da igreja depois da missa. Na primeira tarde, ela não prestou atenção nele. Mas na segunda, o menino com cabelo enrolado apareceu em sua mesa com outro bilhete. Parecia que o homem por quem Gabriel estava esperando chegaria em Calvi de barco no dia seguinte. Gabriel telefonou para dom Orsati, que confirmou que era verdade.

— Como você sabia? — perguntou ele.
— O *macchia* não tem olhos — falou Gabriel enigmático, e desligou. Passou a manhã seguinte dando os últimos retoques no seu plano para encontrar o Caravaggio desaparecido. Então, ao meio-dia, caminhou até as três antigas oliveiras e liberou o bode de dom Casabianca de seu laço. Uma hora depois viu um Renault velho subindo o vale em uma nuvem de poeira. Quando se aproximou das oliveiras, o velho bode apareceu desafiador no seu caminho. O carro tocou a buzina e logo o vale ecoava com insultos e ameaças de uma tremenda violência. Gabriel foi até cozinha e abriu o Chablis. O inglês tinha voltado à Córsega.

16

CÓRSEGA

Não era sempre que alguém tinha a oportunidade de apertar a mão de um morto, mas isso foi precisamente o que aconteceu, dois minutos depois, quando Christopher Keller cruzou a porta da *villa*. De acordo com os registros militares britânicos, ele tinha morrido em janeiro de 1991, durante a primeira guerra do Golfo, quando seu esquadrão de Serviços Aéreos Especiais Sabre foi atacado pela força aérea da Coalizão em um trágico caso de fogo amigo. Seus pais, dois respeitados médicos de Harley Street, apareceram em público para falar sobre seu heroísmo, embora em particular dissessem que ele nunca teria morrido se tivesse ficado em Cambridge em vez de ter se alistado no exército. Até hoje, ainda não sabem que só ele tinha sobrevivido ao ataque contra seu esquadrão. Nem sabem que, depois de sair do Iraque disfarçado de árabe, tinha cruzado a Europa até a Córsega, onde havia sido recebido de braços abertos por dom Anton Orsati. Gabriel tinha perdoado Keller por tentar matá-lo uma vez. Mas não podia perdoar o fato de que o inglês tinha deixado que seus pais envelhecessem acreditando que seu único filho estava morto.

Keller parecia bem para um morto. Seus olhos eram claros e azuis, seu cabelo curto era quase branco pelo mar e o sol, sua pele estava esticada e muito bronzeada. Usava uma camisa branca aberta no pescoço e um terno amassado pela viagem. Quando tirou o terno, a letalidade de seu físico foi revelada. Tudo em Keller, de seus poderosos ombros a seus antebraços fortes, parecia ter sido criado expressamente para matar. Ele colocou o terno sobre as costas de uma cadeira e olhou para a Tanfoglio sobre a mesa de centro, próxima ao arquivo do general sobre o Caravaggio.

— É minha — falou sobre a arma.

— Não mais.

Keller foi até a garrafa aberta de Chablis e se serviu de uma taça.

— Como foi sua viagem? — perguntou Gabriel.

— Bem-sucedida.

— Tinha medo que falasse isso.

— Melhor do que a alternativa.

— Que tipo de trabalho foi?

— Estava entregando comida e remédios a viúvas e órfãos.

— Onde?

— Varsóvia.

— Minha cidade favorita.

— Deus, que lixo. E o clima é adorável nessa época do ano.

— O que você estava realmente fazendo, Christopher?

— Cuidando de um problema para um banqueiro na Suíça.

— Que tipo de problema?

— Um problema russo.

— O russo tem nome?

— Vamos chamá-lo de Igor.

— Igor era boa gente?

— Nem perto.

— *Mafiya*?

— Até a medula.

— Aposto que Igor da *mafiya* confiou seu dinheiro a um banqueiro na Suíça.

— Muito dinheiro — falou Keller. — Mas estava infeliz com os juros que estava ganhando com seus investimentos. Disse ao banqueiro suíço para melhorar seu desempenho. Ou iria matar o banqueiro, sua esposa, seus filhos e seu cachorro.

— Então o banqueiro suíço pediu ajuda a dom Orsati.

— Que opção ele tinha?

— O que aconteceu com o russo?

— Ele teve um problema depois de uma reunião com um possível sócio. Não vou entediá-lo com detalhes.

— E o dinheiro dele?

— Uma parte foi transferida para uma conta controlada pela Empresa de Azeite de Oliva Orsati. O resto ainda está na Suíça. Sabe como são esses banqueiros suíços — acrescentou Keller. — Não gostam de se afastar do dinheiro.

O inglês se sentou no sofá, abriu o arquivo sobre Caravaggio e tirou a foto da moldura vazia no Oratorio di San Lorenzo.

— Uma pena — falou, balançando a cabeça. — Esses malditos sicilianos não têm respeito por nada.

— Dom Orsati já contou que foi ele que descobriu que o quadro tinha sido roubado?

— Deve ter mencionado isso uma noite quando seu poço de provérbios da Córsega secou. É uma pena que ele não chegou no oratório alguns minutos antes — acrescentou Keller. — Poderia ter evitado que os ladrões roubassem o quadro.

— Ou os ladrões poderiam tê-lo matado antes de sair da igreja.

— Você subestima o Dom.

— Nunca.

Keller devolveu a fotografia ao arquivo.

— O que isso tem a ver comigo?

— Os *carabinieri* me contrataram para recuperar o quadro. Preciso da sua ajuda.

— Que tipo de ajuda?

— Nada muito importante — respondeu Gabriel. — Só preciso que você roube uma obra de arte de valor incalculável e a venda ao homem que matou duas pessoas em menos de uma semana.

— Só isso? — Keller sorriu. — Estava com medo de que fosse me pedir algo difícil.

Gabriel contou toda a história, começando com a infeliz visita de Julian Isherwood ao lago Como e terminando com a proposta pouco ortodoxa do general Ferrari para recuperar o quadro roubado mais cobiçado do mundo. Keller permaneceu imóvel o tempo todo, os braços sobre os joelhos, as mãos cruzadas, como um penitente relutante. Sua capacidade de ficar longos períodos completamente imóvel deixava até mesmo Gabriel nervoso. Enquanto servia no SAS na Irlanda do Norte, Keller tinha se especializado em observação próxima, uma técnica perigosa de vigilância que exigia que passasse semanas em "esconderijos" apertados como sótãos e celeiros. Também tinha se infiltrado no IRA ao se passar por um católico de Belfast ocidental, e era por isso que Gabriel tinha confiança de que Keller poderia assumir o papel de um ladrão de arte com um quadro importante para vender. O inglês, no entanto, não estava tão seguro.

— Não é o que eu faço — falou ele quando Gabriel terminou a apresentação. — Eu espiono pessoas, mato pessoas, explodo coisas. Mas não roubo quadros. E não os vendo no mercado negro.

— Se você pode se fazer passar por um católico de Ballymurphy, pode fingir ser um cara do leste de Londres. Se bem me lembro — acrescentou Gabriel —, você é bastante bom com sotaques.

— É verdade — admitiu Keller. — Mas sei muito pouco sobre arte.

— A maioria dos ladrões também. É por isso que são ladrões em vez de curadores ou historiadores de arte. Mas não se preocupe, Keller. Vou estar o tempo todo sussurrando no seu ouvido.

— Não consigo dizer o quanto estou ansioso por esse momento.

Gabriel não falou nada.

— E os italianos? — perguntou Keller.

— O que tem?

— Sou um assassino profissional que, ocasionalmente, e eles sabem disso, teve que cumprir tarefas em solo italiano. Não serei capaz de voltar lá se seu amigo dos *carabinieri* descobrir que estive trabalhando com você.

— O general nunca vai saber que você esteve envolvido.

— Como pode ter certeza?

— Porque ele não *quer* saber.

Keller não pareceu convencido. Acendeu um cigarro e soltou uma nuvem de fumaça para o teto, pensativo.

— Você precisa fazer isso? — perguntou Gabriel.

— Me ajuda a pensar.

— Dificulta minha respiração.

— Tem certeza de que você é israelense?

— O Dom parece pensar que sou um corso enrustido.

— Não é possível — falou Keller. — Nenhum corso teria concordado em encontrar um quadro que está perdido há mais de quarenta anos, especialmente para um maldito italiano.

Gabriel foi até a cozinha, pegou um pires do armário e colocou na frente de Keller. O inglês deu uma última tragada antes de apagar o cigarro.

— Quanto dinheiro você planeja usar?

Gabriel contou a Keller sobre a mala cheia de um milhão de euros que o general tinha lhe dado.

— Um milhão não vai ser suficiente.

— Você tem algum trocado sobrando por aí?

— Posso ter um troco que sobrou do trabalho em Varsóvia.

— Quanto?

— Quinhentos ou seiscentos.

— É muito generoso de sua parte, Christopher.

— É meu dinheiro.

— O que são quinhentos ou seiscentos entre amigos?

— Muito dinheiro. — Keller soltou um longo suspiro. — Ainda não tenho certeza se consigo fazer isso.

— Isso o quê?

— Fingir ser um ladrão de arte.

— Você mata pessoas por dinheiro — falou Gabriel. — Não acho que será um grande esforço.

Vestir Christopher Keller para o papel de um ladrão de arte internacional acabou sendo a parte mais fácil de sua preparação, pois nos guarda-roupas de sua *villa* havia uma grande seleção de roupas para qualquer ocasião ou assassinato. Havia Keller, o boêmio viajante; Keller, o playboy de elite; e Keller, o montanhista. Havia até um Keller, o padre católico romano, completo com um breviário e um kit de missa para viagem. No final, Gabriel escolheu o tipo de roupas que Keller usaria naturalmente — camisa branca, terno escuro e um par de sapatos da moda. Ele colocou alguns acessórios como várias correntes e braceletes de ouro, um relógio suíço muito chamativo, óculos com lentes azuis e uma peruca loira com um topete denso. Keller tinha seu próprio passaporte britânico e cartões de crédito em nome de Peter Rutledge. Gabriel achou que parecia um pouco classe alta demais para um criminoso do East End, mas não importava. Ninguém no mundo da arte iria conhecer o nome do ladrão.

17

RUE DE MIROMESNIL, PARIS

Reuniram-se no escritório apertado de Antiquités Scientifiques às onze da manhã seguinte: o ladrão de arte, o assassino profissional e o antigo e futuro agente do serviço secreto israelense. O agente explicou rapidamente ao ladrão de arte como ele esperava encontrar o há muito desaparecido retábulo de Caravaggio. O ladrão, como o assassino anteriormente, duvidou do plano.

— Eu roubo quadros — afirmou ele, em um tom cansado. — Não *encontro* quadros para ajudar a polícia. Na verdade, eu faço o máximo para evitar a polícia.

— Os italianos nunca vão saber sobre seu envolvimento.

— É o que você diz.

— Preciso lembrá-lo que o homem que adquiriu o Caravaggio matou seu amigo e sócio?

— Não, monsieur Allon, não precisa.

A campainha tocou. Maurice Durand ignorou.

— O que quer que eu faça?

— Preciso que roube algo que nenhum colecionador sujo poderia resistir.

— E depois?

— Quando os rumores começarem a se espalhar pelo submundo da arte que o quadro está em Paris, vou precisar que aponte os abutres na direção certa.

Durand olhou para Keller.

— Para ele?

Gabriel assentiu.

— E por que os abutres vão pensar que o quadro está em Paris?

— Porque vou contar a eles.

— Você pensa em tudo, não é, monsieur Allon?
— A melhor forma de ganhar um jogo de azar é remover o azar da equação.
— Vou tentar me lembrar disso. — Durand olhou para Keller de novo e perguntou: — Quanto ele sabe sobre o negócio de roubo de arte?
— Nada — admitiu Gabriel. — Mas ele aprende rápido.
— O que ele faz para viver?
— Cuida de viúvas e órfãos.
— Sei — falou Durand, cético. — E eu sou o presidente da França.

Eles passaram o resto do dia trabalhando nos detalhes da operação. Então, quando a noite caiu sobre o oitavo *Arrondissement*, monsieur Durand mudou a placa na janela de OUVERT para FERMÉ, e eles saíram para a rue de Miromesnil. O ladrão de arte foi até a *brasserie* do outro lado da rua para sua taça noturna de vinho tinto, o assassino tomou um táxi até um hotel na rue de Rivoli e o antigo e futuro agente da inteligência israelense caminhou até um apartamento seguro do Escritório com vista para Pont Marie. Viu uma dupla de agentes de segurança sentados em um carro estacionado na entrada do prédio; e quando entrou no apartamento, sentiu o aroma de comida e ouviu Chiara cantando baixinho. Beijou seus lábios e a levou para o quarto. Não perguntou como ela estava se sentindo. Não perguntou nada.

— Percebeu — perguntou ela depois — que é a primeira vez que fazemos amor desde que descobrimos que eu estava grávida?
— É mesmo?
— Quando alguém com sua inteligência finge ser tolo, Gabriel, não é muito eficiente.

Ele enrolou uma mecha do cabelo dela com o dedo, mas não falou nada. O queixo dela estava descansando sobre seu peito. O brilho dos postes de rua de Paris fazia com que a pele dela parecesse dourada.

— Por que não tinha feito sexo comigo antes? E não me diga que foi por que estava ocupado — acrescentou ela rapidamente —, porque isso nunca o impediu antes.

Ele soltou o cabelo dela, mas não falou nada.
— Tinha medo de que a gravidez desse errado de novo? Foi por isso?
— Foi — respondeu ele. — Acho que sim.
— O que o fez mudar de ideia?
— Passei uns momentos com uma velha na ilha de Córsega.

— O que ela falou?

— Que nenhum mal aconteceria com você e as crianças.

— E acreditou nela?

— Ela já falou muitas coisas que não teria como saber. Então me disse que você tinha saído de Veneza.

— Ela falou que eu estava em Paris?

— Não com essas palavras.

— Estava querendo surpreendê-lo.

— Como sabia onde me encontrar?

— O que você acha?

— Ligou para o Boulevard Rei Saul.

— Na verdade, eles me ligaram.

— Por quê?

— Porque Uzi queria saber por que você estava em companhia de um homem como Maurice Durand. Obviamente, não deixei passar a oportunidade.

— Como escapou do guarda-costas do general?

— Matteo? Foi fácil.

— Não sabia que se tratavam pelo primeiro nome.

— Ele ajudou muito na sua ausência. E nunca me perguntou como eu me sentia.

— Não vou cometer esse erro de novo.

Chiara beijou os lábios de Gabriel e perguntou por que ele tinha retomado sua relação com o ladrão de arte mais conhecido do mundo. Gabriel contou tudo.

— Agora entendo por que o general Ferrari queria tanto que você investigasse a morte de Bradshaw.

— Ele sempre soube que Bradshaw era sujo — falou Gabriel. — E também ouviu rumores de que suas digitais estavam no Caravaggio.

— Acho que isso poderia explicar algo peculiar que descobri nas contas da Meridian Global Consulting Group.

— E o que é?

— Durante os últimos 12 meses, a Meridian fez muitos trabalhos para um lugar chamado LXR Investments of Luxembourg.

— Quem são eles?

— Difícil dizer. LXR é uma empresa bastante opaca, para dizer o mínimo.

Gabriel juntou outra mecha de cabelo de Chiara e perguntou o que mais ela tinha descoberto no lixo eletrônico de Jack Bradshaw.

— Durante as últimas semanas de sua vida, ele enviou vários e-mails a uma conta no Gmail com um nome de usuário autogerado.

— Sobre o que conversavam?

— Casamentos, festas, o clima, todas as coisas que as pessoas discutem quando estão, na verdade, falando sobre outra coisa.

— Faz alguma ideia de onde está esse colega dele?

— Cafés com wi-fi em Bruxelas, Antuérpia e Amsterdã.

— Claro.

Chiara deitou de barriga pra cima. Gabriel colocou a mão sobre o abdome dela enquanto ouvia a chuva bater suave contra a janela.

— No que você está pensando? — perguntou ela depois de um momento.

— Estava pensando se era real ou só minha imaginação.

— O quê?

— Nada.

Ela não insistiu.

— Acho que vou ter que dizer alguma coisa ao Uzi.

— Acho que sim.

— O que devo dizer?

— A verdade — respondeu Gabriel. — Que vou roubar um quadro que vale duzentos milhões de dólares e tentar vendê-lo ao sr. Grandão.

— O que você vai fazer agora?

— Tenho que ir para Londres para começar um rumor.

— E depois?

— Vou para Marselha para fazer com que o rumor se torne verdade.

18

HYDE PARK, LONDRES

Gabriel ligou para a Isherwood Fine Arts na manhã seguinte enquanto cruzava a Leicester Square. Pediu para vê-lo fora da galeria e dos lugares conhecidos pelo mundo da arte em St. James's. Isherwood sugeriu o Lido Café Bar no Hyde Park. Ninguém do mundo da arte, ele assegurou, iria ali nem morto.

Chegou alguns minutos depois de uma da tarde, vestido como se fosse ao campo, com uma jaqueta de tweed e galochas. Ele parecia com muito menos ressaca do que era o normal no começo da tarde.

— Longe de mim reclamar — falou Gabriel, apertando a mão de Isherwood —, mas sua secretária me deixou esperando por quase dez minutos antes de finalmente passar a ligação para você.

— Considere-se com sorte.

— Quando vai demiti-la, Julian?

— Não posso.

— Por que não?

— É possível que ainda esteja apaixonado por ela.

— É uma abusada.

— Eu sei. — Isherwood sorriu. — Se pelo menos estivéssemos transando. Então seria perfeito.

Eles se sentaram a uma mesa com vista para a Serpentine. Isherwood franziu o cenho para o menu.

— Não é exatamente o Wilton's, não é?

— Você vai sobreviver, Julian.

Isherwood não pareceu convencido. Pediu um sanduíche de camarão e uma taça de vinho branco para sua pressão. Gabriel pediu chá e um bolinho. Quando estavam sozinhos de novo, ele contou a Isherwood tudo que tinha acontecido desde sua partida de Veneza. Então contou o que planejava fazer depois.

— Garoto malvado — falou Isherwood. — Muito malvado.

— Foi ideia do general.

— É um maldito safado, não é?

— Por isso é tão bom no que faz.

— Precisa ser. Mas como diretor do Comitê para Proteção da Arte — acrescentou Isherwood com um tom de formalidade —, eu seria negligente se não desaprovasse um aspecto da sua inteligente operação.

— Não tem outro jeito, Julian.

— E se o quadro for danificado durante o roubo?

— Tenho certeza de que posso encontrar alguém para consertá-lo.

— Não se faça de desentendido, meu rapaz. Não combina com você.

Um silêncio pesado caiu entre eles.

— Valerá a pena se eu conseguir recuperar o Caravaggio — disse Gabriel finalmente.

— *Se* — respondeu Isherwood cético. Ele soltou um longo suspiro. — Desculpe metê-lo em tudo isso. E pensar que nada disso teria acontecido se não fosse pelo maldito Oliver Dimbleby.

— Na verdade, eu até pensei em uma forma para que Oliver expie seus pecados.

— Não está pensando em usá-lo de alguma maneira, está?

Gabriel assentiu lentamente.

— Mas dessa vez, ele nem vai saber.

— Boa ideia — respondeu Isherwood. — Porque Oliver Dimbleby tem uma das maiores bocas de todo o mundo da arte.

— Exatamente.

— O que está pensando?

Gabriel contou. Isherwood deu um sorriso malicioso.

— Garoto malvado — falou. — Muito malvado.

Quando terminaram de comer, Gabriel tinha conseguido convencer Isherwood da eficácia de seu plano. Eles trabalharam nos detalhes finais enquanto cruzavam o Hyde Park e depois se separaram nas calçadas lotadas de Piccadilly. Isherwood voltou para sua galeria em Mason's Yard; Gabriel foi para a St. Pancras Station, onde tomou o Eurostar noturno para Paris. Naquela noite, no apartamento seguro com vista para Pont Marie, ele fez amor com Chiara pela segunda vez desde que descobriu que ela estava grávida.

De manhã eles tomaram café em uma lanchonete perto do Louvre. Depois de caminhar com Chiara de volta ao apartamento, Gabriel tomou um táxi para a Gare de Lyon. Pegou um trem para Marselha às nove e às 12h45 estava descendo na Gare Saint-Charles. Saiu no começo do boulevard d'Athènes, que seguia até La Canebière, a larga rua de compras que ia do centro da cidade até o Velho Porto. Os barcos de pesca tinham voltado das viagens matinais; criaturas marinhas de todo tipo estavam em cima de mesas de metal ao longo do canto leste do porto. Em uma das mesas havia um homem grisalho com um suéter de lã esfarrapado e um avental de borracha. Gabriel parou ali um pouco para inspecionar a pesca do homem. Então deu a volta na esquina até a ponta sul do porto e entrou no lado do passageiro de um sedã Renault bastante velho. Sentado atrás do volante, com a ponta de um cigarro queimando entre seus dedos, estava Christopher Keller.

— Você precisa fumar? — perguntou Gabriel, cansado.

Keller apagou o cigarro e imediatamente acendeu outro.

— Não acredito que estamos de volta aqui.

— Onde?

— Marselha — respondeu Keller. — Foi onde começamos nossa busca pela garota inglesa.

— E onde você tirou uma vida desnecessariamente — acrescentou Gabriel, sombrio.

— Não vamos voltar a litigar sobre isso.

— É uma palavra difícil para um ladrão de arte, Christopher.

— Não acha que é uma coincidência estarmos sentados no mesmo carro do mesmo lado do Velho Porto?

— Não.

— Por que não?

— Porque Marselha é onde estão os criminosos.

— Como ele. — Keller indicou com a cabeça o homem com o suéter esfarrapado de lã parado em uma mesa cheia de peixes no canto do porto.

— Conhece ele?

— Todo mundo nessa área conhece Pascal Rameau. Ele e sua tripulação são os melhores ladrões na Côte d'Azur. Roubam tudo. Havia um boato de que já tentaram roubar a Torre Eiffel.

— O que aconteceu?

— O comprador desistiu. Ou pelo menos é como Pascal gosta de contar a história.

— Já fez negócios com ele?

— Ele não precisa de pessoas como eu.

— E o que isso quer dizer?

— Pascal dirige um barco bem organizado. — Keller soltou uma nuvem de fumaça de cigarro. — Então Maurice faz um pedido e Pascal entrega as mercadorias, não é assim que funciona?

— Como a Amazon.

— O que é Amazon?

— Você precisa sair do seu vale com mais frequência, Christopher. O mundo mudou desde que você morreu.

Keller ficou em silêncio. Gabriel desviou o olhar de Pascal Rameau, virando para o bairro montanhoso de Marselha perto da basílica. Lembrou-se de imagens do passado: a porta de um apartamento imponente sobre o boulevard Saint-Rémy, um homem caminhando rapidamente pelas sombras frias da manhã, uma garota árabe com olhos castanhos impiedosos parada no alto de uma escadaria de pedra. *Com licença, monsieur. Está perdido?* Ele apagou a lembrança, enfiou a mão no bolso de seu casaco para pegar o celular, mas parou. Havia uma equipe de segurança do lado de fora do apartamento em Paris. Não aconteceria nada com ela.

— Algo errado? — perguntou Keller.

— Não — respondeu Gabriel. — Está tudo bem.

— Tem certeza?

Gabriel voltou a olhar para Pascal Rameau. Keller sorriu.

— É um pouco estranho, não acha?

— O quê?

— Que um homem como você pudesse estar associado com um ladrão de arte.

— Ou um assassino profissional — acrescentou Gabriel.

— O que você quer dizer?

— Que a vida é complicada, Christopher.

— Nem me fale.

Keller apagou seu cigarro e começou a acender outro.

— Por favor — falou Gabriel, baixo.

Keller colocou o cigarro de volta no maço.

— Quanto tempo vamos ter que esperar?

Gabriel olhou para seu relógio.

— Vinte e oito minutos.

— Como pode ter tanta certeza?

— Porque o trem dele chega a Saint-Charles às 13h34. A caminhada da estação ao porto vai levar 12 minutos.

— E se ele der uma parada no caminho?

— Não vai — respondeu Gabriel. — Monsieur Durand é muito confiável.

— Se é tão confiável, por que voltamos a Marselha?

— Porque ele tem um milhão de euros do dinheiro dos *carabinieri* e quero ter certeza de que vai terminar no lugar certo.

— No bolso de Pascal Rameau.

Gabriel não falou nada.

— É um pouco estranho, não acha?

— A vida é complicada, Christopher.

Keller acendeu um cigarro.

— Nem me fale.

Eram 13h45 quando eles o viram descendo a colina de La Canebière, o que significava que estava um minuto adiantado. Trajava um terno cinza de lã e um chapéu elegante, na mão direita carregava uma maleta contendo um milhão de euros em efetivo. Caminhou até os pescadores e abriu caminho lentamente entre as mesas até parar na frente de Pascal Rameau. Trocaram palavras, os produtos foram inspecionados com cuidado para ver se estavam frescos e finalmente um deles foi escolhido. Durand entregou uma única nota, pegou um saco plástico com uma lula e caminhou para o lado sul do porto. Um momento depois, ele passou por Gabriel e Keller sem olhar para eles.

— Aonde ele vai agora?

— A um barco chamado *Mistral*.

— Quem é o dono do barco?

— René Monjean.

Keller ergueu uma sobrancelha.

— Como você conhece o Monjean?

— Outra história, para outro momento.

Durand agora estava caminhando por um dos cais flutuantes entre as fileiras de barcos de passeio. Como Gabriel previu, ele entrou em um iate chamado *Mistral* e se enfiou na cabina. Ficou ali por 17 minutos precisamente, e quando reapareceu não estava mais com a pasta ou a lula. Passou pelo Renault velho de Keller e começou a voltar para a estação de trem.

— Parabéns, Christopher.

— Pelo quê?

— Você é agora o orgulhoso proprietário de um Van Gogh que vale duzentos milhões de dólares.

— Ainda não.

— Maurice Durand é muito confiável — falou Gabriel. — Assim como René Monjean.

19

AMSTERDÃ

Nos nove dias seguintes, o mundo da arte girou tranquilo em seu eixo dourado, sem saber da bomba que estava armada em seu ventre. Fazia bons almoços, bebia até tarde da noite, deslizava cuidadoso nas colinas de Aspen e St. Moritz nas últimas neves boas da estação. Então, na terceira sexta-feira de abril, acordou com a notícia de que uma calamidade havia acontecido no Rijksmuseum Vincent van Gogh, em Amsterdã. *Doze Girassóis numa Jarra*, óleo sobre tela, 95x73 cm, tinha desaparecido.

A técnica empregada pelos ladrões não combinava com a sublime beleza de seu alvo. Eles escolheram o porrete no lugar do florete, a velocidade no lugar da sagacidade. O chefe do departamento de polícia de Amsterdã mais tarde chamaria de melhor demonstração de "ataque surpresa" que já tinha visto, apesar de ser cuidadoso para não revelar muitos detalhes, principalmente para não facilitar para outro bando de ladrões o roubo de outra obra de arte icônica e insubstituível. Ficou grato só por uma coisa: que os ladrões não tivessem usado uma navalha para tirar a tela de sua moldura. Na verdade, falou, eles tinham tratado o quadro com uma ternura que beirava a reverência. Muitos especialistas no campo da segurança de arte, no entanto, viram o trato cuidadoso da tela como um sinal perturbador. Para eles, sugeria um roubo encomendado, realizado por criminosos profissionais altamente competentes. Um detetive aposentado da Scotland Yard falou cético sobre as perspectivas de recuperar o quadro. O mais provável, ele falou, é que *Doze Girassóis numa Jarra* agora estava pendurado no museu dos desaparecidos e nunca mais seria visto pelo público de novo.

O diretor do Rijksmuseum apareceu na mídia para fazer um apelo pelo retorno seguro do quadro. E quando fracassou em comover os ladrões, ele ofereceu uma recompensa substancial, o que obrigou a polícia holandesa a desperdiçar incontáveis horas seguindo mentiras e pistas falsas. O prefeito de Amsterdã, um radical não arrependido, achou que era preciso fazer uma manifestação. Três dias depois, várias centenas de ativistas de todos os tipos convergiram ao Museumplein para exigir que os ladrões entregassem o quadro. Também defenderam o tratamento ético dos animais, o fim do aquecimento global, a legalização de todos os narcóticos recreativos, o fechamento da prisão norte-americana em Guantánamo e o fim da ocupação da Cisjordânia e de Gaza. Ninguém foi preso e todos passaram uma boa tarde, especialmente os que se abasteceram da cannabis e das camisinhas grátis. Até os mais liberais dos jornais holandeses acharam que o protesto tinha sido inútil. "Se isso é o melhor que podemos fazer", publicou um deles no editorial, "deveríamos nos preparar para o dia em que as paredes de nossos grandes museus estejam vazias".

Nos bastidores, no entanto, a polícia holandesa estava envolvida em esforços muito mais tradicionais para recuperar o que era, sem dúvida, a mais famosa obra de Van Gogh. Conversaram com seus informantes, grampearam telefones e contas de e-mail de ladrões conhecidos, e ficaram de olho em galerias de Amsterdã e Roterdã que eram suspeitas de trabalhar com bens roubados. Mas quando passou outra semana sem progresso, decidiram abrir um canal com seus companheiros na polícia dos outros países europeus. Os belgas os enviaram a uma corrida maluca até Lisboa, enquanto os franceses fizeram pouco mais do que desejar boa sorte. A mais intrigante dica estrangeira veio do general Cesare Ferrari do Esquadrão de Arte, que afirmou ter ouvido um rumor de que a *mafiya* russa tinha organizado o roubo. Os holandeses fizeram contato com o Kremlin atrás de informação. Os russos nem se dignaram a responder.

No momento, era o começo de maio e a polícia holandesa não tinha nenhuma pista importante sobre a localização do quadro. Publicamente, o chefe jurava redobrar seus esforços. Em particular, admitia que, se não houvesse uma intervenção divina, o Van Gogh provavelmente estaria perdido para sempre. Dentro do museu, uma mortalha escura estava pendurada no lugar do quadro. Um colunista britânico sarcasticamente implorou para que o diretor do museu aumentasse a segurança. Ou, ele brincou, os ladrões iriam roubar a mortalha também.

Alguns em Londres acharam a coluna de mau gosto, mas a maior parte do mundo da arte coletivamente deu de ombros e continuou com sua vida. Os importantes leilões de Velhos Mestres estavam se aproximando e todos diziam que a temporada seria a mais lucrativa em anos. Havia quadros para serem vistos, clientes para entreter e estratégias de lances a criar. Julian Isherwood estava ocupadíssimo. Na quarta-feira daquela semana, ele foi visto no salão de vendas em Bonhams olhando uma paisagem de rio italiano atribuído ao círculo de Agostino Buonamico. No dia seguinte, estava comendo no Dorchester com um turco expatriado de meios aparentemente ilimitados. Então, na sexta-feira, ficou até mais tarde na Christie's para realizar as devidas diligências em um *João Batista* do século XVIII da Escola de Bolonha. Como resultado, o bar no Green's já estava completamente lotado quando ele chegou. Parou para conversar com Jeremy Crabbe antes de se sentar em sua mesa de sempre, com sua garrafa de Sancerre de sempre. O gorducho Oliver Dimbleby estava flertando desavergonhadamente com Amanda Clifton, a deliciosa nova chefe do departamento de Impressionistas e Arte Moderna da Sotheby's. Colocou um de seus cartões dourados na mão dela, jogou um beijo para Simon Mendenhall, depois veio até a mesa de Isherwood.

— Querido Julie — falou enquanto se sentava na cadeira vazia. — Conte-me algo absolutamente escandaloso. Um rumor maldoso. Uma fofoca um pouco maliciosa. Algo com que possa aguentar o resto da semana.

Isherwood sorriu, serviu dois dedos de vinho na taça vazia de Oliver e se preparou para entretê-lo.

— Paris? É mesmo?

Isherwood assentiu, conspiratório.

— Quem falou?

— Não posso dizer.

— Vamos, minha flor. Está falando comigo. Tenho mais segredos sujos que a MI6.

— É por isso que não vou falar mais nada sobre isso.

Dimbleby pareceu ficar realmente chateado, o que, até aquele momento, Isherwood não achou que fosse possível.

— Minha fonte está conectada com o mundo da arte de Paris. É tudo que posso dizer.

— Bom, é uma revelação. Achei que você ia me dizer que ele era um *sous--chef* no Maxim's.

Isherwood não falou nada.

— Está no meio ou é consumidor de arte?

— No meio.

— Vendedor?

— Use sua imaginação.

— E ele realmente viu o Van Gogh?

— Minha fonte nunca estaria na mesma sala que um quadro roubado — respondeu Isherwood com o toque certo de indignação honrada. — Mas ele tem certeza de que vários negociantes e colecionadores viram fotografias Polaroid.

— Não sabia que elas ainda existiam.
— O quê?
— Câmeras Polaroid.
— Parece que sim.
— Por que usar uma Polaroid?
— Não deixam rastros digitais que podem ser seguidos pela polícia.
— Bom saber — falou Dimbleby, dando uma olhada no traseiro de Amanda Clifton. — Então, quem está vendendo?
— De acordo com os rumores, é um inglês desconhecido.
— Um inglês? Que canalha.
— Chocante — concordou Isherwood.
— Quanto está pedindo?
— Dez milhões.
— Por um maldito Van Gogh? É uma pechincha.
— Exatamente.
— Não vai durar muito, não por esse preço. Alguém vai agarrá-lo e escondê-lo para sempre.
— Minha fonte acha que nosso inglês poderia na verdade ter uma guerra de ofertas nas mãos.
— E é por isso — falou Dimbleby, com o tom repentinamente sério — que você não tem escolha: deve ir à polícia.
— Não posso.
— Por que não?
— Porque tenho que proteger minha fonte.
— Você é profissionalmente obrigado a contar à polícia. Moralmente, também.
— Adoro quando você vem me dar lições de moral, Oliver.
— Não precisa transformar em algo pessoal, Julie. Só estava tentando fazer um favor.
— Como me mandar em uma viagem com tudo pago para o lago Como?
— Vamos repetir essa conversa?
— Ainda tenho pesadelos com aquele corpo pendurado do maldito lustre. Parecia algo pintado por...
A voz de Isherwood falou. Dimbleby franziu a testa, pensativo.
— Por quem?
— Esquece.
— Descobriram quem o matou?
— Quem?
— Jack Bradshaw, seu tonto.

— Acho que foi o mordomo.

Dimbleby sorriu.

— Agora lembre-se, Oliver, tudo que lhe contei sobre o Van Gogh em Paris fica *entre nous*.

— Nunca vai sair dos meus lábios.

— Jure para mim, Oliver.

— Tem minha palavra de honra — falou Dimbleby. Após terminar de beber, contou para todo mundo no bar.

Na hora do almoço do dia seguinte, era o assunto principal no Wilton's. Dali, foi se espalhando para a Galeria Nacional, a Tate e, finalmente, para a Galeria Courtauld, que estava preocupada com o roubo por ter exposto o *Autorretrato com a Orelha Cortada*, de Van Gogh. Simon Mendenhall contou a todos na Christie's; Amanda Clifton fez o mesmo na Sotheby's. Até o normalmente taciturno Jeremy Crabbe não conseguiu manter seu próprio conselho. Contou tudo em um longo e-mail para alguém no escritório de Nova York da Bonhams e em pouco tempo já tinha se espalhado pelas galerias de Midtown e do Upper East Side. Nicholas Lovegrove, consultor de arte dos imensamente ricos, sussurrou na orelha de uma repórter do *New York Times*, mas a repórter já tinha ouvido de outra pessoa. Ela ligou para o chefe da polícia holandesa, que já tinha ouvido também.

O holandês ligou para seu parceiro em Paris, que não deu muita bola. Mesmo assim, a polícia francesa começou a procurar um inglês bonito de meia-idade com cabelo loiro, óculos com lentes azuis e um leve sotaque *cockney*. Encontraram vários, mas nenhum era um ladrão de arte. Entre os que caíram na rede estava o sobrinho do secretário de Estado britânico, cujo sotaque era o elegante de Londres, não tendo nada de *cockney*. O secretário de Estado ligou para o ministro do interior francês para reclamar, e o sobrinho foi liberado sem alarde.

Havia um aspecto do rumor, no entanto, que era totalmente real: *Doze Girassóis numa Jarra*, óleo sobre tela, 95x73 cm, estava realmente em Paris. Tinha chegado ali na manhã seguinte ao desaparecimento, no porta-malas de uma Mercedes. Foi primeiro à Antiquités Scientifiques, onde, enrolado em papel vegetal, passou duas noites descansando em um armário climatizado. Então foi levado em mãos até o apartamento do Escritório com vista para Pont Marie. Gabriel rapidamente colocou o quadro em um novo tensor e em um cavalete no estúdio que tinha montado no dormitório vazio. Naquela noite, enquanto Chiara estava cozinhando, ele selou a porta com fita adesiva para evitar qualquer contaminação da superfície. E quando eles dormiram, o quadro dormia perto deles, banhado no brilho amarelado das lâmpadas ao longo do Sena.

Na manhã seguinte, ele foi a uma pequena galeria perto dos Jardins de Luxemburgo onde, passando-se por um alemão, comprou uma paisagem de Paris feita por um impressionista secundário que usava o mesmo tipo de tela que Van Gogh. Voltou ao apartamento, limpou o quadro usando uma poderosa solução de solvente e removeu a tela do tensor. Depois de cortar a tela até chegar às dimensões apropriadas, colocou-a no mesmo tipo de suporte no qual havia colocado *Doze Girassóis numa Jarra*, um suporte medindo 95x73 cm. Em seguida, cobriu a tela com uma camada fresca de base. Doze horas depois, quando a base tinha secado, ele preparou sua paleta com amarelo cromo e amarelo ocre, e começou a pintar.

Trabalhou como Van Gogh tinha trabalhado, depressa, *alla prima* e com um toque de loucura. Às vezes, sentia como se Van Gogh estivesse parado olhando por cima do seu ombro, cachimbo na mão, guiando todas suas pinceladas. Em outras, conseguia vê-lo no estúdio na Casa Amarela em Arles, apressando-se para capturar a beleza dos girassóis em sua tela antes que murchassem e morressem. Era agosto de 1888 quando Van Gogh produziu seus primeiros estudos de girassóis em Arles; ele os pendurou num quarto vazio, no qual Paul Gauguin, com muitos receios, ficou no final de outubro. O dominante Gauguin e o suplicante Vincent pintaram juntos pelo resto do outono, geralmente trabalhando lado a lado nos campos ao redor de Arles, mas eles tinham a tendência de discutir violentamente sobre Deus e a arte. Uma das brigas ocorreu na tarde de 23 de dezembro. Depois de enfrentar Gauguin com uma navalha, Vincent foi até o bordel na rue du Bout d'Aeles e cortou um pedaço de sua orelha esquerda. Duas semanas depois, ao sair do hospital, voltou à Casa Amarela, sozinho e com uma atadura, e produziu três impressionantes repetições dos girassóis que tinha pintado para o quarto de Gauguin. Até recentemente, um desses quadros estava pendurado no Rijksmuseum Vincent van Gogh, em Amsterdã.

Van Gogh provavelmente tinha pintado o *Doze Girassóis numa Jarra* de Amsterdã em algumas horas, assim como tinha feito com seu predecessor no mês de agosto. Gabriel, no entanto, precisou de três dias para produzir o que mais tarde chamaria de uma versão de Paris. Com a adição da famosa assinatura de Van Gogh ao vaso, a falsificação era idêntica ao original em todos os aspectos, menos um: não tinha craquelado, a fina rede de rachaduras nas superfícies que aparecem nos quadros com o tempo. Para induzir um rápido craquelado, Gabriel tirou a tela de sua base e assou no forno por trinta minutos. Então, quando a tela tinha esfriado, segurou-a esticada entre as duas mãos e arrastou na ponta da mesa de jantar, primeiro na horizontal, depois na vertical. O resultado foi a aparição de um craquelado instantâneo. Ele colocou a tela de volta na base, cobriu com uma camada de verniz e colocou perto do original. Chiara não conseguia diferenciar um do outro. Nem Maurice Durand.

— Nunca achei que seria possível — disse o francês.

— O quê?

— Que alguém pudesse ser tão bom quanto Yves Morel. — Passou o dedo gentilmente sobre as pinceladas do impasto de Gabriel. — É como se o próprio Vincent tivesse pintado.

— Esse é o objetivo, Maurice.

— Mas não é tão fácil de conseguir, mesmo para um restaurador profissional. — Durand se inclinou para mais perto da tela. — Que técnica você usou para produzir o craquelado?

Gabriel contou.

— O método Van Meegeren. Muito eficiente, desde que você não queime o quadro. — Durand olhava da falsificação de Gabriel para o original de Van Gogh.

— Não comece a ter ideias, Maurice. Vai voltar a Amsterdã assim que terminarmos com isso.

— Sabe quanto eu conseguiria por ele?

— Dez milhões.

— Vinte, no mínimo.

— Mas você não roubou, Maurice. Foi roubado por um inglês com cabelo claro e óculos de lentes azuis.

— Um amigo meu acha que realmente o conheceu.

— Espero que não o desiluda dessa ideia.

— De jeito nenhum — respondeu Durand. — O submundo do comércio acredita que seu amigo tem o quadro e que já está negociando com vários compradores em potencial. Não vai demorar muito para que "você sabe quem" morda a isca.

— Talvez ele precise de um pouco de encorajamento.

— De que tipo?

— Um aviso antes que o martelo seja batido. Você acha que pode fazer isso, Maurice?

Durand sorriu.

— Com apenas um telefonema.

20

GENEBRA

Havia um aspecto do negócio que estava inquietando Gabriel desde o começo: as salas secretas de Jack Bradshaw no Freeport de Genebra. Via de regra, um empresário utilizava os serviços únicos do Freeport porque queria evitar impostos ou porque estava escondendo algo. Gabriel suspeitava que os motivos de Bradshaw pertenciam à segunda categoria. Mas como ter acesso sem uma ordem da justiça e acompanhamento policial? O Freeport não era o tipo de lugar onde dava para entrar com uma gazua e um sorriso confiante. Gabriel precisaria de um aliado, alguém com o poder de abrir qualquer porta na Suíça sem fazer barulho. Ele conhecia alguém assim. Uma barganha teria que ser feita, um acordo secreto. Seria complicado, mas as questões envolvendo a Suíça sempre eram.

O contato inicial foi breve e pouco promissor. Gabriel ligou para o homem em seu escritório em Berna e contou uma história incompleta sobre o que precisava e os motivos. O homem de Berna não ficou muito impressionado, o que era de se esperar, apesar de ficar interessado.

— Onde você está agora? — perguntou ele.

— Sibéria.

— Com que velocidade pode chegar em Genebra?

— Posso pegar o próximo trem.

— Não sabia que havia um trem direto da Sibéria.

— Na verdade passa por Paris.

— Mande uma mensagem quando estiver na cidade. Vou ver o que posso fazer.

— Não posso ir até Genebra sem garantias.

— Se quiser garantias, ligue para um banqueiro suíço. Mas se quiser dar uma olhada naquelas salas, vai ter que ser do meu jeito. E nem pense em chegar perto do Freeport sem mim — acrescentou o homem de Berna. — Se fizer isso, vai ficar na Suíça por um bom tempo.

Gabriel teria preferido circunstâncias melhores para fazer a viagem, mas era agora ou nunca. Com a cópia finalizada do Van Gogh, a parte Paris da operação consistia em esperar. Ele podia passar o dia olhando para o telefone ou utilizar a pausa nas atividades de forma mais produtiva. No final, Chiara tomou a decisão por ele. Gabriel trancou os dois quadros no armário do quarto, correu até a Gare de Lyon, e pegou o TGV das nove. Chegou em Genebra alguns minutos depois do meio-dia. Gabriel ligou para o homem em Berna de um telefone público na estação.

— Onde você está? — perguntou o homem.

Gabriel respondeu.

— Vou ver o que posso fazer.

A estação de trem estava em um setor de Genebra que parecia um *quartier* antigo de uma cidade francesa. Gabriel caminhou até o lago e cruzou a Pont du Mont-Blanc até a margem sul. Comeu tranquilamente uma pizza no Jardin Anglais e depois caminhou pelas ruas escuras da Cidade Velha do século XVI. Às quatro horas o ar estava frio, com a noite já se aproximando. Com os pés doloridos, cansado de esperar, Gabriel ligou pela terceira vez para o homem em Berna, mas ninguém atendeu. Dez minutos depois, enquanto caminhava pelas margens e entre as lojas exclusivas da rue du Rhône, ele ligou de novo. Dessa vez, o homem atendeu.

— Pode me chamar de antiquado — falou Gabriel —, mas realmente não gosto quando as pessoas me deixam esperando.

— Nunca prometi nada.

— Eu poderia ter ficado em Paris.

— Seria uma pena. Genebra é adorável nessa época do ano. E você teria perdido a chance de dar uma olhada dentro do Freeport.

— Quanto tempo mais vai me deixar esperando?

— Podemos fazer isso agora, se quiser.

— Onde você está?

— Vire-se.

Gabriel obedeceu.

— Maldito.

Seu nome era Christoph Bittel — ou pelo menos foi o nome que usou na primeira e única vez que tinham se visto. Ele trabalhava, ou era o que tinha dito na época, na divisão de contraterrorismo da NDB, o serviço de segurança interna e inteligência da Suíça. Era magro e pálido, com uma testa larga que lhe dava a aparência, merecida, de alguém muito inteligente. Sua mão pálida, esticada sobre o câmbio de um sedã esportivo alemão, parecia que tinha sido recentemente limpa de bactérias.

— Bem-vindo de volta a Genebra — falou Bittel enquanto saía do trânsito.
— Seria bom se você tivesse feito uma reserva, para variar.
— Os dias de operações sem autorização na Suíça estão contados. Somos parceiros agora, lembra-se, Bittel?
— Não vamos nos empolgar, Allon. Não devemos estragar toda a diversão.

Bittel colocou uns óculos escuros largos, que fazia com que parecesse um louva-deus. Dirigia bem, mas com cuidado, como se tivesse contrabando no porta-malas e estivesse tentando evitar o contato com as autoridades.

— Como era de se esperar — falou depois de um momento —, sua confissão forneceu horas de escuta interessante para nossos oficiais e ministros.
— Não foi uma confissão.
— Como descreveria aquilo?
— Fiz uma completa descrição das minhas atividades em solo suíço — falou Gabriel. — Em troca, você concordou em não me colocar na prisão pelo resto da minha vida.
— Algo que merecia. — Bittel balançou a cabeça devagar enquanto dirigia. — Assassinatos, roubos, sequestros, uma operação de contraterrorismo no cantão de Uri que terminou com vários membros da Al-Qaeda mortos. Esqueci algo?
— Eu já chantageei um dos seus mais importantes empresários para conseguir acesso à cadeia de suprimentos nucleares do Irã.
— Ah, claro. Como pude me esquecer de Martin Landesmann?
— Foi uma das melhores coisas que fiz.
— E agora quer ter acesso a um depósito no Freeport de Genebra sem uma autorização da justiça?
— É bem evidente que você tem um amigo no Freeport disposto a deixar você dar uma olhada extrajudicial na mercadoria de vez em quando.
— É evidente. Mas eu geralmente gosto de saber o que vou encontrar antes de abrir uma fechadura.
— Quadros, Bittel. Vamos encontrar quadros.
— Quadros roubados?

Gabriel assentiu.

— E o que acontece se o dono descobrir que nós entramos?
— O dono está morto. Não vai reclamar.
— Os depósitos no Freeport estão registrados em nome da empresa de Bradshaw. E a empresa continua viva.

— A empresa é uma fachada.

— Aqui é a Suíça, Allon. Empresas de fachada é o que nos mantêm nos negócios.

À frente, um semáforo passou de verde para amarelo. Bittel tinha tempo mais do que suficiente para atravessar o cruzamento. Em vez disso, ele foi diminuindo até parar o carro.

— Ainda não me contou do que se trata tudo isso — falou ele, segurando o câmbio de marcha.

— Com bons motivos.

— E se conseguir abrir os depósitos? O que ganho em troca?

— Se eu estiver certo — respondeu Gabriel —, você e seus amigos no NDB um dia poderão anunciar a recuperação de várias obras de arte há muito desaparecidas.

— Arte roubada no Freeport de Genebra. Não é exatamente boa publicidade para a Confederação.

— Não dá para ter tudo, Bittel.

O semáforo abriu. Bittel tirou o pé do freio e acelerou devagar, como se estivesse tentando economizar combustível.

— Entramos, olhamos e saímos. E tudo que está no depósito fica no depósito. Entendido?

— Você é que manda.

Bittel dirigiu em silêncio, sorrindo.

— O que está achando engraçado? — perguntou Gabriel.

— Acho que gosto do novo Allon.

— Não posso dizer o quanto isso significa para mim, Bittel. Mas você não poderia dirigir um pouco mais rápido? Gostaria de chegar a Freeport ainda hoje.

Eles viram o lugar uns minutos depois, uma fileira de prédios brancos sem nenhum ornamento com uma placa vermelha no alto onde se podia ler PORTS FRANCS. No século XIX, tinham sido pouco mais que um armazém onde produtos agrícolas eram guardados a caminho do mercado. Agora era um repositório seguro livre de impostos onde os super-ricos do mundo guardavam todo tipo de tesouro: barras de ouro, joias, vinhos antigos, automóveis e, claro, arte. Ninguém sabia exatamente quantas grandes obras de arte do mundo havia dentro dos cofres do Freeport de Genebra, mas acreditava-se que seria o suficiente para criar vários grandes museus. Muitas delas nunca mais veriam a luz do dia; e se mudassem de mãos, seria de forma privada. Não era arte para ser vista e admirada. Era arte como mercadoria, arte como um investimento contra tempos incertos.

Apesar da vasta riqueza contida dentro de Freeport, a segurança era realizada com a discrição suíça. A cerca ao redor do lugar era mais uma forma de desencorajar do que uma barreira, e o portão através do qual Bittel dirigiu seu carro demorou para fechar. Câmeras de vídeo brotavam de todos os edifícios e, poucos segundos depois da chegada deles, um agente de segurança apareceu de uma porta segurando uma prancheta numa mão e um rádio na outra. Bittel saiu do carro e falou umas palavras com o guarda em francês fluente. O guarda voltou para sua sala e um momento depois apareceu uma morena bonita com saia e blusa apertadas. Ela entregou uma chave a Bittel e apontou para o final do complexo.

— Imagino que essa seja sua amiga — falou Gabriel quando Bittel voltou ao carro.

— Nosso relacionamento é estritamente profissional.

— Uma pena.

Os endereços em Freeport eram uma combinação de prédio, corredor e porta do depósito. Bittel estacionou em frente ao edifício quatro e entrou com Gabriel. Do hall de entrada saía um corredor com um número aparentemente infinito de portas. Uma estava aberta. Olhando para dentro, Gabriel viu um homem pequeno e de óculos sentado atrás de uma mesa chinesa laqueada com um telefone no ouvido. O depósito tinha sido transformado em uma galeria de arte.

— Várias empresas de Genebra se mudaram para Freeport nos últimos anos — explicou Bittel. — O aluguel é mais barato do que na rue du Rhône e os clientes parecem gostar da reputação intrigante do Freeport.

— É merecida.

— Não mais.

— Vamos ver.

Subiram pela escada até o terceiro andar. O depósito de Bradshaw estava localizado no corredor 12, atrás de uma porta metálica cinza onde se lia o número 24. Bittel hesitou antes de enfiar a chave.

— Não vai explodir, não é?

— Boa pergunta.

— Isso não é engraçado.

Bittel abriu a porta, acendeu a luz e xingou baixinho. Havia quadros por todos os lados — quadros em molduras, quadros em extensores, quadros enrolados como tapetes em um bazar persa. Gabriel desenrolou um no chão para Bittel ver. Mostrava um chalé no alto de um penhasco sobre o mar brilhando com flores silvestres.

— Monet? — perguntou Bittel.

Gabriel assentiu.

— Foi roubado de um museu na Polônia há uns vinte anos.

Ele desenrolou outra tela: uma mulher segurando um leque.

— Salvo engano — falou Bittel —, esse é um Modigliani.

— Não está enganado. Foi um dos quadros roubados do Museu de Arte Moderna em Paris, em 2010.

— O roubo do século. Lembro dele.

Bittel seguiu Gabriel até uma porta que dava para uma sala interna do depósito. Continha dois grandes cavaletes, uma lâmpada halógena, frascos de solvente e tintas, locais para pigmentos, pincéis, uma paleta bastante usada e um catálogo da Christie's do leilão de Velhos Mestres de Londres de 2004. Estava aberto em uma crucificação atribuída a um seguidor de Guido Reni, executado de forma competente, mas pouco inspirada, não valendo nem o lucro do vendedor.

Gabriel fechou o catálogo e olhou ao redor do depósito. Era o estúdio secreto de um mestre em falsificações, pensou, na galeria de arte dos desaparecidos. Mas era óbvio que Yves Morel tinha feito mais nessa sala do que falsificar quadros; também tinha feito muitas restaurações. Gabriel pegou a paleta e passou seu dedo pelas amostras de tinta que havia na superfície. Ocre, dourado e carmim: as cores da *Natividade*.

— O que é isso? — perguntou Bittel.

— Provas de vida.

— Do que você está falando?

— O quadro esteve aqui — falou Gabriel. — Ele existe.

Havia 147 quadros nas duas salas do depósito — impressionistas, modernos, Velho Mestres — mas nenhum deles era o Caravaggio. Gabriel fotografou cada tela usando a câmera em seu celular. Os únicos outros itens no depósito eram uma mesa e um pequeno cofre — pequeno demais, pensou Gabriel, para conter um retábulo italiano de dois metros por dois e meio. Procurou nas gavetas da mesa, mas estavam vazias. Então se ajoelhou em frente ao cofre e girou o segredo de números com o dedão e o indicador. Duas voltas para a direita, duas para a esquerda.

— No que está pensando? — perguntou Bittel.

— Estou tentando imaginar quanto tempo demoraria para trazer um arrombador aqui.

Bittel sorriu triste.

— Talvez da próxima vez.

É, pensou Gabriel. Da próxima vez.

Eles voltaram à estação de trem passando pela hora do rush de Genebra. Cruzando a Pont du Mont-Blanc, Bittel pressionou Gabriel para obter mais informações sobre o caso. E quando suas perguntas não resultaram em respostas claras, insistiu em ser avisado com antecedência se o itinerário de Gabriel incluísse outra visita à Suíça. Gabriel concordou imediatamente, embora os dois soubessem que era uma promessa vazia.

— Em algum momento — falou Bittel —, vamos ter que limpar esse depósito e devolver esses quadros a seus verdadeiros donos.

— Em algum momento — concordou Gabriel.

— Quando?

— Não sei.

— Digo que você tem um mês. Depois disso, terei que falar sobre o assunto para a Polícia Federal.

— Se fizer isso — falou Gabriel — vai aparecer na imprensa, e a Suíça vai terminar com outro olho roxo.

— Estamos acostumados com isso.

— Nós também.

Eles chegaram à estação a tempo de Gabriel pegar o trem das quatro e meia de volta a Paris. Estava escuro quando ele chegou; subiu num táxi que o esperava e deu ao motorista um endereço perto do apartamento seguro. Mas quando o carro começou a andar, Gabriel sentiu que seu celular estava vibrando. Atendeu a ligação, ouviu por um momento e depois desligou.

— Mudanças de planos — falou ao motorista.

— Para onde?

— Para a rue de Miromesnil.

— Como quiser.

Gabriel enfiou o celular no bolso e sorriu. O jogo estava começando, pensou. Finalmente, o jogo estava começando.

21

RUE DE MIROMESNIL, PARIS

No começo, Maurice Durand tentou reivindicar privilégios de confidencialidade sobre a identidade de quem havia ligado. Sob pressão, no entanto, ele admitiu que tinha sido Jonas Fischer, um rico empresário e colecionador famoso de Munique que usava com regularidade os serviços especiais de monsieur Durand. Herr Fischer deixou claro desde o começo que não era ele que estava interessado no Van Gogh, que estava intercedendo em nome de um amigo também colecionador que, por motivos óbvios, não podia dizer o nome. Parecia que o segundo colecionador já tinha despachado um representante a Paris, baseado em certos rumores que davam voltas pelo mundo da arte. Herr Fischer perguntou se Durand poderia apontar a direção correta ao representante.

— O que você falou para ele? — perguntou Gabriel.

— Falei que não sabia onde estava o Van Gogh, mas que poderia dar uns telefonemas.

— E se você puder ser de ajuda?

— Devo ligar para o representante diretamente.

— Suponho que ele não tenha um nome.

— Só um número de telefone — respondeu Durand.

— Bem profissional.

— Pensei exatamente o mesmo.

Estavam no pequeno escritório nos fundos da loja de Durand. Gabriel estava encostado no batente da porta; Durand, sentado em sua pequena mesa dickensiana. Na frente dele havia um microscópio de latão, do final do século XIX, de Vérick de Paris.

— Será quem estamos procurando? — perguntou Gabriel.

— Um homem como Herr Fischer não estaria envolvido com ninguém que não fosse um colecionador sério. Também me contou que seu amigo fez várias aquisições importantes ultimamente.
— Uma dessas aquisições foi um Caravaggio?
— Não perguntei.
— Provavelmente é melhor que não pergunte.
— Provavelmente — concordou Durand.
Um silêncio caiu entre eles.
— Então? — perguntou o francês.
— Diga para ele estar no pátio de Saint-Germain-des-Prés às duas da tarde amanhã, perto da porta vermelha. Avise para levar seu celular, mas nenhuma arma. Não fale mais nada. Só diga a ele o que fazer, então desligue.
Durand pegou o fone e discou o número.

Saindo da loja cinco minutos depois, o ladrão de arte e o antigo e futuro agente do serviço secreto israelense praticamente não trocaram uma palavra ou olhar. O ladrão de arte se dirigiu à *brasserie* do outro lado da rua; o agente, para a embaixada israelense no número três da rue Rabelais. Entrou no prédio pela porta traseira, desceu até a sala de comunicações seguras e ligou para o chefe de Serviços Domésticos, a divisão do Escritório que administrava as propriedades seguras. Disse que precisava de algo perto de Paris, mas isolado, de preferência no norte. Não precisava ser nada grande, acrescentou. Não estava planejando fazer nada divertido.
— Lamento — falou o chefe de Serviços Domésticos. — Posso permitir que fique em uma propriedade existente, mas não posso adquirir uma nova sem a aprovação do andar superior.
— Talvez você não tenha ouvido quando falei meu nome.
— O que devo falar ao Uzi?
— Nada, claro.
— Para quando precisa dela?
— Ontem.
Às nove da manhã seguinte, o Serviços Domésticos tinha fechado a compra de uma fazenda pitoresca na região de Picardia, nos arredores da vila de Andeville. Uma grande cerca viva protegia a entrada de quem passava do lado de fora, e da ponta de seu bonito jardim traseiro era possível ver as plantações que lembravam uma colcha de retalhos. Gabriel e Chiara chegaram na hora do almoço e esconderam os dois Van Gogh na adega. Então, Gabriel imediatamente voltou para Paris. Deixou o carro em um estacionamento perto da estação Odéon

Métro e caminhou pelo boulevard até a Place Saint-Germain-des-Prés. Numa esquina da praça lotada havia um café chamado Le Bonaparte. Sentado em uma mesa de frente para a rua estava Christopher Keller. Gabriel o cumprimentou em francês e se sentou ao lado dele. Olhou para seu relógio. Eram 13h55. Pediu um café e olhou para a porta vermelha da igreja.

Não foi difícil avistá-lo; naquela perfeita tarde de primavera, com o sol brilhando em um céu sem nuvens e um vento fraco rondando as ruas cheias, era o único que tinha vindo sozinho até a igreja. Tinha altura mediana, cerca de 1,75 m, e era magro. Seus movimentos eram fluidos e tranquilos — como os de um jogador de futebol, pensou Gabriel, ou um soldado de elite. Usava um casaco esportivo leve, uma camisa branca e calça de gabardine cinza. Um chapéu de palha encobria seu rosto, óculos escuros escondiam seus olhos. Ele caminhou até a porta vermelha e fingiu consultar um guia turístico. Duas jovens, uma de shorts, a outra em um vestido sem alças, estavam sentadas nos degraus, com as pernas desnudas esticadas. Claramente, havia algo no homem que deixou as duas desconfortáveis. Elas esperaram mais um pouco, depois se levantaram e cruzaram a praça.

— O que você acha? — perguntou Keller.

— Acho que é o próprio.

O garçom trouxe o café de Gabriel. Ele colocou açúcar e mexeu pensativo enquanto olhava o homem parado perto da porta vermelha da igreja.

— Não vai ligar para ele?

— Não são duas horas ainda, Christopher.

— Já são quase.

— É melhor não parecer muito ansioso. Lembre-se, já temos um comprador no anzol. Nosso amigo ali levantou sua mão atrasado no leilão.

Gabriel continuou na mesa até o relógio na torre da igreja mostrar dois minutos depois da hora. Então se levantou e caminhou para o interior do café. Estava deserto, exceto pelos funcionários. Ele se aproximou da janela, tirou o celular do bolso do casaco e ligou. Alguns segundos depois, o homem parado na frente da igreja atendeu.

— *Bonjour*.

— Não precisa falar francês só porque estamos em Paris.

— Prefiro francês, se não se importa.

Ele pode preferir francês, pensou Gabriel, mas não era sua língua nativa. Não estava mais fingindo olhar o seu guia. Estava observando a praça, procurando um homem com um celular ao ouvido.

— Veio sozinho? — perguntou Gabriel.
— Como está me observando agora, sabe que a resposta é sim.
— Vejo um homem parado onde deveria estar, mas não sei se ele veio sozinho.
— Ele veio.
— Foi seguido?
— Não.
— Como pode ter certeza?
— Tenho certeza.
— Como devo chamá-lo?
— Pode me chamar de Sam.
— Sam?
— Isso, Sam.
— Tem alguma arma, Sam?
— Não.
— Tire seu blazer.
— Por quê?
— Quero ver se tem algo debaixo que não deveria estar ali.
— Isso é realmente necessário?
— Quer ver o quadro ou não?

O homem colocou o guia e o celular nos degraus, tirou seu blazer e o dobrou no braço. Então pegou o celular de novo e perguntou:

— Satisfeito?
— Vire-se e olhe para a igreja.

O homem girou uns 45 graus.

— Mais.

Outros 45.

— Muito bom.

O homem voltou à sua posição original e perguntou:

— E agora?
— Você vai dar uma caminhada.
— Não quero caminhar.
— Não se preocupe, Sam. Não vai ser uma caminhada longa.
— Onde quer que eu vá?
— Desça o boulevard até o Quartier Latin. Sabe chegar no Quartier Latin, Sam?
— Claro.
— Conhece Paris?
— Bastante.

— Não olhe para trás nem pare em lugar nenhum. E não use seu celular, também. Poderia perder minha próxima ligação.

Gabriel desligou e voltou até Keller.

— Então? — perguntou o inglês.

— Acho que encontramos Samir. E acho que é um profissional.

— Estamos no jogo?

— Vamos saber em um minuto.

Do outro lado da praça, Sam estava colocando seu blazer esportivo. Ele enfiou o celular no bolso do peito, jogou o guia no lixo e depois começou a caminhar pelo boulevard Saint-Germain. Uma curva à direita o levaria a Les Invalides; à esquerda, ao Quartier Latin. Ele hesitou por um momento e depois virou à esquerda. Gabriel contou lentamente até vinte antes de se levantar e segui-lo.

Pelo menos ele era capaz de seguir instruções. Caminhou reto pelo boulevard, passou as lojas e cafés lotados, sem parar ou olhar para trás. Isso permitiu que Gabriel mantivesse o foco em sua tarefa principal, que era a contrainteligência. Não viu nada que sugerisse que Sam estava trabalhando com um cúmplice. Nem parecia que estivesse sendo seguido pela polícia francesa. Estava limpo, pensou Gabriel. Tão limpo quanto poderia estar um comprador de arte roubada.

Depois de dez minutos caminhando reto, Sam estava perto do ponto onde o boulevard se encontrava com o Sena. Gabriel, meio quarteirão atrás, tirou seu celular do bolso e ligou. Novamente Sam atendeu de imediato, com o mesmo *bonjour* cordial.

— Vire à esquerda na rue du Cardinal Lemoine e siga até o Sena. Cruze a ponte até a Île Saint-Louis e depois siga reto até eu ligar de novo.

— Muito longe ainda?

— Não está longe, Sam. Você está quase lá.

Sam fez a curva como instruído e cruzou a Pont de la Tournelle até a pequena ilha no meio do Sena. Uma série de cais pitorescos seguia o perímetro da ilha, mas só uma única rua, a rue Saint-Louis, en l'Île, cortava sua extensão. Com uma ligação, Gabriel instruiu Sam para virar à esquerda de novo.

— Muito longe ainda?

— Só mais um pouco, Sam. E não olhe para trás.

Era uma rua estreita, com turistas caminhando e olhando as vitrines. No lado oeste havia uma sorveteria e ao lado desta uma *brasserie* com uma boa vista de Notre Dame. Gabriel ligou para Sam e deu as instruções finais.

— Quanto tempo mais vai me deixar esperando?

— Infelizmente não vou almoçar com você, Sam. Sou apenas o assistente.

Gabriel cortou a ligação sem falar mais nada e viu Sam entrar na *brasserie*. Um garçom o cumprimentou, depois gesticulou para uma mesa lateral ocupada por um inglês loiro de óculos de lentes azuis. O inglês se levantou e, sorrindo, esticou a mão.

— Meu nome é Reg. — Gabriel ouviu-o dizer antes de dobrar a esquina. — Reg Bartholomew. E você deve ser o Sam.

22

ÎLE SAINT-LOUIS, PARIS

— Eu gostaria de começar essa conversa, sr. Bartholomew, dando-lhe meus parabéns. Foi uma transação impressionante que você e seus homens realizaram em Amsterdã.
— Quem disse que não fiz isso sozinho?
— Não é o tipo de coisa que alguém faz sozinho. Certamente teve ajuda — acrescentou Sam. — Como seu amigo que estava no telefone comigo. Ele fala francês muito bem, mas não é francês, é?
— Que diferença isso faz?
— Gosto de saber com quem estou fazendo negócios.
— Isso não é a Harrods, querido.
Sam olhou a rua com a calma de um turista que tinha visitado muitos museus em pouco tempo.
— Ele está aí fora em algum lugar, não está?
— Não saberia dizer.
— E há outros?
— Vários.
— E mesmo assim exigiram que eu viesse sozinho.
— É o vendedor quem manda.
— Foi o que ouvi.
Sam retomou sua inspeção da rua. Ainda estava de chapéu e óculos escuros, o que deixava apenas a parte inferior do seu rosto visível. Estava com a barba bem feita. As bochechas eram altas e proeminentes, o queixo forte, os dentes brancos e perfeitos. Suas mãos não tinham cicatrizes ou tatuagens. Não usava anéis nos dedos ou braceletes nos pulsos, só um grande Rolex dourado para indicar que era um homem de posses. Tinha os maneirismos refinados de um árabe bem nascido, mas um tanto grosseiro.

— Ouvimos outras coisas também — continuou Sam depois de um momento. — Aqueles que viram a mercadoria dizem que você conseguiu tirá-la de Amsterdã com danos mínimos.

— Nenhum, na verdade.

— Também ouvimos que há Polaroids.

— Onde ouviu isso?

Sam deu um sorriso desagradável.

— Isso vai demorar muito mais do que o necessário se você insistir nesses jogos, sr. Bartholomew.

— Gosto de saber com quem estou fazendo negócios — disse Keller, enfático.

— Está pedindo informações sobre o homem que represento, sr. Bartholomew?

— Nem sonharia em fazer isso.

Houve um silêncio.

— Meu cliente é um empresário — falou Sam finalmente. — Bastante bem-sucedido, bastante rico. Também ama as artes. Coleciona muito, mas como muitos colecionadores sérios, foi ficando frustrado com o fato de que não há mais bons quadros à venda. Ele quer há muitos anos adquirir um Van Gogh. Você agora tem um muito bom. Meu cliente gostaria de tê-lo.

— Assim como muitas outras pessoas.

Sam pareceu não se perturbar com isso.

— E você? — perguntou depois de um momento. — Por que não me fala um pouco sobre você?

— Roubo coisas para viver.

— É inglês?

— Infelizmente.

— Sempre gostei dos ingleses.

— Não vou usar isso contra você.

Apareceu um garçom que entregou o menu. Sam pediu uma garrafa de água mineral; Keller, uma taça de vinho que não tinha intenção de beber.

— Quero deixar uma coisa clara desde o começo — falou quando ficaram novamente sozinhos. — Não estou interessado em drogas, armas ou garotas, nem em um condomínio em Boca Raton, na Flórida. Só aceito dinheiro.

— De quanto dinheiro estamos falando, sr. Bartholomew?

— Tenho uma oferta de vinte milhões na mesa.

— Que sabor?

— Euros.

— É uma oferta firme?

— Deixei a venda em espera para me encontrar com você.
— Que lisonjeiro. Por que faria algo assim?
— Porque ouvi falar que seu cliente, quem quer que seja, é um homem com bolsos bem grandes.
— Bem grandes. — Outro sorriso, só um pouco mais agradável que o primeiro. — Então como quer continuar, sr. Bartholomew?
— Preciso saber se está interessado em aumentar a oferta que está na mesa.
— Estou.
— Quanto mais?
— Acho que poderia oferecer algo trivial, como um adicional de quinhentos mil, mas meu cliente não gosta de leilões. — Fez uma pausa, então perguntou: — Será que 25 milhões seriam suficientes para tirar o quadro da mesa?
— Seriam, Sam.
— Excelente — falou. — Agora seria um bom momento para você me mostrar as Polaroids.

As Polaroids estavam no porta-luvas de uma Mercedes alugada estacionada em uma rua calma atrás de Notre Dame. Keller e Sam caminharam até lá juntos e entraram, Keller atrás do volante, Sam no banco do passageiro. Keller submeteu-o a uma rápida e completa inspeção antes de abrir o porta-luvas e pegar as fotos. Eram quatro ao todo — uma da obra inteira, três mostrando os detalhes. Sam olhou para elas cético.
— Parece o Van Gogh que está pendurado em cima da cama no meu hotel.
— Não é.
Fez uma careta para indicar que não estava convencido.
— A pintura nessa fotografia poderia ser uma cópia. E você poderia ser um trapaceiro inteligente que está querendo ganhar em cima do roubo em Amsterdã.
— Tire seus óculos escuros e dê uma olhada melhor, Sam.
— É o que pretendo. — Entregou as fotos de volta a Keller. — Preciso ver o quadro real, não fotografias.
— Não tenho um museu, Sam.
— O que quer dizer?
— Não posso mostrar o Van Gogh a qualquer um que queira vê-lo. Preciso saber se você está falando sério.
— Ofereci 25 milhões de euros em dinheiro por ele.
— É fácil *oferecer* 25 milhões, Sam. Entregar é outra coisa.

— Meu cliente é um homem de riqueza extraordinária.

— Então tenho certeza de que ele não lhe enviou a Paris de mãos vazias. — Keller devolveu as fotos ao porta-luvas e o trancou.

— É dessa forma que seu golpe funciona? Exige ver o dinheiro antes de mostrar o quadro e depois rouba?

— Se fosse um golpe, você e seu cliente já saberiam disso.

Não tinha respostas para aquilo.

— Não consigo mais de dez mil em dinheiro em tão pouco tempo.

— Quero ver um milhão.

Ele bufou, como se dissesse que um milhão era impossível.

— Se você quiser ver um Van Gogh por menos de um milhão — falou Keller — pode ir ao Louvre ou ao Musée d'Orsay. Mas se quiser ver o *meu* Van Gogh, vai ter que me mostrar o dinheiro.

— Não é seguro andar pelas ruas de Paris com essa quantidade de dinheiro.

— Algo me diz que você sabe se cuidar muito bem.

Sam deu um suspiro capitulador.

— Onde e quando?

— Saint-Germain-des-Prés, duas da tarde. Sem amigos. Sem armas.

Sam saiu do carro sem falar nada e foi embora.

Ele cruzou o Sena para a margem direita e caminhou pela rue de Rivoli, passando a ala norte do Louvre, até o Jardin des Tuileries. Passou boa parte desse tempo no telefone e duas vezes realizou um movimento elementar de espiões para ver se estava sendo seguido. Mesmo assim, não pareceu notar Gabriel caminhando cinquenta metros atrás dele.

Antes de chegar a Jeu de Paume, cortou para a rue Saint-Honoré e entrou em uma loja exclusiva que vendia caros produtos de couro para homens. Saiu dez minutos depois com uma mala nova, que carregou até uma filial do HSBC Private Bank no boulevard Haussmann. Ficou ali precisamente 22 minutos, e quando saiu, a mala parecia mais pesada que quando tinha entrado. Ele a levou com cuidado até a Place de la Concorde e depois através da grande entrada do hôtel de Crillon. Vendo de longe, Gabriel sorriu. Só o melhor para o representante do sr. Grandão. Enquanto se afastava, ligou para Keller e contou as novidades. O jogo tinha começado, falou. Definitivamente o jogo tinha começado.

23

BOULEVARD SAINT-GERMAIN, PARIS

Ele estava parado do lado de fora da porta vermelha da igreja às duas da tarde seguinte, com seu chapéu e óculos escuros firmemente no lugar e a nova maleta segura na mão direita. Gabriel esperou cinco minutos antes de ligar.

— Você de novo — falou Sam desanimado.
— Infelizmente.
— E agora?
— Vamos dar outra volta.
— Para onde agora?
— Siga a rue Bonaparte até a place Saint-Sulpice. Mesmas regras da última vez. Não faça nenhuma parada e não olhe para trás. Sem ligações também.
— Até onde você pretende me levar dessa vez?

Gabriel desligou sem falar nada. Do outro lado da praça lotada, Sam começou a caminhar. Gabriel contou lentamente até vinte e o seguiu.

Deixou Sam caminhar até os Jardins de Luxemburgo antes de ligar de novo. Dali, foram para o sudoeste pela rue de Vaugirard, depois para o norte no boulevard Raspail até a entrada do hôtel Lutetia. Keller estava sentado na mesa do bar, lendo o *Telegraph*. Sam se uniu a ele, como tinha sido instruído.

— Como ele foi dessa vez? — perguntou Keller.
— Tão meticuloso como sempre.
— Posso pedir algo para você beber?
— Não bebo.
— Que pena. — Keller dobrou seu jornal. — É melhor tirar esses óculos escuros, Sam. Do contrário, a gerência vai ter a impressão errada sobre você.

Ele fez o que Keller sugeriu. Seus olhos eram castanhos claros e grandes. Com o rosto exposto, era uma figura muito menos ameaçadora.

— Agora o chapéu — falou Keller. — Um cavalheiro não usa um chapéu no bar do Lutetia.

Ele tirou o chapéu, revelando uma cabeça com muito cabelo, marrom, não negro, com toques grisalhos ao redor das orelhas. Se era árabe, não era da península ou do golfo. Keller olhou para a maleta.

— Trouxe o dinheiro?

— Um milhão, como você pediu.

— Deixe-me dar uma olhada. Mas com cuidado — acrescentou Keller. — Há uma câmera de segurança em cima do seu ombro direito.

Sam colocou a maleta na mesa, abriu os trincos e levantou a tampa dois centímetros, o suficiente para Keller dar uma olhada nas fileiras bem organizadas de notas de cem euros.

— Pode fechar — falou Keller, em voz baixa.

Sam fechou e travou a maleta.

— Satisfeito? — perguntou ele.

— Ainda não. — Keller se levantou.

— Para onde agora?

— Meu quarto.

— Vai ter mais alguém?

— Seremos apenas nós dois, Sam. Muito romântico.

Sam se levantou e pegou a maleta.

— Acho que é importante deixar algo claro antes de subirmos.

— O que é, Sam?

— Se algo acontecer comigo ou com o dinheiro do meu cliente, você e seu amigo vão sofrer muito. — Ele colocou os óculos escuros e sorriu. — Só para nos entendermos, querido.

No hall de entrada do quarto, longe dos olhos das câmeras de vigilância do hotel, Keller revistou Sam à procura de armas ou aparelhos de gravação. Sem encontrar nada importante, colocou a maleta na beira da cama e abriu os trincos. Então, tirou três pacotes de dinheiro e, de cada um, uma nota. Inspecionou cada nota com lentes de aumento profissionais; depois, no banheiro escuro, submeteu-as à lâmpada ultravioleta de Gabriel. As fitas de segurança brilharam verde limão; as notas eram genuínas. Ele devolveu as notas a seus pacotes e estes à maleta. Então fechou os trincos e, com um aceno de cabeça, indicou que estavam prontos para passar ao próximo passo.

— Quando? — perguntou Sam.
— Amanhã à noite.
— Tenho uma ideia melhor — falou ele. — Vamos hoje à noite. Ou então, não tem acordo.

Maurice Durand tinha dito para esperarem algo assim — uma pequena jogada tática, uma rebeldia simbólica, que permitiria a Sam sentir que era ele, e não Keller, que estava controlando o processo de negociação. Keller recusou gentilmente, mas Sam bateu o pé. Queria estar na frente do Van Gogh antes da meia-noite; se não estivesse, ele e seus 25 milhões de euros desapareceriam. O que não deixou a Keller outra opção a não ser aceitar os desejos de seu oponente. Fez isso com um sorriso de concessão, como se a mudança de planos fosse pouco mais que uma inconveniência. Então rapidamente estabeleceu as regras para mostrá-lo essa noite. Sam poderia tocar o quadro, cheirar o quadro ou fazer amor com o quadro. Mas sob nenhuma circunstância poderia fotografá-lo.
— Onde e quando? — perguntou Sam.
— Vamos ligar às nove e dizer como proceder.
— Tudo bem.
— Onde você está hospedado?
— O senhor sabe exatamente onde estou hospedado, sr. Bartholomew. Vou estar no lobby do Crillon às nove da noite, sem amigos, sem armas. E diga para seu amigo não me deixar esperando dessa vez.

Ele saiu do hotel dez minutos depois, com seu chapéu e óculos escuros, e caminhou até o HSBC Private Bank no boulevard Haussmann, onde, supostamente, devolveu o um milhão de euros ao cofre do seu cliente. Depois, caminhou a pé até o Musée d'Orsay e passou as duas horas seguintes estudando os quadros de um tal Vincent van Gogh. Quando saiu do museu, eram quase seis. Comeu um jantar leve em um bistrô no Champs-Élysées e depois voltou ao seu quarto no Crillon. Como prometido, estava no lobby às nove horas em ponto, vestido com calça cinza, um pulôver negro e uma jaqueta de couro. Gabriel sabia disso porque estava sentado a poucos passos, no bar. Esperou dois minutos depois das nove antes de ligar para o número de Sam.
— Sabe usar o metrô de Paris?
— Claro.
— Caminhe até a estação Concorde e pegue o número 12 até Marx Dormoy. O sr. Bartholomew estará esperando por você.

Sam saiu do lobby. Gabriel ficou no bar por outros cinco minutos. Então pegou seu carro com o manobrista e foi até a casa de campo na Picardia.

A estação Marx Dormoy estava localizada no oitavo *Arrondissement*, na rue de la Chapelle. Keller estava estacionado do outro lado da rua fumando um cigarro quando Sam subiu a escada. Caminhou até o carro e entrou no lado do passageiro sem uma palavra.

— Onde está seu celular? — perguntou Keller.

Sam tirou do bolso do casaco e mostrou a Keller.

— Desligue e tire o chip.

Sam obedeceu. Keller pôs o carro em movimento e avançou pelo trânsito noturno.

Ele permitiu que Sam ficasse no banco do passageiro até chegarem aos subúrbios do norte. Então, parou perto de algumas árvores antes da cidade de Ézanville e mandou que ele entrasse no porta-malas. Pegou o caminho mais longo até a Picardia, acrescentando pelo menos uma hora à viagem. Como resultado, era quase meia-noite quando ele chegou à casa de campo. Quando Sam saiu do porta-malas, viu a silhueta de um homem parado sob a luz da lua na entrada da propriedade.

— Imagino que seja seu sócio.

Keller não respondeu. Em vez disso, levou-o até a porta traseira da propriedade e desceu um lance de escada até a adega. Encostado em uma parede, iluminado por uma lâmpada pendurada de um fio, estava *Doze Girassóis numa Jarra*, óleo sobre tela, 95x73 cm, de Vincent van Gogh. Sam ficou parado na frente dele por um longo momento sem falar. Keller permaneceu ao seu lado.

— Então? — perguntou ele finalmente.

— Num minuto, sr. Bartholomew. Num minuto.

Finalmente, deu um passo, pegou o quadro pelas laterais e virou para examinar as marcas do museu na parte de trás da tela. Então olhou para as pontas do quadro e fez uma careta.

— Algo errado? — perguntou Keller.

— Vincent era famoso por ser descuidado na forma como tratava seus quadros. Olha aqui — acrescentou ele, virando as pontas do quadro para Keller. — Ele deixou suas digitais por todo lado.

Sam sorriu, segurou o quadro perto da luz e passou vários minutos examinando cuidadosamente as pinceladas. Em seguida, colocou-o em sua posição original e deu um passo para trás, a fim de observar à distância. Dessa vez, Keller não interrompeu seu silêncio.

— Espetacular — falou depois de um momento.

— E real — acrescentou Keller.

— Poderia ser. Ou poderia ser o trabalho de um falsificador muito talentoso.

— Não é.

— Vou precisar realizar um teste simples para ter certeza, uma análise de lasca de tinta. Se o quadro for genuíno, fechamos negócio. Se não for, você nunca mais vai ouvir falar de mim, deixando-o livre para empurrá-lo a um comprador menos sofisticado.

— Quanto tempo vai levar?

— Setenta e duas horas.

— Você tem 48.

— Não vai me apressar, sr. Batholomew. Nem meu cliente.

Keller hesitou antes de assentir uma vez. Usando um bisturi cirúrgico, Sam removeu com cuidado dois pequenos pedaços de tinta da tela — um da parte inferior direita, a outra da parte inferior esquerda — e colocou-as em um frasco de vidro. Então enfiou o frasco no bolso do casaco e, seguido por Keller, subiu as escadas. Do lado de fora, a figura em silhueta ainda estava parada na porta da casa.

— Vou conhecer seu sócio? — perguntou Sam.

— Não aconselho — respondeu Keller.

— Por que não?

— Porque seria o último rosto que você veria.

Sam franziu a testa e entrou no porta-malas da Mercedes. Keller fechou o trinco e voltou a Paris.

Eram todas operações conhecidas, cada uma de natureza específica, mas eles mais tarde diriam que os três dias seguintes passaram com a velocidade de um rio congelado. O conhecido autodomínio de Gabriel o abandonou. Ele tinha organizado o roubo de um dos quadros mais famosos do mundo como parte de um golpe para encontrar outro; e mesmo assim tudo poderia não dar em nada se o homem chamado Sam desistisse do negócio. Só Maurice Durand, talvez o especialista mais conhecido no comércio ilícito de arte, continuava confiante. Em sua experiência, colecionadores sujos como o sr. Grandão raramente desistiam da chance de comprar um Van Gogh. Claro, ele falou, a isca do *Doze Girassóis numa Jarra* era muito forte para resistir. A menos que Gabriel tivesse mostrado a Sam a falsificação por erro, o que não tinha, a análise da tinta seria positiva e o negócio continuaria.

Eles tinham outra opção caso Sam desistisse; poderiam segui-lo e tentar determinar a identidade de seu cliente, o homem de grande riqueza que estava disposto a pagar 25 milhões de euros por uma obra de arte roubada. Era só uma das razões pelas quais Gabriel e Keller, dois dos homens mais experientes em vigilância do mundo, monitoraram cada movimento de Sam durante os três dias de espera. Vigiavam de manhã enquanto ele caminhava pelos passeios de Tuileries, à tarde enquanto visitava as atrações turísticas para manter seu disfarce e à noite quando jantava, sempre sozinho, na Champs-Élysées. A impressão que dava era de disciplina. Em algum momento de sua vida, Keller e Gabriel concordaram, Sam tinha sido membro da irmandade secreta de espiões. Ou talvez, pensaram, ainda seja.

Na manhã do terceiro dia, ele deu um susto nos dois quando não apareceu para sua caminhada usual. Ficaram mais preocupados às quatro da tarde quando viram como ele saía do Crillon com duas grandes malas e subia em uma limusine. Mas a preocupação rapidamente desapareceu quando o carro o levou até o HSBC Private Bank no boulevard Haussmann. Trinta minutos depois, ele estava de volta ao seu quarto. Havia somente duas possibilidades, falou Keller. Ou Sam tinha realizado o mais silencioso roubo de banco da história ou tinha acabado de retirar uma grande soma em dinheiro de um cofre. Keller suspeitava que fosse a segunda opção. Assim como Gabriel. Portanto, o suspense era pouco quando chegou a hora de Sam finalmente ligar com uma resposta. Keller fez as honras. Quando a ligação terminou, ele olhou para Gabriel e sorriu.

— Podemos nunca encontrar o Caravaggio — disse ele —, mas acabamos de tirar 25 milhões de euros do sr. Grandão.

24

CHELLES, FRANÇA

MAS HAVIA UMA CONDIÇÃO: Sam se reservava o direito de escolher a hora e o lugar da troca de dinheiro e mercadoria. A hora, ele falou, seria onze e meia da noite seguinte. O lugar seria um depósito em Chelles, uma comuna apagada no leste de Paris. Keller dirigiu até lá na manhã seguinte enquanto o resto do norte da França estava viajando para o centro da cidade. O depósito estava onde Sam tinha dito que estaria, na avenida François Miterrand, bem em frente a uma concessionária Renault. Havia uma placa apagada onde se lia EUROTRANZ, apesar de que não havia nenhuma indicação do tipo de serviços que a empresa realizava. Pombas entravam e saíam das janelas quebradas; havia muitos arbustos crescendo por trás das barras do portão de ferro. Keller desceu do carro e inspecionou o portão automático. Há muito tempo ninguém o abria.

Ele passou uma hora fazendo um reconhecimento de rotina nas ruas ao redor do depósito e depois seguiu para o norte até a casa de campo em Andeville. Quando chegou, encontrou Gabriel e Chiara descansando no jardim ensolarado. Os dois Van Gogh estavam encostados na parede na sala.

— Ainda não sei como você consegue diferenciar um do outro — falou Keller.

— É bastante óbvio, não acha?

— Não.

Gabriel inclinou a cabeça para o quadro da direita.

— Tem certeza?

— Estas são minhas digitais nas laterais da tela, não as de Vincent. E tem isso.

Gabriel ligou seu BlackBerry do Escritório e o segurou perto do canto superior direito da tela. A tela piscou vermelha, indicando a presença de um transmissor escondido.

— Tem certeza da distância? — perguntou Keller.
— Testei de novo essa manhã. Funciona perfeitamente a dez quilômetros.
Keller olhou para o Van Gogh genuíno.
— Pena que ninguém pensou em colocar um rastreador nesse.
— É — falou Gabriel, distante.
— Quanto tempo você pensa ficar com ele?
— Nem um dia a mais do que o necessário.
— Quem vai guardá-lo enquanto seguimos a falsificação?
— Estava querendo deixá-lo na embaixada em Paris — falou Gabriel —, mas o chefe de estação não quer nem saber. Então tive que organizar outra coisa.
— Que coisa?
Quando Gabriel respondeu, Keller balançou a cabeça.
— É um pouco estranho, não acha?
— A vida é complicada, Christopher.
Keller sorriu.
— Nem me fale.

Eles deixaram a exótica casa de campo pela última vez às oito da noite. A cópia do *Doze Girassóis numa Jarra* estava no porta-malas da Mercedes de Keller; o Van Gogh autêntico estava no de Gabriel. Ele o entregou a Maurice Durand em sua loja na rue de Miromesnil. Então deixou Chiara no apartamento seguro com vista para Pont Marie e partiu para a comuna de Chelles.

Chegou alguns minutos antes das onze e foi até o depósito na avenida François Mitterrand. Era uma parte da cidade onde havia pouca vida nas ruas quando escurecia. Ele circulou duas vezes a propriedade, procurando evidências de vigilância ou algo que sugeria que Keller estava a ponto de cair em uma armadilha. Sem encontrar nada fora do comum, procurou um bom ponto de observação onde um homem sentado sozinho não atrairia a atenção da polícia. A única opção era um parque onde uns skatistas estavam bebendo cerveja. De um lado do parque havia uma fileira de bancos iluminados por lâmpadas amareladas. Gabriel estacionou o carro na rua e se sentou no banco mais perto da entrada da Eurotranz. Os skatistas olharam para ele estranhando por um momento antes de voltarem a discutir as questões do dia. Gabriel olhou para seu relógio. Eram 11h05. Aí consultou seu BlackBerry. O sinal ainda não estava dentro do alcance.

Erguendo a cabeça, viu os faróis de um carro na avenida. Um pequeno Citröen vermelho passou pela entrada da Eurotranz e seguiu pela beira do parque, deixando a vibração do hip-hop francês no ar. Atrás vinha outro carro, uma

BMW preta tão limpa que parecia ter sido recentemente lavada para a ocasião. Parou no portão e o motorista desceu. No escuro era impossível ver seu rosto, mas pela constituição e movimento era um sósia de Sam.

Ele apertou o teclado algumas vezes com a confiança de um homem que conhece a combinação há muito tempo. Então voltou a subir no carro, esperou o portão abrir, e entrou. Parou enquanto o portão se fechava e depois foi até a entrada do depósito. Novamente, desceu do carro e apertou o teclado de segurança com uma velocidade que sugeria familiaridade. Quando a porta se abriu, ele entrou com o carro e desapareceu de vista.

No pequeno parque escuro, a chegada de um carro de luxo em um depósito abandonado na avenida François Mitterand passou despercebida por todo mundo, exceto pelo homem de meia idade sentado sozinho. O homem olhou para seu relógio e viu que eram 23h08. Aí consultou seu BlackBerry. A luz vermelha estava piscando e vindo em sua direção.

Keller chegou exatamente às onze e meia da noite. Ligou para o celular de Sam e o portão se abriu. Um caminho de asfalto com buracos se abria na frente dele, vazio, escuro. Ele avançou lentamente e, seguindo as instruções de Sam, embicou o carro no depósito. Do lado oposto de um espaço do tamanho de um campo de futebol brilhavam os faróis baixos de uma BMW. Keller podia ver a figura de um homem inclinado sobre o capô, com um telefone ao ouvido e duas grandes malas aos pés. Não havia mais ninguém visível.

— Pare aí — falou Sam.

Keller pisou no freio.

— Desligue o motor e apague os faróis.

Keller fez como instruído.

— Saia do carro e fique onde eu possa vê-lo.

Keller saiu devagar e ficou parado na frente do carro. Sam enfiou a mão dentro da BMW e acendeu os faróis.

— Tire seu casaco.

— Isso é realmente necessário?

— Quer o dinheiro ou não?

Keller tirou seu casaco e o jogou sobre o capô do carro.

— Vire-se e fique de frente para o carro.

Keller hesitou, depois se virou de costas para Sam.

— Muito bom.

Keller se virou devagar e encarou Sam de novo.

— Onde está o quadro?

— No porta-malas.

— Pegue-o e coloque no chão alguns metros na frente do carro.

Keller abriu o porta-malas e tirou o quadro. Estava envolvido com uma camada protetora de papel vegetal e escondido dentro de um saco de lixo comum. Colocou no chão de concreto do depósito a uns cinco metros na frente da Mercedes e esperou pela próxima instrução de Sam.

— Volte para seu carro — veio a voz do lado oposto do depósito.

— De jeito nenhum — respondeu Keller para o brilho dos faróis de Sam.

Ocorreu um breve impasse. Então Sam se aproximou. Parou a poucos metros de Keller, olhou para o chão e franziu a testa.

— Preciso vê-lo mais uma vez.

— Então sugiro que remova o envoltório de plástico. Mas eu seria cuidadoso, Sam. Se algo acontecer com esse quadro, você será o responsável.

Sam se agachou e removeu o quadro de dentro do saco. Então virou a imagem na direção dos faróis de seu carro e observou as pinceladas e a assinatura.

— Então? — perguntou Keller.

Sam olhou para as digitais na lateral da moldura, depois para as marcas do museu na parte de trás.

— Um minuto — falou baixinho. — Um minuto.

O carro de Keller saiu do depósito às 23h40. O portão estava aberto quando ele chegou. Virou para a direita e passou rápido pelo banco onde Gabriel estava sentado. Gabriel o ignorou; estava olhando os faróis traseiros de uma BMW que se movia pela avenida François Mitterand. Olhou para o BlackBerry e sorriu. Tinha funcionado, ele pensou. Tinha realmente funcionado.

A luz vermelha piscava com a regularidade de uma pulsação. Flutuou pelos subúrbios de Paris e depois correu para o leste pela A4 até Reims. Gabriel seguia um quilômetro atrás e Keller um quilômetro atrás de Gabriel. Eles falaram por telefone só uma vez, uma breve conversa durante a qual Keller confirmou que o negócio tinha sido concretizado. Sam tinha o quadro; Keller tinha o dinheiro de Sam. Estava escondido no porta-malas do carro, dentro do saco de lixo que Gabriel tinha colocado ao redor da cópia do *Doze Girassóis numa Jarra*. Tudo exceto por um único pacote de notas de cem euros, que estava no bolso do casaco de Keller.

— Por que isso está no seu bolso? — perguntou Gabriel.

— Dinheiro para a gasolina — respondeu Keller.

Cento e vinte quilômetros separavam os subúrbios do leste de Paris de Reims, uma distância que Sam cobriu em menos de uma hora. Pouco depois da cidade, a luz vermelha parou de repente na A4. Gabriel rapidamente o alcançou e viu Sam enchendo o tanque do carro em um posto da estrada. Imediatamente ligou para Keller e mandou que encostasse; depois esperou até Sam voltar à estrada. Em poucos minutos, os três carros tinham retomado a formação original. Sam na frente, Gabriel seguindo um quilômetro atrás de Sam e Keller seguindo um quilômetro atrás de Gabriel.

Depois de Reims, eles continuaram para o leste, passando por Verdun e Metz. Então a A4 virou para o sul levando todos até Estrasburgo, a capital da região da Alsácia da França e sede do Parlamento Europeu. Na beira da cidade fluíam as águas verde-escuras do Reno. Alguns minutos depois do nascer do sol, 25 milhões de euros em dinheiro e uma cópia de uma obra-prima roubada de Vincent van Gogh cruzaram para a Alemanha sem serem detectados.

A primeira cidade do lado alemão da fronteira era Kehl e depois de Kehl estava a *autobahn* A5. Sam seguiu até Karlsruhe; então entrou na A8 e se dirigiu a Stuttgart. Quando chegou aos subúrbios do sul, o rush da manhã estava no auge. Ele cruzou lentamente a cidade pela Hauptstätterstrasse e abriu caminho por Stuttgart-Mitte, um agradável distrito de escritórios e lojas no coração da metrópole. Gabriel sentiu que Sam estava perto de seu destino final, e se aproximou alguns metros. E então aconteceu a coisa que ele menos esperava.

A luz vermelha piscante desapareceu de sua tela.

De acordo com o BlackBerry de Gabriel, a luzinha brilhou pela última vez no número oito da Böheimstrasse. O endereço correspondia a um hotel de estuque cinza que parecia ter sido importado de Berlim Oriental durante os piores dias da Guerra Fria. Nos fundos do hotel, que davam a um beco, havia um estacionamento público. A BMW estava no último nível, em um canto onde a lâmpada havia sido quebrada. Sam estava caído sobre o volante, os olhos bem abertos, sangue e pedaços do cérebro espalhados por dentro do vidro. E *Doze Girassóis numa Jarra*, óleo sobre tela, 95x73 cm, de Gabriel Allon, tinha desaparecido.

25

GENEBRA

ELES FORAM EMBORA DE Stuttgart PELA mesma rota que tinham entrado e cruzaram de volta para a França em Estrasburgo. Keller foi para a Córsega; Gabriel, para Genebra. Ele chegou no meio da tarde e imediatamente ligou para Christoph Bittel de um telefone público perto do lago. O membro da polícia secreta não pareceu gostar de ouvir sua voz tão cedo. Ficou ainda menos feliz quando Gabriel explicou por que tinha voltado à cidade.

— De jeito nenhum — falou ele.

— Então acho que terei de contar ao mundo sobre todos esses quadros roubados que encontrei naquele cofre.

— Lá se foi o novo Gabriel Allon.

— A que horas nos encontramos, Bittel?

— Vou ver o que posso fazer.

Bittel demorou uma hora para limpar sua mesa na sede da NDB e outras duas horas para dirigir de Berna a Genebra. Gabriel estava esperando por ele em uma esquina cheia de gente na rue du Rhône. Passava um pouco das seis. Pequenos bancários suíços estavam saindo dos bonitos edifícios de escritórios; lindas garotas e estrangeiros astutos estavam entrando nos cafés animados. Tudo muito organizado. Até assassinos em massa se comportavam direito quando estavam em Genebra.

— Você ia me dizer por que devo abrir aquele cofre para você — falou Bittel enquanto voltava a enfrentar o trânsito com seu usual excesso de cuidado.

— Porque a operação em que estou envolvido está com um problema.

— Que tipo de problema?

— Um cadáver.
— Onde?
Gabriel hesitou.
— Onde? — perguntou Bittel de novo.
— Stuttgart — respondeu Gabriel.
— O árabe que levou um tiro na cabeça essa manhã no centro da cidade?
— Quem falou que era um árabe?
— O BfV.

O BfV era o serviço de segurança interno da Alemanha. Mantinha relações próximas com seu irmão germanófilo em Berna.

— Quanto sabem sobre ele? — perguntou Gabriel.
— Quase nada e foi por isso que entraram em contato conosco. Parece que os assassinos levaram sua carteira depois de atirarem.
— Não foi tudo que levaram.
— Você é responsável pela morte dele?
— Não tenho certeza.
— Deixe-me perguntar de outra forma, Allon. Você colocou uma arma na cabeça dele e puxou o gatilho?
— Não seja ridículo.
— Não é uma pergunta absurda. Afinal, você tem um histórico quando se trata de cadáveres em solo europeu.

Gabriel não falou nada.

— Sabe o nome do homem que estava dentro do carro?
— Ele se chamava Sam, mas tenho a sensação de que seu nome verdadeiro era Samir.
— Sobrenome?
— Nunca me falou.
— Passaporte?
— Ele falava francês muito bem. Se tivesse que adivinhar, acho que era do Levante.
— Líbano?
— Talvez. Ou talvez Síria.
— Por que ele foi morto?
— Não tenho certeza.
— Pode fazer melhor que isso, Allon.
— É possível que estivesse de posse de um quadro que se parecia muito com o *Doze Girassóis numa Jarra*, de Vincent van Gogh.
— O que foi roubado de Amsterdã?
— Emprestado — falou Gabriel.

— Quem pintou a falsificação?
— Eu.
— Por que Sam estava com ele?
— Eu o vendi por 25 milhões de euros.
Bittel respirou fundo.
— Você me perguntou, Bittel.
— Onde está o quadro?
— Qual quadro?
— O Van Gogh *verdadeiro* — respondeu Bittel.
— Em mãos seguras.
— E o dinheiro?
— Em mãos ainda mais seguras.
— Por que você roubou um Van Gogh e vendeu uma cópia a um árabe chamado Sam?
— Porque estou procurando um Caravaggio.
— Para quem?
— Os italianos.
— Por que um agente da inteligência israelense está procurando um quadro para os italianos?
— Porque ele acha difícil dizer não às pessoas.
— E se eu puder colocá-lo naquele cofre? O que você espera encontrar?
— Para ser honesto com você, Bittel, não tenho ideia.
Bittel respirou fundo e pegou seu telefone.

Fez duas ligações, uma atrás da outra. A primeira foi para sua linda amiga no Freeport. A segunda foi para um arrombador que ocasionalmente fazia favores para a NDB na área de Genebra. A mulher estava esperando no portão quando eles chegaram; o arrombador apareceu uma hora mais tarde. Seu nome era Zimmer. Tinha um rosto redondo e suave, junto com o olhar assustado de um animal empalhado. Sua mão era tão fina e macia que Gabriel a soltou rapidamente, com medo de machucá-lo.

Tinha em seu poder uma mala retangular pesada de couro escuro, que agarrava firme enquanto seguia Bittel e Gabriel pela porta externa do depósito de Jack Bradshaw. Se notou os quadros, não deu nenhum sinal disso; tinha olhos somente para o pequeno cofre perto da mesa. Havia sido construído por um fabricante alemão de Colônia. Zimmer franziu a testa, como se esperasse algo mais desafiador.

O arrombador, como o restaurador de arte, não gostava que as pessoas ficassem olhando enquanto ele trabalhava. Por isso, Gabriel e Bittel foram forçados a se confinar na sala interior do depósito que Yves Morel tinha usado como estúdio clandestino. Eles se sentaram no chão, encostados na parede e com as pernas esticadas. Era óbvio pelos sons que vinham da porta aberta que Zimmer estava usando uma técnica conhecida como perfuração do ponto fraco. O ar tinha cheiro de metal quente. Lembrava a Gabriel o cheiro de uma arma recentemente usada. Olhou para seu relógio e franziu a testa.

— Quanto tempo isso vai demorar? — perguntou ele.

— Alguns cofres são mais fáceis que outros.

— É por isso que sempre preferi uma carga bem colocada de explosivo plástico. Semtex é um grande equalizador.

Bittel tirou seu celular e foi repassando sua caixa de e-mails; Gabriel ficou mexendo na paleta de tintas de Yves Morel: *ocre, dourado, vermelho*... Finalmente, uma hora depois que Zimmer começou a trabalhar, ouviu um forte barulho metálico na sala ao lado. O arrombador apareceu na porta, segurando sua mala de couro negro, e acenou uma vez para Bittel.

— Acho que sei como ir embora — falou. E desapareceu.

Gabriel e Bittel ficaram de pé e foram até a sala ao lado. A porta do cofre estava um pouco aberta, um dedo, nada mais. Gabriel se aproximou, mas Bittel o impediu.

— Eu faço isso — disse ele.

Mandou Gabriel dar um passo para trás. Então abriu a porta do cofre e deu uma olhada no interior. Estava vazio, exceto por um envelope branco. Bittel o pegou e leu o nome escrito na frente.

— O que é isso? — perguntou Gabriel.

— Parece ser uma carta.

— Para quem?

Bittel entregou a Gabriel e falou:

— Para você.

Parecia mais um memorando do que uma carta, um relatório pós-ação em campo escrito por um espião caído com problemas de consciência por sua traição. Gabriel leu duas vezes, a primeira enquanto estava no depósito de Jack Bradshaw, e uma segunda vez enquanto estava sentado no salão de embarque do Aeroporto Internacional de Genebra. Seu voo foi anunciado alguns minutos depois das nove, primeiro em francês, depois em inglês e, finalmente, em hebraico. O som de seu idioma nativo acelerou sua pulsação. Ele enfiou a carta em sua mala de mão, levantou-se e embarcou no avião.

PARTE TRÊS

A JANELA ABERTA

26

BOULEVARD REI SAUL, TEL AVIV

O EDIFÍCIO COMERCIAL QUE FICAVA numa ponta do Boulevard Rei Saul era opaco, sem nenhuma característica e, melhor de tudo, anônimo. Não havia nenhum emblema pendurado na entrada, nenhuma placa que mostrasse a identidade de seu ocupante. Na verdade, não havia nada para sugerir que era a sede de um dos serviços de inteligência mais temidos e respeitados do mundo. Uma inspeção mais de perto da estrutura, no entanto, teria revelado a existência de um prédio dentro do prédio, com seu próprio fornecimento de energia, suas próprias linhas de água e esgoto, e seu próprio sistema de comunicações seguras. Os funcionários carregavam duas chaves. Uma abria uma porta sem nenhuma marca no lobby, a outra operava o elevador. Aqueles que cometiam o imperdoável pecado de perder uma ou as duas chaves eram banidos para o deserto da Judeia, e nunca mais eram vistos ou citados.

Havia alguns funcionários que eram muito importantes ou cujo trabalho era muito confidencial para aparecer no lobby. Eles entravam no prédio "preto" através do estacionamento no subsolo, como Gabriel fez trinta minutos depois que seu avião de Genebra aterrissou no aeroporto Ben-Gurion. Sua caravana incluía um veículo cheio de uma equipe de segurança fortemente armada. Ele pensou que era um sinal do que estava por vir.

Dois dos agentes de segurança o seguiram até o elevador, que o levou até o andar mais alto do prédio. Do lobby, ele atravessou uma porta protegida até uma antessala onde uma mulher com quase quarenta anos estava sentada atrás de uma mesa moderna com uma superfície negra brilhante. A mesa só tinha um abajur e um telefone multilinhas seguro; a mulher tinha longas pernas queimadas de sol. Dentro do Boulevard Rei Saul ela era conhecida como a Cúpula de

Ferro por sua habilidade imbatível de evitar pedidos indesejados por uma palavra com o chefe. Seu nome verdadeiro era Orit.

— Está em uma reunião — falou ela, olhando para a luz vermelha brilhando em cima da impressionante porta dupla do chefe. — Sente-se. Não vai demorar.

— Ele sabe que estou no prédio?

— Sabe.

Gabriel se sentou no que era possivelmente o sofá mais desconfortável de todo Israel e olhou para a luz vermelha brilhando sobre a porta. Então olhou para Orit, que sorriu, desconfortável.

— Posso servir algo? — perguntou ela.

— Um aríete — respondeu Gabriel.

Finalmente, a luz mudou de vermelho para verde. Gabriel se levantou rapidamente e entrou no escritório enquanto os participantes da reunião agora adiada saíam por uma segunda porta. Reconheceu dois deles. Uma era Rimona Stern, a chefe do programa nuclear do Irã do Escritório. O outro era Mikhail Abramov, um agente de campo e atirador que tinha trabalhado com Gabriel em várias operações de extrema importância. O terno que estava usando sugeria uma promoção recente.

Quando a porta se fechou, Gabriel se virou lentamente para encarar o único outro ocupante da sala. Estava parado perto de uma grande mesa de vidro escuro, uma pasta aberta nas mãos. Usava um terno cinza que parecia um número menor e uma camisa branca com um colarinho alto que deixava a impressão de que sua cabeça estava parafusada em seus fortes ombros. Seus óculos eram pequenos e sem aro, do tipo usado por executivos alemães que queriam parecer jovens e na moda. Seu cabelo, ou o que sobrara dele, era espetado e grisalho.

— Desde quando Mikhail participa de reuniões na sala do chefe? — perguntou Gabriel.

— Desde que dei uma promoção a ele — respondeu Uzi Navot.

— A quê?

— Vice-chefe de Operações Especiais. — Navot colocou a pasta na mesa e sorriu, sem sinceridade. — Tudo bem se fizer movimentos de pessoal, Gabriel? Afinal, ainda sou o chefe por mais um ano.

— Tinha planos para ele.

— Que tipo de planos?

— Na verdade, ia colocá-lo como responsável de Operações Especiais.

— Mikhail? Ele não está pronto, ainda falta muito.

— Ele vai ficar bem, desde que tenha um planejador operacional experiente olhando sobre o seu ombro.

— Alguém como você?

Gabriel ficou em silêncio.

— E eu? — perguntou Navot. — Já decidiu o que vai fazer?

— Isso depende totalmente de você.

— É óbvio que não.

Navot largou a pasta na mesa e apertou um botão do seu painel de controle que fez descer as venezianas lentamente sobre as janelas à prova de bala que iam do chão ao teto. Ficou ali por um momento em silêncio, como se estivesse preso pelas barras de sombras. Gabriel vislumbrou um retrato desagradável de seu próprio futuro, um homem cinzento em uma jaula cinzenta.

— Preciso admitir — falou Navot —, tenho muita inveja de você. O Egito está à beira da guerra civil, a al-Qaeda está controlado uma faixa de terra que vai de Faluja ao Mediterrâneo, e um dos conflitos mais sangrentos da história moderna está acontecendo na nossa fronteira norte. E mesmo assim você tem tempo para ficar procurando uma obra roubada para o governo italiano.

— Não foi ideia minha, Uzi.

— Poderia ter, pelo menos, mostrado a cortesia de pedir minha aprovação quando os *carabinieri* o procuraram.

— Teria dado?

— Claro que não.

Navot caminhou lentamente por sua longa mesa de reuniões executivas até a área de estar, mais confortável. As redes de televisão do mundo apareciam silenciosamente em sua parede de vídeos; os jornais do mundo estavam organizados na mesa de café.

— A polícia europeia esteve bem ocupada ultimamente — falou ele. — Um expatriado britânico assassinado em lago Como, uma obra roubada de Van Gogh, e agora isso. — Ele pegou uma cópia do *Die Welt* e entregou para que Gabriel visse. — Um árabe morto no meio de Stuttgart. Três eventos aparentemente desconectados com uma coisa em comum. — Navot deixou o jornal cair sobre a mesa. — Gabriel Allon, o futuro chefe do serviço de inteligência de Israel.

— Duas coisas, na verdade.

— Qual é a segunda?

— LXR Investments of Luxembourg.

— Quem é o dono da LXR?

— O pior homem do mundo.

— Ele está na folha de pagamento do Escritório?

— Não, Uzi — falou Gabriel, sorrindo. — Ainda não.

Navot conhecia em linhas gerais a busca de Gabriel pelo Caravaggio perdido, pois tinha acompanhado à distância: reservas de viagens aéreas, gastos de cartão de crédito, passagens de fronteira, pedidos de propriedades seguras, notícias de uma obra desaparecida. Agora, sentado na sala que logo seria dele, Gabriel completou a narrativa, começando com as reuniões com o general Ferrari em Veneza e terminando com a morte de um homem chamado Sam em Stuttgart — um homem que tinha acabado de pagar 25 milhões de euros por *Doze Girassóis numa Jarra*, óleo sobre tela, 95x73 cm, de Gabriel Allon. Então, ele entregou as três páginas da carta que Jack Bradshaw tinha deixado para ele no Freeport de Genebra.

— O nome verdadeiro de Sam era Samir Basara. Bradshaw o conheceu quando estava trabalhando em Beirute. Samir era um clássico vigarista. Drogas, armas, garotas, todas as coisas que faziam a vida mais interessante em um lugar como Beirute nos anos 1980. Mas na verdade, Samir não era libanês. Samir era da Síria, e estava trabalhando para a inteligência síria.

— Estava trabalhando para eles quando foi morto?

— Com certeza — respondeu Gabriel.

— Fazendo o quê?

— Comprando arte roubada.

— De Jack Bradshaw?

Gabriel assentiu.

— Samir e Bradshaw renovaram seu relacionamento há 14 meses em um almoço em Milão. Samir tinha uma proposta de negócios. Disse que tinha um cliente, um empresário rico do Oriente Médio que estava interessado em adquirir quadros. Em poucas semanas, Bradshaw usou seus contatos no submundo da arte para assegurar um Rembrandt e um Monet, sendo que os dois tinham sido roubados. Isso não incomodava Samir. Na verdade, ele gostava disso. Deu a Bradshaw cinco milhões de dólares e o mandou encontrar mais.

— Como ele pagava pelos quadros?

— Enviava o dinheiro para a empresa de Bradshaw através de algo chamado LXR Investments of Luxembourg.

— Quem é o dono da LXR?

— Vou chegar lá — falou Gabriel.

— Por que Sam queria quadros roubados?

— Também vou chegar lá. — Gabriel olhou para a carta. — Nesse ponto, Jack Bradshaw começou a comprar loucamente para seu novo cliente cheio de dinheiro. Uns Renoir, um Matisse, um Corot que foi roubado do Museu de Belas Artes de Montreal, em 1972. Ele também adquiriu vários quadros italianos importantes que não deveriam deixar o país. Samir ainda não estava satisfeito. Disse que seu cliente queria algo grande. Foi quando Bradshaw sugeriu o Santo Graal dos quadros desaparecidos.

— O Caravaggio?

Gabriel assentiu.

— Onde estava?

— Ainda na Sicília, nas mãos da Cosa Nostra. Bradshaw foi a Palermo e negociou o acordo. Depois de todos esses anos, os mafiosos realmente ficaram felizes por se livrar dele. Bradshaw o levou à Suíça em um carregamento de tapetes. Não é preciso dizer que o retábulo não estava em boas condições quando chegou. Ele aceitou cinco milhões de euros como adiantamento de Samir e contratou um falsificador francês para tornar a *Natividade* apresentável de novo. Mas algo aconteceu antes que pudesse completar a venda.

— O quê?

— Ele descobriu quem estava comprando os quadros.

— Quem era?

Antes de responder, Gabriel voltou a uma pergunta que Navot tinha feito alguns minutos antes: por que o cliente rico de Samir Basara estava no mercado de quadros roubados? Para responder isso, Gabriel primeiro explicou as quatro categorias básicas de ladrões de arte: o amante de arte sem dinheiro, o perdedor incompetente, o profissional e o membro do crime organizado. O membro do crime organizado, ele falou, era responsável pelos grandes roubos. Às vezes ele tinha um comprador à espera, mas geralmente os quadros roubados terminavam sendo usados como uma forma de dinheiro no submundo, um *traveler check* para a classe criminosa. Um Monet, por exemplo, poderia ser usado como pagamento colateral para um envio de armas russas; um Picasso, por heroína turca. Eventualmente, alguém na rede de posse decidiria obter lucro, normalmente com a ajuda de um intermediário especialista como Jack Bradshaw. Um quadro que vale duzentos milhões de dólares no mercado legítimo valeria vinte milhões no mercado negro. Vinte milhões que nunca seriam rastreados, acrescentou Gabriel. Vinte milhões que nunca seriam congelados pelos governos dos Estados Unidos e da União Europeia.

— Vê onde estou chegando com isso, Uzi?

— Quem é? — perguntou Navot de novo.

— É um homem que está por trás de uma terrível guerra civil, um homem que está acostumado a torturar sistematicamente, a criar barragens de artilharia indiscriminada e ataques de armas químicas contra seu próprio povo. Viu Hosni Mubarak ser colocado em uma jaula e Muammar Gaddafi ser linchado por uma multidão louca por sangue. Como resultado, está preocupado com o que poderia acontecer se caísse, e é por isso que pediu a Samir Basara para preparar um pequeno ninho para ele e sua família.

— Está dizendo que Jack Bradshaw estava vendendo quadros roubados para o presidente da Síria?

Gabriel levantou o rosto para as imagens piscando na parede de vídeos de Navot. O regime tinha acabado de atacar um bairro dominado por rebeldes em Damasco. O número de mortos era incalculável.

— O dirigente sírio e seu clã valem bilhões — falou Navot.

— É verdade — respondeu Gabriel. — Mas os norte-americanos e a UE estão congelando seus bens e os de seus ajudantes mais próximos onde conseguem encontrá-los. Até a Suíça congelou centenas de milhões de bens sírios.

— Mas grande parte da fortuna ainda está aí, em algum lugar.

— Por enquanto — falou Gabriel.

— Por que não barras de ouro ou cofres cheios de dinheiro? Por que quadros?

— Imagino que ele tenha ouro e dinheiro, também. Afinal, como qualquer assessor de investimentos diria, a diversidade é a chave para o sucesso a longo prazo. Mas se fosse eu assessorando o presidente sírio — acrescentou Gabriel —, diria para investir em bens que são fáceis de esconder e transportar.

— Quadros? — perguntou Navot.

Gabriel assentiu.

— Se ele compra um quadro por cinco milhões no mercado negro, pode vender por quase o mesmo preço, menos comissões para o intermediário, claro. É um preço menor a pagar para ter dezenas de milhões em dinheiro não rastreável.

— Engenhoso.

— Ninguém os acusou de serem estúpidos, só cruéis e brutais.

— Quem matou Samir Basara?

— Se eu tivesse que adivinhar, foi alguém que o conhecia. — Gabriel parou, depois acrescentou: — Alguém que estava sentado no banco de trás do carro quando puxou o gatilho.

— Alguém da inteligência síria?

— É normalmente assim que funciona.

— Por que o mataram?

— Talvez soubesse muito. Ou talvez tenham ficado bravos com ele.

— Por quê?

— Por deixar que Jack Bradshaw descobrisse sobre as finanças pessoais da família dirigente.

— Quanto ele sabia?

Gabriel pegou a carta e falou:

— Bastante, Uzi.

27

BOULEVARD REI SAUL, TEL AVIV

— O QUE VOCÊ ACHA QUE BRADSHAW fez com o Caravaggio?
— Ele deve ter levado de volta a sua *villa* no lago Como — respondeu Gabriel. — Então, pediu a Oliver Dimbleby vir à Itália para dar uma olhada em sua coleção. Foi uma falcatrua, uma operação inteligente concebida por um ex-espião britânico. O que ele realmente queria era que Oliver entregasse uma mensagem a Julian Isherwood que, por sua vez, a entregaria a mim. Não saiu como planejado. Oliver enviou Julian a Como em seu lugar. E quando chegou, Bradshaw estava morto.

— E o Caravaggio desapareceu?

Gabriel assentiu.

— Por que Bradshaw queria contar a *você* sobre a conexão com o presidente sírio?

— Suponho que ele pensou que eu iria lidar com o assunto com discrição.

— E o que isso quer dizer?

— Eu não diria à polícia britânica ou italiana que ele era um ladrão e um intermediário — respondeu Gabriel. — Estava esperando encontrar-se comigo. Mas também tomou a precaução de colocar tudo que sabia por escrito dentro do cofre no Freeport.

— Junto com alguns quadros roubados?

Gabriel assentiu.

— Por que a súbita mudança de ideia? Por que não pegar o dinheiro sujo de sangue do dirigente e ir rindo até o banco?

— Nicole Devereaux.

Navot apertou os olhos, pensativo.

— Por que esse nome me é familiar?

— Ela era a fotógrafa da AFP que foi sequestrada e morta em Beirute nos anos 1980 — falou Gabriel. Então contou a Navot o resto da história: o caso amoroso, o recrutamento pela KGB, meio milhão em uma conta de banco suíço. — Bradshaw nunca se perdoou pela morte de Nicole — acrescentou ele. — E certamente nunca perdoou o regime sírio por matá-la.

Navot ficou em silêncio por um momento.

— Seu amigo Jack Bradshaw fez várias besteiras durante sua vida — falou finalmente. — Mas a coisa mais idiota que já fez foi aceitar cinco milhões de euros da família governante da Síria por um quadro que não conseguiu entregar. Só há uma coisa que a família odeia mais do que deslealdade: pessoas que tentam roubá-los.

Navot assistia às imagens que passavam na parede de vídeo.

— Na minha opinião — falou ele —, é disso que se trata esse exercício inteiro de depravação humana. Cento e cinquenta mil mortos e milhões de pessoas sem lugar para morar. E para quê? Por que a família do governante está se agarrando a isso como se não houvesse amanhã? Por que estão praticando assassinato em escala industrial? Pela fé deles? Pelo ideal sírio? Não existe ideal sírio. Francamente, não existe mais Síria. E mesmo assim as mortes acontecem por um motivo, e apenas um motivo.

— Dinheiro — falou Gabriel.

Navot assentiu lentamente.

— Você parece ter uma visão especial sobre a situação da Síria, Uzi.

— Por acaso sou casado com uma conceituada especialista sobre a Síria e o movimento baathista. — Ele parou, então acrescentou: — Mas você já sabia isso.

Navot levantou, caminhou até o aparador e serviu uma xícara de café da garrafa térmica. Gabriel notou a ausência de creme ou biscoitos amanteigados, duas coisas que Navot não conseguia resistir. Ele bebia seu café preto agora, sem nenhum acompanhamento a não ser uma pastilha de adoçante branco, que colocou em sua xícara de um recipiente plástico.

— Desde quando você coloca cianeto no seu café, Uzi?

— Bella quer que eu perca o vício em açúcar. Em seguida, será a cafeína.

— Não consigo imaginar esse trabalho sem cafeína.

— Logo vai descobrir.

Navot sorriu mesmo sem vontade e voltou para sua cadeira. Gabriel estava olhando os monitores de vídeo. O corpo de uma criança — menino ou menina, era impossível dizer — estava sendo retirado do meio dos escombros. Uma mulher estava em prantos. Um homem barbudo clamava por vingança.

— Quanto há? — perguntou ele.

— Dinheiro?

Gabriel assentiu.

— Dez bilhões é o número que aparece na imprensa — respondeu Navot —, mas achamos que o número real é muito maior. E é todo controlado por Kemel al-Farouk. — Navot olhou de canto de olho para Gabriel e perguntou: — Conhece o nome?

— A Síria não é minha área de especialização, Uzi.

— Logo será. — Navot deu outro sorriso apagado antes de continuar. — Kemel não é um membro da família dirigente, mas esteve trabalhando nos negócios da família por toda sua vida. Começou como guarda-costas do pai do dirigente. Kemel recebeu uma bala pelo velho no final dos anos setenta e o pai do dirigente nunca esqueceu isso. Deu a Kemel um bom trabalho na Mukhabarat, onde ele ganhou uma reputação como interrogador terrível de prisioneiros políticos. Costumava pregar membros da Irmandade Muçulmana na parede por diversão.

— Onde ele está agora?

— Seu título oficial é vice-ministro de Estado para Relações Exteriores, mas em muitos aspectos é quem está dirigindo o país e a guerra. O dirigente nunca toma decisões sem falar primeiro com Kemel. E, talvez mais importante, Kemel é quem está cuidando do dinheiro. Ele colocou uma parte da fortuna em Moscou e Teerã, mas de jeito nenhum confiaria totalmente nos russos e nos iranianos. Achamos que ele tem alguém trabalhando na Europa Ocidental escondendo os bens. O que *não* sabemos — falou Navot —, é quem é essa pessoa ou onde está escondendo o dinheiro.

— Graças a Jack Bradshaw, agora sabemos que parte dele está na LXR Investments. E podemos usar a LXR como janela para ver o resto do dinheiro da família.

— E depois?

Gabriel ficou em silêncio. Navot assistia a outro corpo sendo retirado dos escombros em Damasco.

— É duro para os israelenses verem cenas como essa — falou depois de um momento. — Nos deixa incomodados. Traz más recordações. Nosso instinto natural é matar o monstro antes que o monstro possa fazer mais danos. Mas o Escritório e a IDF concluíram que é melhor deixar o monstro no lugar, pelo menos por enquanto, porque a alternativa poderia ser pior. E os norte-americanos e os europeus chegaram à mesma conclusão, apesar de todas as conversações otimistas sobre a negociação de um acordo. Ninguém quer que a Síria caia nas mãos da al-Qaeda, mas isso é o que vai acontecer se a família governante cair.

— Boa parte da Síria já é controlada pela al-Qaeda.

— Verdade — concordou Navot. — E o contágio está se espalhando. Há algumas semanas, uma delegação de chefes de inteligência europeu foi a Damasco com uma lista de seus cidadãos muçulmanos que vieram à Síria se unir à jihad. Eu poderia ter dado a eles mais alguns nomes, mas não fui convidado para a festa.

— Que surpresa.

— Provavelmente foi melhor não ter ido. Na última vez que estive em Damasco, viajei sob um nome falso.

— Quem?

— Vincent Laffont.

— O escritor de guias de viagem.

Navot assentiu.

— Sempre foi um dos meus favoritos — disse Gabriel.

— Meu também. — Navot colocou sua xícara de café na mesa. — O Escritório nunca evitou se comprometer com crimes estranhos a serviço de uma operação moral e justa. Mas se atropelarmos o sistema bancário internacional, as repercussões podem ser desastrosas.

— A família governante síria não teve acesso a esses bens honestamente, Uzi. Já estão saqueando a economia por duas gerações.

— Isso não significa que podemos roubá-las.

— Não — falou Gabriel com um remorso fingido. — Isso seria errado.

— Então, o que está sugerindo?

— Congelarmos os bens.

— Como?

Gabriel sorriu e falou:

— Ao estilo do Escritório.

— Que tal nossos amigos em Langley? — perguntou Navot quando Gabriel tinha terminado de explicar.

— O que tem?

— Não podemos lançar uma operação como essa sem o apoio da Agência.

— Se contarmos à Agência, eles vão contar à Casa Branca. E isso vai terminar na primeira página do *The New York Times*.

Navot sorriu.

— Tudo que precisamos é da aprovação do primeiro-ministro e do dinheiro para realizar a operação.

— Já temos dinheiro, Uzi. Muito dinheiro.

— Os 25 milhões que você ganhou com a venda do Van Gogh falso?

Gabriel assentiu.

— É a beleza dessa operação — falou ele. — Ela se autofinancia.

— Onde está o dinheiro agora?

— Pode estar no porta-malas do carro de Christopher Keller.

— Na Córsega.

— Infelizmente.

— Vou mandar um *bodel* para pegá-lo.

— O grande dom Orsati não lida com mensageiros, Uzi. Ele acharia isso um insulto muito grande.

— O que está sugerindo?

— Vou resgatar o dinheiro assim que tivermos uma operação em funcionamento, apesar de que seja possível que tenha de deixar um pequeno pagamento de tributo ao Dom.

— Pequeno? Quanto?

— Dois milhões devem deixá-lo feliz.

— Isso é muito dinheiro.

— Uma mão lava a outra, e as duas mãos lavam o rosto.

— Isso é um provérbio judeu?

— Provavelmente, Uzi.

O que faltava era pensar na composição da equipe operacional de Gabriel. Rimona Stern e Mikhail Abramov eram indispensáveis, ele falou. Assim como Dina Sarid, Yossi Gavish e Yaakov Rossman.

— Não é possível ter Yaakov num momento como esse — objetou Navot.

— Por que não?

— Porque Yaakov é quem está rastreando todos os mísseis e outros artigos mortais que estão indo dos sírios para os amigos deles no Hezbollah.

— Yaakov pode fazer as duas coisas ao mesmo tempo.

— Quem mais?

— Preciso de Eli Lavon.

— Ele ainda está escavando embaixo do Muro das Lamentações.

— Amanhã à tarde, ele já estará escavando em outro lugar.

— Só isso?

— Não — falou Gabriel. — Tem outra pessoa que preciso para uma operação como essa.

— Quem?

— A maior especialista do país em Síria e no movimento baathista.

Navot sorriu.

— Talvez você devesse levar uns guarda-costas, por segurança.

28

PETAH TIKVA, ISRAEL

Os Navots viviam no lado oriental de Petah Tikva, em uma rua calma onde as casas ficavam escondidas atrás de muros de concreto e arbustos. Havia uma campainha perto do portão de metal, que tocou em silêncio quando Gabriel apertou. Olhou diretamente para as lentes da câmera de segurança e apertou de novo. Dessa vez, o intercomunicador emitiu o som da voz de uma mulher.

— Quem é?

— Sou eu, Bella. Abra o portão.

Outro silêncio, 15 segundos, talvez mais, antes que o trinco fosse liberado com uma pancada. Conforme o portão abria, surgia a casa, uma estrutura cubista com grandes janelas reforçadas e uma antena de comunicações seguras aparecendo no teto. Bella estava à sombra do pórtico, os braços cruzados na defensiva. Ela usava calça de seda branca e blusa amarela com um cinto na cintura esbelta. Seu cabelo escuro parecia recém-pintado e penteado. De acordo com a usina de rumores do Escritório, ela tinha uma hora marcada toda manhã em um dos salões mais exclusivos de Tel Aviv.

— Você tem muita coragem de vir a essa casa, Gabriel.

— Para com isso, Bella. Vamos tentar ser civilizados.

Ela ficou parada um momento antes de se virar e, com um movimento indiferente da mão, convidá-lo a entrar. Tinha decorado os cômodos da casa como a seu marido: cinza, brilhante, moderno. Gabriel a seguiu pela muito brilhante cozinha cromada e de granito negro polido, indo até o terraço do fundo onde estava servido um almoço leve israelense. A mesa estava na sombra, mas o sol brilhava forte no jardim. Havia pequenas piscinas e fontes murmurantes. Gabriel se lembrou de repente que Bella sempre tinha adorado o Japão.

— Adoro o que você fez com esse lugar, Bella.
— Sente-se — foi tudo que ela respondeu.
Gabriel se sentou em uma cadeira de jardim com almofada. Bella serviu um copo alto de suco de laranja e colocou bem na frente dele.
— Já pensou onde você e Chiara vão morar quando se tornar chefe? — perguntou ela.
Ele não sabia dizer se a pergunta dela sincera ou maliciosa. Decidiu responder honestamente.
— Chiara acha que precisamos viver perto do Boulevard Rei Saul — falou ele —, mas eu preferia ficar em Jerusalém.
— É muito longe.
— Não vou dirigir o carro.
O rosto dela ficou tenso.
— Desculpe, Bella. Não foi isso que quis dizer.
Ela não respondeu diretamente.
— Nunca gostei muito de Jerusalém. Perto demais de Deus para meu gosto. Gosto daqui, o meu pequeno subúrbio secular.
Um silêncio se abateu entre eles. Os dois sabiam a verdadeira razão pela qual Gabriel preferia Jerusalém a Tel Aviv.
— Desculpe por nunca ter enviado a você e Chiara os parabéns pela gravidez. — Ela deu um breve sorriso. — Deus sabe como os dois merecem alguma felicidade depois de tudo que aconteceu.
Gabriel assentiu e murmurou algo apropriado. Bella nunca tinha dado os parabéns, ele pensou, porque sua raiva não tinha permitido. Ela tinha um comportamento vingativo. Era uma de suas características mais duradouras.
— Acho que deveríamos conversar, Bella.
— Achei que estávamos conversando.
— Conversar de verdade — falou ele.
— Seria melhor se nos comportássemos como personagens em um daqueles programas de suspense que passam na BBC. Ou posso falar algo que me arrependa depois.
— Há uma razão pela qual esses programas nunca têm Israel como cenário. Não falamos daquela forma.
— Talvez devêssemos.
Ela pegou um prato e começou a servir Gabriel.
— Não estou com fome, Bella.
Ela colocou o prato na mesa.
— Estou brava com você, droga.
— Achei que sim.

— Por que está roubando o cargo do Uzi?
— Não estou.
— Como descreveria isso?
— Não tive escolha.
— Poderia ter dito não a eles.
— Eu tentei. Não funcionou.
— Deveria ter tentado mais.
— Não foi culpa minha, Bella.
— Eu sei, Gabriel! Nada nunca é culpa sua.

Ela olhou para as fontes no jardim. Isso pareceu acalmá-la momentaneamente.

— Nunca vou esquecer a primeira vez que vi você — falou, finalmente. — Estava andando sozinho por um corredor dentro do Boulevard Rei Saul, pouco depois de Túnis. Você estava exatamente como está agora, os mesmos olhos verdes, as mesmas têmporas grisalhas. Era como um anjo, o anjo da vingança de Israel. Todo mundo adorava você. Uzi idolatrava você.

— Não vamos exagerar, Bella.

Ela agiu como se não tivesse ouvido.

— E então aconteceu Viena — retomou ela depois de um momento. — Foi um cataclisma, um desastre de proporções bíblicas.

— Todos perdemos entes queridos, Bella. Todos ficamos de luto.

— É verdade, Gabriel. Mas Viena foi diferente. Você nunca mais foi o mesmo depois de Viena. Nenhum de nós foi. — Ela fez uma pausa e acrescentou: — Especialmente Shamron.

Gabriel seguiu o olhar de Bella até o jardim, mas por um momento ele foi transportado para o pátio iluminado pelo sol da Academia Bezalel de Arte e Design em Jerusalém. Era setembro de 1972, alguns dias depois do assassinato de 11 atletas e técnicos israelenses nas Olimpíadas de Munique. Do nada apareceu um homem que parecia uma pequena barra de ferro, com óculos negros horríveis e dentes como uma armadilha de aço. O homem não falou seu nome, pois não era necessário. Era o homem sobre o qual falavam somente em sussurros. Era quem tinha roubado os segredos que levaram Israel à vitória rápida na Guerra dos Seis Dias. O que tinha sequestrado Adolf Eichmann, diretor-gerente do Holocausto, em uma esquina argentina.

Shamron...

— Ari se culpou pelo que aconteceu com você em Viena — dizia Bella. — E ele nunca se perdoou, também. Tratou você como um filho depois daquilo. Ele o deixava fazer o que quisesse. Mas nunca desistiu da esperança de que um dia você viria e assumiria o controle do Escritório que ele amava tanto.

— Sabe quantas vezes eu recusei o cargo?

— Tantas que Shamron acabou entregando a Uzi. Ele ganhou o cargo como um prêmio de consolação.

— Na verdade, fui eu que sugeri que Uzi se tornasse o novo chefe.

— Como se o cargo fosse seu pra poder atribuir. — Ela sorriu, amarga. — Uzi já contou que eu o aconselhei a não aceitar o cargo?

— Não, Bella. Ele nunca mencionou isso.

— Sempre soube que terminaria assim. Você deveria ter deixado o palco sem fazer alarde e ficado na Europa. Mas o que fez? Inseriu um carregamento de centrífugas sabotadas na cadeia de suprimentos nucleares iraniana e destruiu quatro instalações de enriquecimento secretas.

— Essa operação ocorreu sob a supervisão do Uzi.

— Mas foi *sua* operação. Todo mundo no Boulevard Rei Saul sabe que foi sua, assim como todo mundo na rua Kaplan.

A rua Kaplan era a localização do escritório do primeiro-ministro. Sem dúvidas, Bella era uma visitante bastante frequente. Gabriel sempre suspeitou que a influência dela no Boulevard Rei Saul ia muito além da decoração do escritório de seu marido.

— Uzi tem sido um bom chefe — falou ela. — Um excelente chefe. Ele só tem um defeito. Não é você, Gabriel. Ele *nunca* vai ser você. E por isso, está sendo descartado.

— Não se eu puder evitar.

— Já não fez o suficiente?

Dentro da casa tocou um telefone. Bella não mostrou nenhum interesse em atender.

— Por que está aqui? — perguntou ela.

— Quero conversar sobre o futuro do Uzi.

— Graças a você, ele já não tem nenhum.

— Bella...

Ela se recusava a se acalmar, não tão cedo.

— Se você tem algo a falar sobre o futuro do Uzi, deveria conversar com ele.

— Achei que seria mais produtivo se passasse por cima dele.

— Não tente me lisonjear, Gabriel.

— Nem sonharia em fazer isso.

Ela bateu a unha de seu dedo indicador na mesa. Tinha sido recentemente pintada.

— Ele me contou sobre a conversa que tiveram em Londres quando estavam procurando aquela garota sequestrada. Não é preciso dizer que não pensei muito na sua proposta.

— Por que não?

— Porque não há precedentes para isso. Quando termina o período de um chefe, ele gentilmente desaparece na noite, nunca mais se ouve falar dele.
— Diga isso ao Shamron.
— Shamron é diferente.
— Eu também.
— O que você está propondo exatamente?
— Dirigirmos juntos o Escritório. Eu serei o chefe e Uzi será meu vice.
— Nunca vai funcionar.
— Por que não?
— Porque vai deixar a impressão de que você não está totalmente preparado para o cargo.
— Ninguém pensa isso.
— A aparência é importante.
— Você está me confundindo com outra pessoa, Bella.
— Com quem?
— Com alguém que se preocupa com as aparências.
— E se ele concordar?
— Terá um escritório ao lado do meu. Vai estar envolvido em toda decisão central, toda operação importante.
— E o salário dele?
— Vai ter o mesmo salário, sem mencionar o carro e a segurança.
— Por quê? — perguntou ela. — Por que está fazendo isso?
— Porque preciso dele, Bella. — Fez uma pausa, depois acrescentou: — De você, também.
— De mim?
— Quero que volte ao Escritório.
— Quando?
— Amanhã de manhã, às dez horas. Uzi e eu vamos organizar uma operação contra os sírios. Precisamos da sua ajuda.
— Que tipo de operação?
Quando Gabriel contou, ela sorriu, triste.
— Pena que Uzi não pensou nisso — falou ela. — Ele ainda poderia ser o chefe.

Passaram a hora seguinte no jardim de Bella negociando os termos da volta dela ao Boulevard Rei Saul. Depois disso, acompanhou-o até o carro oficial.
— Você fica bem assim — falou ela pela porta aberta.
— Como, Bella?

Ela sorriu e falou:

— Nos vemos amanhã, Gabriel. — Então se virou e desapareceu. Um guarda-costas fechou a porta do carro; outro subiu no banco do passageiro. Gabriel percebeu de repente que não estava armado. Ficou sentado ali por um momento pensando aonde iria em seguida. Em seguida, olhou para o motorista pelo espelho retrovisor e deu um endereço em Jerusalém Ocidental. Ele tinha mais um negócio desagradável para resolver antes de ir para casa. Tinha de contar a um fantasma que seria pai de novo.

29

JERUSALÉM

O PEQUENO PASSEIO CIRCULAR DO Hospital Psiquiátrico Monte Herzl vibrou sob o peso da caravana de três carros de Gabriel. Ele saiu do banco traseiro de sua limusine e, depois de uma troca curta de palavras com o chefe de sua segurança, entrou sozinho no hospital. Esperando na recepção estava um médico barbudo, com jeito de rabino, chegando aos sessenta anos. Estava sorrindo, apesar do fato de que, como sempre, tinha sido avisado com pouca antecedência da chegada de Gabriel. Estendeu a mão e ficou olhando a comoção na entrada, normalmente tranquila, da instalação mais privada de Israel para pacientes com problemas mentais.

— Parece que sua vida está a ponto de mudar de novo — falou o médico.
— Em mais de um sentido — respondeu Gabriel.
— Para melhor, espero.

Gabriel assentiu e depois contou ao médico sobre a gravidez. O médico sorriu, mas só por um momento. Ele tinha testemunhado a longa luta de Gabriel para decidir se devia voltar a se casar. Ser pai, ele sabia, levaria a sentimentos complicados.

— E gêmeos, ainda por cima. Bem — acrescentou o médico, lembrando-se de sorrir de novo —, você certamente...
— Preciso contar a ela — falou Gabriel, interrompendo o médico. — Já adiei isso por tempo demais.
— Não é necessário.
— É.
— Ela não vai entender, não totalmente.
— Eu sei.

O médico sabia que não devia insistir.

— Poderia ser melhor se eu ficasse com você — falou ele. — Para bem dos dois.

— Obrigado — respondeu Gabriel —, mas preciso fazer isso sozinho.

O médico se afastou sem uma palavra e deixou Gabriel seguir por um corredor feito de calcário de Jerusalém até uma sala comum onde alguns pacientes estavam olhando para uma televisão com o olhar perdido. Um par de grandes janelas dava para um jardim com muro. Do lado de fora, uma mulher estava sentada sozinha na sombra de um pinheiro-manso, imóvel como uma lápide.

— Como ela está? — perguntou Gabriel.

— Sente sua falta. Já faz tempo que você não vem vê-la.

— É difícil.

— Eu entendo.

Eles ficaram parados por um momento na janela, sem falar e sem se mover.

— Há algo que você deveria saber — falou o médico finalmente. — Ela nunca deixou de amá-lo, mesmo depois do divórcio.

— Isso deveria me fazer sentir melhor?

— Não — disse o médico. — Mas você merece saber a verdade.

— Ela também.

Outro silêncio.

— Gêmeos, hein?

— Gêmeos.

— Menino ou menina?

— Um de cada.

— Talvez pudesse deixar que ela passasse um tempo com eles.

— Uma coisa de cada vez, doutor.

— Claro — falou o médico quando Gabriel entrou no jardim sozinho. — Uma coisa de cada vez.

Ela estava sentada em sua cadeira de rodas com o que sobrava de suas mãos retorcidas descansando no colo. O cabelo, antes comprido e escuro como o de Chiara, agora estava curto e grisalho. Gabriel beijou a pele fria e firme da cicatriz de seu rosto antes de se sentar no banco ao seu lado. Ela olhou perdida para o jardim, sem perceber a presença dele. Estava ficando mais velha, ele pensou. Todos estavam ficando mais velhos.

— Olhe para a neve, Gabriel — falou ela de repente. — Não é linda?

Ele olhou para o sol queimando no céu sem nuvens.

— É, Leah — falou ele distraído. — É linda.

— A neve absolve Viena de seus pecados — falou ela depois de um momento. — A neve cai sobre Viena enquanto os mísseis caem sobre Tel Aviv.

Tinham sido algumas das últimas palavras que Leah tinha falado para ele na noite do atentado em Viena. Ela sofria de uma combinação especialmente aguda de depressão psicótica e desordem de estresse pós-traumático. Às vezes, ela experimentava momentos de lucidez, mas na maior parte do tempo permanecia prisioneira do passado. Viena passava incessantemente em sua cabeça como um *loop* de videoteipe que era incapaz de parar: a última refeição que comeram juntos, o último beijo, o fogo que matou o único filho deles e queimou a pele do corpo de Leah. Sua vida tinha se reduzido a cinco minutos; e ela passava revivendo-os, várias vezes, por mais de vinte anos.

— Achei que tinha se esquecido de mim, Gabriel.

Sua cabeça se virou lentamente e por um momento houve um lampejo de reconhecimento em seus olhos. Sua voz, quando falou de novo, parecia estranhamente com a voz que ele tinha ouvido pela primeira vez há muitos anos, chamando-o de um estúdio em Bezalel.

— Quando foi a última vez que veio aqui?

— Vim para seu aniversário.

— Não me lembro.

— Fizemos uma festa, Leah. Todos os outros pacientes vieram. Foi muito legal.

— Estou sozinha aqui, Gabriel.

— Eu sei, Leah.

— Não tenho ninguém. Ninguém a não ser você, meu amor.

Ele sentiu que tinha perdido a capacidade de encher seus pulmões de ar. Leah colocou a mão sobre a dele.

— Você não tem tinta nos seus dedos — falou ela.

— Não trabalhei nos últimos dias.

— Por que não?

— É uma longa história.

— Tenho tempo — falou ela. — É só o que tenho.

Desviou o olhar dele e olhou para o jardim. A luz estava se apagando dos seus olhos.

— Não se vá, Leah. Tenho algo para lhe contar.

Ela se virou de novo para ele.

— Está restaurando um quadro agora? — perguntou ela.

— Veronese — respondeu ele.

— Qual?

Ele contou.

— Então está morando em Veneza de novo?

— Por mais alguns meses.

Ela sorriu.

— Lembra-se quando moramos juntos em Veneza, Gabriel? Foi quando você era aprendiz de Umberto Conti.

— Eu lembro, Leah.

— Nosso apartamento era tão pequeno.

— Porque era só um quarto.

— Foram dias maravilhosos, não foram, Gabriel? Dias de arte e vinho. Deveríamos ter ficado em Veneza juntos, meu amor. As coisas teriam sido diferentes se você não tivesse voltado ao Escritório.

Gabriel não respondeu. Não era capaz de falar.

— Sua esposa é de Veneza, não é?

— É sim, Leah.

— Ela é bonita?

— É, Leah, é muito bonita.

— Gostaria de conhecê-la algum dia.

— Já a conheceu, Leah. Ela veio visitá-la várias vezes.

— Não me lembro dela. Talvez seja melhor assim. — Ela se afastou dele. — Quero falar com a minha mãe — disse. — Quero ouvir o som da voz da minha mãe.

— Vamos ligar para ela, Leah.

— Não deixe de ver se o Dani está bem preso na sua cadeirinha. As ruas estão escorregadias.

— Ele está bem, Leah.

Ela virou o rosto para ele de novo. Então, depois de um momento, perguntou:

— Você tem filhos?

Ele não estava seguro se ela estava no presente ou no passado.

— Não entendi — falou ele.

— Com Chiara.

— Não — respondeu ele. — Não temos filhos.

— Talvez um dia.

— É — ele falou, mas não continuou.

— Me faça uma promessa, Gabriel.

— Qualquer coisa, meu amor.

— Se tiver outro filho, não deve se esquecer do Dani.

— Penso nele todo dia.

— Não penso em nada mais.

Ele sentiu como se os ossos de sua caixa torácica estivessem se quebrando debaixo do peso da pedra que Deus tinha colocado sobre seu coração.

— E quando você sair de Veneza? — perguntou Leah depois de um momento. — O que vai fazer?
— Vou voltar para casa.
— De vez?
— De vez, Leah.
— O que vai fazer? Não há pinturas aqui em Israel.
— Vou ser o chefe do Escritório.
— Achei que Ari era o chefe.
— Isso foi há muito tempo.
— Onde vai viver?
— Aqui em Jerusalém para ficar perto de você.
— Naquele pequeno apartamento?
— Sempre gostei dele.
— Não é grande o suficiente para crianças.
— Vamos encontrar espaço.
— Ainda virá me visitar depois que tiver filhos, Gabriel?
— Sempre que eu puder.
Ela levantou o rosto para o céu sem nuvens.
— Olhe para a neve, Gabriel.
— É — falou ele, chorando baixinho. — Não é linda?

═══

O médico estava esperando por Gabriel na sala comum. Não falou nada até terem voltado à recepção.
— Tem algo que você gostaria de me contar? — perguntou ele.
— Foi tão bem quanto se poderia esperar.
— Para ela ou para você?
Gabriel não falou nada.
— Está tudo bem, sabe — disse o médico depois de um momento.
— O quê?
— Você deve ser feliz.
— Não tenho certeza se sei como.
— Tente — disse o médico. — E se você precisar de alguém para conversar, sabe onde me encontrar.
— Cuide bem dela.
— Sempre cuidarei.
Com isso, Gabriel se entregou ao cuidado de seus seguranças e subiu no banco traseiro da limusine. Era estranho, ele pensou, mas ele não sentia mais vontade de chorar. Supôs que era isso que significava ser chefe.

30

RUA NARKISS, JERUSALÉM

CHIARA TINHA CHEGADO A Jerusalém apenas uma hora antes de Gabriel e, mesmo assim, o apartamento deles na rua Narkiss já parecia uma fotografia numa dessas revistas de decoração de casas que ela sempre estava lendo. Havia flores frescas nos vasos e tigelas de aperitivos nas mesinhas, e a taça de vinho que ela colocou na mão dele estava perfeitamente fria. Os lábios dela, quando o beijou, estavam quentes do sol de Jerusalém.

— Esperava que você chegasse mais cedo — falou ela.
— Tinha umas coisas para fazer.
— Onde você estava?
— No inferno — respondeu ele sério.

Ela franziu a testa.

— Vai ter que me contar sobre isso mais tarde.
— Por que mais tarde?
— Porque temos visitas chegando, querido.
— Preciso perguntar quem é?
— Provavelmente não.
— Como ele soube que tínhamos voltado?
— Ele mencionou algo sobre um arbusto queimando.
— Não pode ser outra noite?
— É muito tarde para cancelar agora. Ele e Gilah já saíram de Tiberíades.
— Suponho que esteja mandando atualizações de sua localização.
— Ele já ligou duas vezes. Está muito animado para vê-lo.
— Eu imagino por quê.

Ele beijou Chiara de novo e levou a taça de vinho para o quarto. As paredes estavam cheias de quadros. Havia quadros de Gabriel, quadros de sua talentosa mãe e vários quadros de seu avô, o famoso expressionista alemão Viktor Franekel, que foi assassinado em Auschwitz no letal inverno de 1942. Havia também um retrato médio, sem assinatura, de um jovem homem desolado que parecia assombrado pela sombra da morte. Leah tinha pintado alguns dias depois que Gabriel havia retornado a Israel com o sangue de seis terroristas do Setembro Negro nas mãos. Foi a primeira e última vez que ele tinha concordado em posar para ela.

"Deveríamos ter ficado em Veneza juntos, meu amor. As coisas teriam sido diferentes..."

Ele tirou sua roupa debaixo do olhar impiedoso do retrato e ficou parado debaixo do chuveiro até que os últimos traços do toque de Leah tivessem saído de sua pele. Então colocou roupas limpas e voltou à sala de estar, bem quando Gilah e Ari Shamron estavam entrando pela porta da frente. Gilah trazia um prato de sua famosa berinjela com condimentos marroquinos; seu famoso marido trazia apenas uma bengala feita de madeira de oliveira. Ele estava vestido, como sempre, com calças cáqui bem passadas, uma camisa de algodão branca e uma jaqueta de couro com um rasgo no ombro esquerdo. Era óbvio que ele não estava bem, mas seu sorriso expressava contentamento. Shamron tinha passado anos tentando convencer Gabriel a voltar à Israel para assumir seu lugar no escritório executivo no Boulevard Rei Saul. Agora, tanto tempo depois, a tarefa estava completa. Seu sucessor estava no lugar. A linhagem estava assegurada.

Ele encostou sua bengala na parede da entrada e, seguido de Gabriel, foi até a pequena varanda onde havia duas cadeiras de ferro debaixo da copa de um eucalipto. A rua Narkiss estava silenciosa e vazia debaixo deles, mas à distância vinha o barulho do trânsito noturno na King George. Shamron sentou-se com dificuldade em uma das cadeiras e fez um movimento para que Gabriel se sentasse na outra. Então pegou o maço de cigarros turcos e, com enorme concentração, tirou um. Gabriel olhou para as mãos de Shamron, as mãos que quase tinham tirado a vida de Adolf Eichmann em uma esquina no norte de Buenos Aires. Foi uma das razões pelas quais Shamron tinha recebido a missão: o tamanho e força incomuns de suas mãos. Agora elas estavam cheias de manchas dos problemas de fígado e de machucados que não tinham se curado. Gabriel desviou o olhar enquanto elas lutavam com o velho isqueiro.

— Você não devia fumar, Ari.

— Que diferença faz agora?

Depois que apagou o isqueiro, o cheiro de fumaça turca se misturou ao forte odor do eucalipto. Gabriel foi subitamente inundado por lembranças. Ele tentou mantê-las à distância, mas não conseguiu; Leah tinha destruído o que restava de suas defesas. Estava dirigindo por um mar de arbustos movidos pelo vento na

Cornualha com Shamron ao seu lado. Era o início de um novo milênio, os dias de ataques suicidas e ilusão. Shamron tinha sido retirado recentemente de sua aposentadoria para reformar o Escritório depois de uma série de desastres operacionais e queria a ajuda de Gabriel nesse empreendimento. A isca que usou foi Tariq al-Hourani, o mestre terrorista palestino que tinha plantado a bomba debaixo do carro de Gabriel em Viena.

"Talvez se você me ajudar a acabar com Tariq, finalmente vai superar o que aconteceu com Leah e continuar com sua vida..."

Gabriel ouviu o som da risada de Chiara na sala e a lembrança se dissolveu.

— O que foi agora? — perguntou ele gentilmente a Shamron.

— A lista dos meus problemas físicos é quase tão longa quanto a lista de desafios que Israel está enfrentando. Mas não se preocupe — acrescentou ele rapidamente. — Ainda não vou a lugar nenhum. Tenho toda a intenção de estar por aqui para testemunhar o nascimento dos meus netos.

Gabriel resistiu ao impulso de lembrar Shamron de que eles não eram realmente pai e filho.

— Esperamos que esteja lá, Ari.

Shamron sorriu.

— Decidiram onde vão viver depois que eles nascerem?

— Curioso — respondeu Gabriel —, mas Bella me perguntou a mesma coisa.

— Ouvi dizer que foi uma conversa interessante.

— Como sabe que fui vê-la?

— Uzi me contou.

— Achei que ele não estava atendendo suas ligações.

— Parece que começou o grande degelo. É uma das poucas vantagens de ter problemas de saúde — acrescentou ele. — Todas as pequenas queixas e promessas quebradas parecem desaparecer quando chegamos perto do fim.

Os galhos do eucalipto se moveram com a primeira brisa noturna. O ar estava esfriando a cada minuto. Gabriel sempre adorou a forma como esfriava à noite em Jerusalém, mesmo no verão. Ele desejou ter o poder de congelar esse momento por um pouco mais de tempo. Olhou para Shamron, que estava batendo seu cigarro pensativo na borda do cinzeiro.

— Foi preciso muita coragem de sua parte para se sentar e conversar com Bella. E perspicácia, também. Prova que eu estava certo sobre uma coisa o tempo todo.

— O quê, Ari?

— Que você tem tudo para ser um grande chefe.

— Às vezes, eu me pergunto se estou prestes a cometer meu primeiro erro.

— O de manter Uzi com algum poder?

Gabriel assentiu lentamente.

— É arriscado — concordou Shamron. — Mas se há alguém que pode encarar isso, é você.

— Nenhum conselho?

— Já não preciso mais dar conselhos, meu filho. Sou o pior que um homem pode ser, velho e obsoleto. Sou um espectador. Uma vergonha. — Shamron olhou para Gabriel e franziu a testa. — Sinta-se livre para discordar de mim quando quiser.

Gabriel sorriu, mas não disse nada.

— Uzi me contou que as coisas ficaram um pouco acaloradas entre você e Bella — disse Shamron.

— Lembrou-me o interrogatório que tive que enfrentar aquela noite no Empty Quarter.

— A pior noite da minha vida. — Shamron pensou nisso por um momento. — Na verdade — falou —, foi a segunda pior.

Ele não precisava falar qual tinha sido a primeira. Estava falando de Viena.

— Acho que Bella está mais chateada com tudo isso do que Uzi — continuou ele. — Infelizmente, ela se acostumou demais às armadilhas do poder.

— O que lhe dá essa impressão?

— A forma como se aferra a elas. Ela me culpa por tudo, claro. Acha que planejei isso desde o início.

— E é verdade.

Shamron fez uma cara que ficava em algum ponto entre um sorriso e uma careta.

— Não vai negar? — perguntou Gabriel.

— Nada — respondeu Shamron. — Tive minha cota de triunfos, mas no final, a sua será a carreira usada para medir a de todos os outros. É verdade que tive preferências, especialmente depois de Viena. Mas minha fé em você foi recompensada com uma série de operações que estavam muito além dos talentos de alguém como Uzi. Certamente até Bella percebe isso.

Gabriel não falou nada. Estava olhando um menino de dez ou onze anos andando de bicicleta na rua tranquila.

— E agora — falou Shamron — parece que você pode ter encontrado uma forma de atacar as finanças do açougueiro de Damasco. Com um pouco de sorte, será o primeiro grande triunfo da era de Gabriel Allon.

— Achei que não acreditava em sorte.

— Não acredito. — Shamron acendeu outro cigarro, então, com um movimento do pulso, fechou o isqueiro com um golpe rápido. — O açougueiro tem a crueldade do pai, mas não possui a mesma inteligência, o que o torna ainda mais perigoso. Nesse ponto, só o dinheiro importa. É o que mantém o clã unido. É por isso que os leais permanecem leais. É por isso que as crianças estão morrendo aos milhares. Mas se você puder realmente controlar o dinheiro... — Ele sorriu. — As possibilidades serão infinitas.

— Realmente não tem nenhum conselho para mim?

— Mantenha o açougueiro no poder pelo tempo que ele continuar sendo palatável, mesmo remotamente. De outra forma, os próximos anos serão muito interessantes para você e seus amigos em Washington e Londres.

— Então é assim que termina a Grande Primavera Árabe? — perguntou Gabriel. — Apoiamos um assassino em massa porque ele é o único que pode salvar a Síria da al-Qaeda?

— Longe de mim dizer que avisei, mas previ que a Primavera Árabe iria terminar em desastre e foi o que aconteceu. Os árabes ainda não estão prontos para a verdadeira democracia, não no momento em que o islamismo radical está em ascensão. O melhor que podemos esperar são regimes autoritários *decentes* em lugares como Síria e Egito. — Shamron parou, depois acrescentou: — Quem sabe, Gabriel? Talvez você possa encontrar alguma forma de convencer o dirigente a educar seu povo de forma apropriada e tratá-los com a dignidade que merecem. Talvez possa obrigá-lo a parar de matar crianças com gás.

— Tem uma coisa que quero dele.

— O Caravaggio?

Gabriel assentiu.

— Primeiro encontre o dinheiro — falou Shamron, apagando o cigarro. — E depois o quadro.

Gabriel não falou mais nada. Estava olhando o menino na bicicleta aparecendo e desaparecendo debaixo das sombras no final da rua. Quando o menino sumiu, ele levantou o rosto para o céu de Jerusalém. "Olhe para a neve", ele pensou. "Não é linda?"

31

JERUSALÉM

O TOQUE DOS SINOS DA IGREJA acordou Gabriel de um sono sem sonhos. Ele ficou imóvel por um momento, incerto de onde estava. Então viu o retrato taciturno olhando para ele da parede e percebeu que estava em seu próprio quarto na rua Narkiss. Saiu de debaixo dos lençóis, sem fazer barulho, para não acordar Chiara e foi até a cozinha. A única prova do jantar da noite anterior era o forte cheiro doce de flores subindo dos vasos. Na pia limpa havia uma cafeteira francesa e uma lata de Lavazza. Gabriel colocou a chaleira no fogão e ficou esperando a água ferver.

Tomou seu café no terraço e leu os jornais da manhã em seu BlackBerry. Então entrou no banheiro para fazer a barba e tomar banho. Quando saiu, Chiara ainda estava dormindo profundamente. Ele abriu o guarda-roupa e ficou parado ali por um momento, pensando no que usaria. Um terno, decidiu, era impróprio; poderia enviar a mensagem às tropas de que ele já estava no comando. No final, decidiu usar a roupa de sempre: um jeans desbotado, um pulôver de algodão e uma jaqueta de couro. Shamron tinha seu uniforme, pensou, e ele também.

Alguns minutos depois das oito, ouviu o comboio de carros perturbando o silêncio da rua Narkiss. Beijou Chiara suavemente e depois desceu para encontrar a limusine que o aguardava. Esta o levou para o leste, cruzando Jerusalém até a Porta do Esterco, a entrada principal do Bairro Judeu da Cidade Velha. Ele passou pelos detectores de metal e, junto com seus guarda-costas, cruzou a praça aberta em direção ao Muro das Lamentações, a tão disputada reminiscência da antiga barreira de retenção que já tinha cercado o grande Templo de Jerusalém. Em cima do Muro, brilhando com o sol do começo da manhã, estava a dourada Cúpula da Rocha, o terceiro lugar mais sagrado do islamismo. Havia muitos aspectos no conflito árabe-israelense, mas Gabriel tinha concluído que tudo se resumia a isso — duas fés presas em uma luta mortal pela mesma parcela de uma terra sagrada. Poderia haver períodos de calma, meses ou até anos sem bombas ou sangue; mas Gabriel temia que nunca haveria paz.

A porção do Muro das Lamentações visível da praça tinha 57 metros de largura e 19 metros de altura. O verdadeiro muro ao redor da colina do Monte do Templo, no entanto, era muito mais longo, descendo uns 13 metros depois da praça e se estendendo mais uns quatrocentos metros até o Bairro Muçulmano, onde estava escondido por trás de estruturas residenciais. Depois de anos de escavações arqueológicas cheias de problemas políticos e religiosos, agora era possível caminhar por quase toda a extensão do muro através do Túnel do Muro das Lamentações, uma passagem subterrânea que ia da praça até a Via Dolorosa.

A entrada do túnel estava do lado esquerdo da praça, não muito longe do Arco de Wilson. Gabriel passou pela moderna porta de vidro e, seguido por seus guarda-costas, desceu uma escada de alumínio até o porão. Um caminho recentemente pavimentado seguia a base do muro. Ele o seguiu passando pelas enormes pedras do tempo de Herodes até chegar a uma seção do túnel que estava escondida por uma cortina de plástico opaco. Além da cortina havia uma cova de escavação retangular onde uma figura solitária, um homem pequeno de meia idade, mexia no solo sob um cone de suave luz branca. Ele pareceu não ter percebido a presença de Gabriel, mas foi só impressão. Seria mais fácil surpreender um esquilo do que Eli Lavon.

Outro momento se passou antes de Lavon levantar a cabeça e sorrir. Ele tinha o cabelo ralo e desgrenhado, um rosto quase sem traços que mesmo o artista mais talentoso teria dificuldades para capturar na tela. Eli Lavon era um fantasma, um camaleão que facilmente passava despercebido e logo era esquecido. Shamron já tinha dito que ele poderia desaparecer enquanto apertava sua mão. Não estava muito longe da verdade.

Gabriel tinha trabalhado com Lavon pela primeira vez na Ira de Deus, a operação secreta da inteligência israelense para caçar e matar os autores do massacre das Olimpíadas de Munique. No léxico da equipe, baseado no hebreu, Lavon tinha sido um *ayin*, um rastreador e artista da vigilância. Durante três anos ele tinha seguido os terroristas do Setembro Negro por toda a Europa e Oriente Médio, geralmente com uma proximidade perigosa. O trabalho o deixou com várias desordens por estresse, incluindo um famoso estômago instável que o incomodava até hoje.

Quando a unidade foi dissolvida em 1975, Lavon se estabeleceu em Viena, onde abriu uma pequena unidade investigativa chamada Alegações e Investigações da Época da Guerra. Operando com um orçamento baixíssimo, ele conseguiu encontrar bens saqueados no Holocausto valendo milhões de dólares e teve um papel importante num acordo multibilionário com os bancos suíços. O trabalho fez com que ganhasse poucos admiradores em Viena e, em 2003, uma bomba explodiu em seu escritório, matando duas jovens funcionárias. Abalado, ele voltou a Israel para seguir sua primeira paixão, que era a arqueologia. Ele agora era professor adjunto na Universidade Hebraica e participava regularmente em escavações por todo o país. Tinha passado a maior parte dos dois últimos anos remexendo o solo do Túnel do Muro das Lamentações.

— Quem são seus amiguinhos? — perguntou ele, olhando para os guarda-costas parados nas pontas da cova.

— Eu encontrei os dois perdidos na praça.

— Não vão estragar nada, vão?

— Não ousariam.

Lavon olhou para o chão e recomeçou a trabalhar.

— O que você tem aí? — perguntou Gabriel.

— Umas moedas perdidas.

— Quem deixou cair?

— Alguém muito bravo pelo fato de que os persas estavam a ponto de conquistar Jerusalém. É óbvio que estava com pressa.

Lavon esticou o braço e ajustou o ângulo de sua lâmpada de trabalho. O fundo da vala brilhou com os dourados pedacinhos encrustados.

— O que são? — perguntou Gabriel.

— Trinta e seis moedas de ouro da era bizantina e um grande medalhão com um menorá. Provam que os judeus viviam aqui antes da conquista muçulmana de Jerusalém em 638. Para a maioria dos arqueólogos bíblicos, isso seria a descoberta de toda uma vida. Mas não para mim. — Lavon olhou para Gabriel e acrescentou: — Nem para você.

Gabriel olhou sobre o ombro dele para as pedras do Muro. Um ano antes, numa câmara secreta de cinquenta metros debaixo da superfície do Monte do Templo, ele e Lavon tinham descoberto 22 pilares do Templo de Jerusalém de Salomão, provando assim, sem nenhuma dúvida, que o antigo santuário judeu, descrito no Livro dos Reis e nas Crônicas, tinha realmente existido. Eles também tinham descoberto uma enorme bomba que, se tivesse detonado, teria destruído todo o sagrado planalto. Os pilares agora estavam em uma exibição de alta segurança no Museu de Israel. Um deles teve de ser especialmente limpo antes de ser posto em exposição porque estava manchado com o sangue de Lavon.

— Recebi uma ligação do Uzi na noite passada — falou Lavon depois de um momento. — Ele me contou que você poderia dar uma passada.

— Falou o motivo?

— Mencionou algo sobre um Caravaggio perdido e uma empresa chamada LXR Investments. Falou que você estava interessado em adquiri-la, junto com o resto da Mal S.A.

— Pode ser feito?

— Não dá para fazer muita coisa de fora. No final, você vai precisar da ajuda de alguém que possa entregar as chaves do reino.

— Então nós vamos encontrar essa pessoa.

— Nós? — Quando Gabriel não respondeu, Lavon se inclinou e começou a mexer no solo ao redor de uma das moedas antigas. — O que precisa que eu faça?

— Exatamente o que você está fazendo agora — respondeu Gabriel. — Mas quero que use um computador e um balanço financeiro em vez de uma espátula e um pincel.

— Hoje em dia, prefiro uma espátula e um pincel.

— Eu sei, Eli, mas não vou conseguir fazer isso sem você.

— Não vai ser nada difícil, vai?

— Não, Eli, claro que não.

— Você sempre fala isso, Gabriel.

— E?

— Sempre é.

Gabriel se abaixou e desconectou a lâmpada de sua fonte de energia. Lavon trabalhou na escuridão por mais um momento. Então se levantou, limpou as mãos nas calças e saiu da cova.

Um solteirão, Lavon mantinha um pequeno apartamento no distrito Talpiot de Jerusalém, na estrada para Hebron. Eles pararam ali tempo suficiente para que vestisse roupas limpas e depois seguiram pela Bab al-Wad até o Boulevard Rei Saul. Depois de entrarem no edifício "preto", eles subiram três lances de escadas e caminharam por um corredor sem janelas até uma porta com a inscrição 456C. A sala do outro lado já tinha sido um depósito para computadores obsoletos e móveis velhos, geralmente usados pela equipe noturna como um ponto de encontro clandestino para relações românticas. Agora era conhecido por todos no Boulevard Rei Saul apenas como o Covil de Gabriel.

O código para a fechadura era a versão numérica da data de aniversário de Gabriel, que tinha a reputação de ser o segredo mais bem guardado do Escritório. Com Lavon olhando por cima do ombro, ele digitou o código e abriu a porta. Lá dentro estava Dina Sarid, uma mulher pequena, de cabelos escuros com um ar de viúva precoce. Um banco de dados humano, ela era capaz de recitar a hora, lugar, perpetradores e números de baixas de todo ato de terrorismo cometido contra alvos israelenses e ocidentais. Dina já tinha dito a Gabriel que sabia mais sobre os terroristas do que eles mesmos. E Gabriel acreditava nela.

— Onde estão os outros? — perguntou ele.

— Presos em Recursos Humanos.

— Qual é o problema?

— Aparentemente, os chefes de divisão estão revoltados. — Dina parou, então acrescentou: — Isso é o que acontece com um serviço de inteligência quando se espalha que o chefe não vai durar.

— Talvez eu deva subir e conversar com os chefes de divisão.

— Espere alguns minutos.

— Tem sido tão ruim assim?

— Criei uma lista de agentes da al-Qaeda que se estabeleceram ao lado na Síria — jihadistas globais sérios que precisam ser tirados de circulação permanentemente. E adivinha o que acontece sempre que proponho uma operação?

— Nada.

Dina assentiu lentamente.

— Estamos congelados no tempo — falou ela. — Estamos marcando passo justamente no momento que menos podemos.

— Isso vai acabar, Dina.

Bem nesse momento a porta se abriu e Rimona Stern entrou na sala. Mikhail Abramov apareceu logo depois, seguido alguns minutos mais tarde por Yaakov Rossman, que parecia não dormir há um mês. Em seguida, apareceu um par de agentes de campo chamados Mordecai e Oded, seguidos por Yossi Gavish, um homem alto e careca vestido com cotelê e *tweed*. Yossi era um alto funcionário de Pesquisa, que é como o Escritório chamava sua divisão analítica. Nascido na região Golders Green de Londres, ele tinha estudado em Oxford e ainda falava hebraico com um forte sotaque inglês.

Dentro dos corredores e salas de conferência do Boulevard Rei Saul, os oito homens e mulheres reunidos na sala subterrânea eram conhecidos pelo codinome Barak, a palavra em hebreu para raio, por sua habilidade incomum de se reunir e atacar rapidamente. Eram um serviço dentro do serviço, uma equipe de agentes sem igual e sem medo de nada. Durante sua existência, tinha às vezes sido necessário admitir gente de fora no meio deles — um jornalista investigativo britânico, um bilionário russo, a filha de um homem que tinham matado —, mas nunca antes tinham permitido que outro agente do Escritório se juntasse à sua fraternidade. Portanto, ficaram surpresos quando, assim que o relógio marcou dez horas, Bella Navot apareceu na porta. Estava vestida para a reunião com uma calça cinza e trazia uma pasta de arquivos ao peito. Ficou parada na porta por um momento, como se esperasse um convite para entrar, antes de se sentar, sem falar nada, perto de Yossi em uma das mesas de trabalho comuns.

Se a equipe achou estranha a presença de Bella, não deu nenhum sinal disso quando Gabriel se levantou e caminhou até o último quadro-negro existente em todo o Boulevard Rei Saul. Nele estavam escritas três palavras: SANGUE NUNCA DORME. Apagou-as com um único movimento da mão e no lugar escrever as letras LXR. Então contou à equipe a incrível série de eventos que tinham levado àquela reunião, começando com o assassinato de um espião britânico transformado em ladrão de arte chamado Jack Bradshaw e terminando com o bilhete que Bradshaw tinha deixado para Gabriel em seu cofre no Freeport de Genebra. Na morte, Bradshaw tinha tentado corrigir seus pecados ao dar a Gabriel a identidade do homem que estava comprando quadros roubados a rodo: o criminoso dirigente da Síria. Também tinha fornecido a Gabriel o nome da empresa de fachada que o dirigente tinha usado para essas compras: LXR Investments of Luxembourg. Certamente, a LXR era apenas uma pequena estrela numa galáxia de riqueza global, sendo que boa parte dela estava cuidadosamente escondida por baixo de camadas de armações e empresas de fachada. Mas uma rede de riqueza, assim como uma de rede de terroristas, precisava ter uma cabeça operativa habilidosa para funcionar. O dirigente tinha confiado o dinheiro de sua família a Kemel al-Farouk, o guarda-costas do pai do dirigente, o assistente que torturava e matava sob o comando do regime. Mas Kemel não podia administrar o dinheiro ele mesmo, não com a NSA e seus sócios monitorando cada movimento seu. Em algum lugar, havia um homem de confiança — um advogado, um banqueiro, um parente — que tinha o poder de mover esses bens como quisesse. Usariam a LXR como uma forma de encontrá-lo. E Bella Navot iria guiá-los em todos os passos.

32

BOULEVARD REI SAUL, TEL AVIV

ELES COMEÇARAM A BUSCA NÃO com o filho, mas com o pai: o homem que tinha governado a Síria de 1970 até sua morte de um ataque cardíaco em 2000. Ele tinha nascido nas montanhas Ansariya no noroeste da Síria, em outubro de 1930, na vila de Qurdaha. Como as outras vilas da região, Qurdaha pertencia aos alauítas, seguidores de uma pequena e perseguida ramificação xiita do islamismo que eram vistos pela maioria sunita como hereges. Qurdaha não tinha mesquita ou igreja, além de nenhum café ou loja, mas a chuva caía sobre a terra trinta dias a cada ano, e havia uma fonte mineral em uma caverna próxima que os moradores chamavam de 'Ayn Zarqa. O nono de 11 filhos, ele vivia em uma casa de pedras de dois quartos com um pequeno jardim de terra batida na frente e um pedaço de terra com lama para os animais. Seu avô, uma celebridade na pequena vila, bom com os punhos e uma arma, era conhecido como al-Wahhish, o Selvagem, porque já tinha acabado com um lutador turco andarilho. Seu pai conseguia atirar em um maço de cigarros a cem passos de distância.

Em 1944, ele saiu de Qurdaha para estudar na cidade costeira de Latakia. Ali começou a participar da política, filiando-se ao novo Partido Socialista Baath Árabe, um movimento secular que procurava acabar com a influência ocidental no Oriente Médio através do socialismo pan-árabe. Em 1951, entrou na academia militar em Alepo, uma rota tradicional para um alauíta tentando escapar das garras da pobreza das montanhas, e em 1964 estava no comando da força aérea. Depois de um golpe baathista em 1966, tornou-se o ministro de defesa da Síria, um cargo que manteve durante a desastrosa guerra da Síria com Israel em 1967, quando perderam as colinas de Golã. Apesar do catastrófico fracasso de suas forças, ele seria o presidente da Síria apenas três anos depois. Em um sinal do que estava por vir, chamou o golpe sem violência que o levou ao poder como um "movimento corretivo".

Sua ascensão terminou um longo ciclo de instabilidade política na Síria, mas com um alto custo para o povo sírio e o resto do Oriente Médio. Cliente da União Soviética, seu regime estava entre os mais perigosos na região. Ele apoiava elementos radicais do movimento palestino — Abu Nidal operou com impunidade em Damasco durante anos — e equipou seus militares com o que havia de mais moderno em tanques, aviões e defesa aérea soviética. A própria Síria se transformou em uma imensa prisão, um lugar onde máquinas de fax eram proibidas e uma palavra errada sobre o dirigente poderia terminar em uma viagem a Mezzeh, a notória prisão numa colina ao oeste de Damasco. Quinze serviços de segurança separados espiavam o povo sírio e um ao outro. Todos eram controlados pelos alauítas, assim como os militares. Um elaborado culto à personalidade foi criado ao redor do dirigente e de sua família. Seu rosto, com sua testa alta e palidez doentia, aparecia em toda praça e estava pendurado nas paredes de todo edifício público do país. Sua mãe camponesa era reverenciada quase como uma santa.

Uma década depois de sua ascensão, no entanto, boa parte da maioria sunita do país não estava mais contente de ser dirigida por um camponês alauíta de Qurdaha. Bombas explodiam o tempo todo em Damasco e, em junho de 1979, um membro da Irmandade Muçulmana matou pelo menos cinquenta cadetes alauítas no refeitório da academia militar de Alepo. Um ano depois, militantes islâmicos arremessaram duas granadas contra o dirigente durante uma reunião diplomática em Damasco — nesse momento, o irmão de temperamento forte do dirigente declarou guerra total contra a Irmandade e seus apoiadores muçulmanos sunitas. Entre suas primeiras decisões, mandou unidades de suas Companhias de Defesa, os guardiães do regime, para a prisão no deserto de Palmira. A estimativa é que oitocentos prisioneiros políticos foram mortos em suas celas.

Mas foi na cidade de Hama, um foco de atividades da Irmandade Muçulmana nas margens do rio Orontes, que o regime mostrou até onde iria para garantir sua sobrevivência. Com o país à beira da guerra civil, as Companhias de Defesa entraram na cidade no começo da manhã de 2 de fevereiro de 1982, junto com várias centenas de agentes da temida polícia secreta Mukhabarat. O que se seguiu foi o pior massacre na história do Oriente Médio moderno, um frenesi de um mês de assassinatos, tortura e destruição que deixou pelo menos vinte mil pessoas mortas e uma cidade reduzida a escombros. O dirigente nunca negou o massacre, nem perdeu tempo discutindo sobre o número de mortos. Na verdade, deixou que a cidade ficasse em ruínas por meses como um lembrete do que aconteceria com aqueles que ousassem desafiá-lo. No Oriente Médio, começou a entrar em voga uma nova expressão: As Regras de Hama.

O dirigente nunca mais enfrentou uma ameaça séria. Na verdade, em um plebiscito presidencial em 1991, ele recebeu 99,9% dos votos, o que fez um comentarista sírio observar que nem mesmo Alá teria conseguido uma votação tão boa. Ele contratou um famoso arquiteto para construir um extravagante palácio presidencial, e quando sua saúde começou a deteriorar pensou seriamente em um sucessor. O irmão mais novo tentou tomar o poder quando o dirigente estava incapacitado pela doença, e foi exilado. O querido filho mais velho, um soldado, campeão de equitação, morreu violentamente em um acidente de automóvel. O que deixou apenas o delicado filho do meio, um oftalmologista educado em Londres, para assumir os negócios da família.

Os primeiros anos de seu regime foram cheios de esperança e promessas. Ele garantiu a seus cidadãos acesso à internet e permitiu que viajassem para o exterior do país sem precisar pedir permissão do governo. Jantava em restaurantes com sua esposa, que conhecia muito de moda, e libertou várias centenas de prisioneiros políticos. Hotéis luxuosos e shopping centers alteraram a paisagem das apagadas Damasco e Alepo. Cigarros ocidentais, banidos por seu pai, apareceram nas prateleiras sírias.

Então ocorreu a grande Primavera Árabe. Os sírios ficaram olhando enquanto a velha ordem ruía ao redor deles, como se tivessem uma premonição do que estava por vir. Então, em março de 2011, 15 jovens ousaram pintar um grafite contra o regime na parede de uma escola em Daraa, uma pequena cidade agrícola a 96 quilômetros de Damasco. A Mukhabarat rapidamente prendeu os garotos e aconselhou seus pais a ir para casa e fazer novos filhos, porque eles nunca voltariam a ver aqueles de novo. Daraa explodiu em protestos, que rapidamente se espalharam para Homs, Hama e, no final, Damasco. Em um ano, a Síria estaria tomada por uma guerra civil completa. E o filho, como seu pai antes dele, seguiria as Regras de Hama.

Mas onde estava o dinheiro? O dinheiro que tinha sido saqueado do tesouro sírio por duas gerações. O dinheiro que tinha sido tirado de empresas estatais sírias e afunilado até os bolsos do dirigente e sua família alauíta de Qurdaha. Uma parte dele estava escondida em uma empresa chamada LXR Investments of Luxembourg, e era lá que Gabriel e a equipe fizeram suas pesquisas iniciais. Foram pesquisas educadas no começo e, por isso, totalmente insatisfatórias. Uma simples busca na Internet revelava que a LXR não tinha nenhum site público e não tinha aparecido em nenhuma notícia ou publicado algum *press release*. Havia uma pequena entrada no registro comercial de Luxemburgo, mas não continha nenhum nome dos investidores ou da diretoria da LXR — só um endereço, que era do escritório de um advogado corporativo. Era óbvio para Eli Lavon, o investigador financeiro mais experiente da equipe, que a LXR era um instrumento clássico usado por alguém que quer investir seu dinheiro de forma anônima. Era uma empresa fantasma, uma concha dentro de uma concha.

Eles ampliaram sua busca para registros comerciais na Europa ocidental. E quando isso não mostrou mais que outro bipe fraco na tela do radar, repassaram os registros de imposto e bens imóveis em todos os países onde estes documentos estavam disponíveis. A única busca que deu resultado foi no Reino Unido, onde descobriram que a LXR Investments era a arrendatária de um prédio comercial em King's Road no bairro de Chelsea, atualmente ocupado por uma empresa de roupas femininas muito conhecida. O advogado representante da LXR na Grã-Bretanha trabalhava para um pequeno escritório de advocacia em Southwark, Londres. Seu nome era Hamid Khaddam. Tinha nascido em novembro de 1964 na cidade de Qurdaha, Síria.

Vivia em uma casa no bairro de Tower Hamlets, em Londres, com sua esposa nascida em Bagdá, Aisha e três filhas adolescentes que estavam muito ocidentalizadas para o gosto dele. Viajava para trabalhar toda manhã de metrô, apesar de que às vezes, quando estava chovendo ou estava atrasado, ele se permitia o pequeno luxo de um táxi. O escritório de advocacia estava localizado em um pequeno prédio de tijolos na rua Great Suffolk, longe dos estilosos endereços de Knightsbridge e Mayfair. Havia oito advogados no total — quatro sírios, dois iraquianos, um egípcio e um jovem jordaniano que afirmava ser da família dos dirigentes hachemitas do seu país. Hamid Khaddam era o único alauíta. Ele tinha uma televisão em sua sala, sempre ligada na Al Jazeera. Lia a maioria das notícias, no entanto, através de blogs em árabe do Oriente Médio. Todos com inclinação editorial a favor do regime.

Ele era cuidadoso em sua vida pessoal e profissional, apesar de não ser cuidadoso o suficiente para perceber que era o alvo de um ataque da inteligência que tinha grande capacidade e era muito silencioso. Começou na manhã depois que a equipe descobriu seu nome, quando Mordecai e Oded desembarcaram em Londres com passaportes canadenses no bolso e malas cheias das ferramentas necessárias para seu trabalho, cuidadosamente disfarçadas. Durante dois dias, eles o observaram à distância. Então, na manhã do terceiro dia, Mordecai, com dedos ligeiros, conseguiu roubar o celular de Khaddam enquanto ele estava na linha central do metrô entre Mile End e Liverpool Street. O software que Mordecai inseriu no sistema operacional do aparelho deu à equipe acesso em tempo real aos e-mails, mensagens de texto, contatos, fotos e ligações de Khaddam. Também transformou o aparelho em um transmissor de tempo integral, o que significava que onde Hamid Khaddam fosse, a equipe poderia segui-lo.

Além do mais, eles tinham entrada na rede de computadores do escritório e no desktop pessoal de Hamid Khaddam em casa. Era, falou Eli Lavon, um presente que continuava a ser dado.

Os dados passavam do celular de Khaddam para um computador dentro da estação de Londres e de lá eram enviados com segurança para o Covil de Gabriel nas profundezas do Boulevard Rei Saul. Ali, a equipe separou tudo, todos os números de telefone, endereços de e-mail, nomes. A LXR Investments aparecia em um e-mail de um advogado sírio em Paris e em um segundo e-mail enviado a um contador em Bruxelas. A equipe seguiu as duas linhas de investigação, mas estas desapareciam muito antes de chegar a Damasco. Na verdade, não encontraram nada na coleção de materiais que sugerisse que Khaddam estava em contato com qualquer elemento do regime sírio ou com a família dirigente. Ele era um personagem secundário, declarou Lavon, que realizava tarefas financeiras obedecendo a uma autoridade maior. Na verdade, falou, era possível que o simplório advogado sírio de Londres nem soubesse para quem estava trabalhando.

Então eles cavaram, peneiraram e discutiram entre eles enquanto o resto do Boulevard Rei Saul apenas observava e esperava ansioso. As regras de compartimentalização significavam que somente um punhado de oficiais principais sabia a natureza do trabalho deles, mas o fluxo de arquivos de Pesquisa para a Sala 456C iluminava claramente o caminho que estavam seguindo. Não demorou muito para se espalhar a notícia de que Gabriel estava de volta ao prédio. Nem era segredo que Bella Navot, mulher de seu rival derrotado, estava trabalhando fielmente ao lado dele. Os rumores cresciam. Rumores de que Navot estava planejando entregar as rédeas a Gabriel antes do final de seu mandato. Rumores de que Gabriel e o primeiro-ministro estavam na verdade tentando acelerar a saída de Navot. Havia até o rumor de que Bella estava planejando se divorciar de seu marido quando ele perdesse o poder. Todos terminaram uma tarde quando Gabriel e os Navots foram vistos almoçando tranquilos na sala de jantar executiva. Navot estava comendo peixe cozido e vegetais no vapor, um sinal de que tinha voltado às draconianas restrições alimentares de Bella. Claramente, falavam os rumores, ele não iria se submeter à vontade de uma mulher que estava planejando deixá-lo.

Mas não havia como negar o fato de que o Escritório tinha voltado à vida desde o retorno de Gabriel. Foi como se todo o prédio tivesse limpado as teias de aranha depois de um longo descanso operacional. Havia uma sensação de ataque iminente, mesmo se as tropas não tivessem ideia de onde aconteceria o ataque ou como ele seria. Até Bella parecia ter sido arrastada na mudança que tinha acontecido no serviço de seu marido. Sua aparência mudou profundamente. Ela trocou seus terninhos estilo *Fortune 500* por jeans e suéter e começou a prender seu cabelo com um rabo de cavalo como se fosse uma estudante. Era como Gabriel sempre pensava nela, a intensa jovem analista usando sandálias e uma camisa amassada, trabalhando em sua mesa muito depois que todo mundo tinha ido para casa à noite. Havia um motivo pelo qual Bella era vista como a principal especialista na Síria do país; ela trabalhou mais duro do que todo o resto e não precisava fazer coisas como comer ou dormir. Também era implacável em seu desejo de ser bem-sucedida, seja na área acadêmica ou dentro das paredes do Boulevard Rei Saul. Gabriel sempre se perguntou se ela não tinha sido contaminada um pouco pelos baathistas nesses anos. Bella era uma assassina natural.

Sua reputação a precedia, claro, então era compreensível que a equipe mantivesse uma polida distância dela no começo. Mas gradualmente os muros começaram a cair, e em poucos dias eles a tratavam como se estivesse com eles desde o começo. Quando a equipe começava uma de suas lendárias disputas, Bella sempre estava do lado vencedor. E quando se juntaram uma noite para o tradicional jantar familiar, Bella deixou o marido com seus assuntos e juntou-se a eles. Era costume evitar falar sobre o caso nas refeições, então todos debateram o lugar de Israel dentro das mudanças que aconteciam no mundo árabe. Como as grandes potências do ocidente, Israel sempre tinha preferido os ditadores árabes às pessoas das ruas árabes. Nunca tinha conseguido fazer a paz com uma democracia árabe, só com ditadores e potentados. Durante várias décadas, os ditadores tinham fornecido uma estabilidade regional módica, mas a um terrível custo para o povo que vivia debaixo de suas botas. Os números não mentiam, e Bella, uma especialista do regime mais cruel da região, poderia recitá-los de cor. Apesar da incrível riqueza do petróleo, um quinto do mundo árabe sobrevivia com menos de dois dólares por dia. Sessenta e cinco milhões de árabes, a maioria deles mulheres, não sabiam ler ou escrever, e milhões não tinham nenhuma educação. Os árabes, que já tinham sido pioneiros no campo da matemática e geometria, tinham ficado para trás em termos de pesquisa científica e tecnológica. Durante o último milênio, os árabes tinham traduzido menos livros que a Espanha traduzia em um único ano. Em muitas partes do mundo árabe, o Corão era o único livro que importava.

Mas como, perguntava Bella, a situação tinha chegado a esse ponto? O islamismo radical tinha desempenhado seu papel, mas o dinheiro também. Dinheiro que os ditadores gastavam com eles mesmos e não com seu povo. Dinheiro que fluía do mundo árabe e ia para bancos privados de Genebra, Zurique e Liechtenstein. Dinheiro que Gabriel e a equipe estavam tentando desesperadamente encontrar. Com os dias se arrastando, eles chegaram a muros de tijolos, becos sem saída, covas vazias e portas que não conseguiam abrir. E liam os e-

-mails de um advogado ralé de Londres chamado Hamid Khaddam e acompanhavam cuidadosamente o dia dele: as viagens de metrô, as reuniões com clientes com questões grandes e pequenas, as pequenas discordâncias com seus sócios pan-árabes. E ouviam, também, quando ele voltava toda noite a sua casa em Tower Hamlets onde vivia na companhia de quatro mulheres. Uma dessas noites, ele teve uma forte discussão com sua filha mais velha sobre o comprimento de uma saia que ela estava planejando usar em uma festa onde haveria rapazes. Como a jovem garota, a equipe ficou agradecida pela interrupção causada pelo celular dele. A conversação demorou dois minutos e dezoito segundos. E quando terminou, Gabriel e sua equipe sabiam que tinham finalmente encontrado o homem que estavam procurando.

33

LINZ, ÁUSTRIA

A CENTO E OITENTA QUILÔMETROS A OESTE DE Viena, o rio Danúbio faz uma curva abrupta do noroeste para o sudeste. Os antigos romanos instalaram um forte nesse lugar; e quando os romanos partiram, o povo que um dia seria conhecido como austríaco construiu uma cidade que chamaram de Linz. A cidade foi crescendo e enriquecendo com o minério de ferro e o sal que era transportado pelo rio, e por um tempo foi a mais importante do Império Austro-Húngaro — mais importante até do que Viena. Mozart compôs sua Sinfonia nº 36 enquanto vivia em Linz; Anton Bruckner foi organista na Velha Catedral. E no pequeno subúrbio de Leonding, no número 16 da Michaelsbergstrasse, há uma pequena casa amarela onde Adolf Hitler morou quando era criança. Hitler se mudou para Viena em 1905 com a esperança de ser admitido na Academia de Belas Artes, mas nunca esqueceria sua amada Linz. Ela seria o centro cultural do Reich de Mil Anos, e era ali que Hitler planejava construir o monumental Führermuseum, seu museu de arte saqueada. Na verdade, o próprio nome de sua operação de pilhagem era Sonderauftrag Linz ou Missão Especial Linz. A moderna Linz tinha trabalhado duro para esconder suas ligações com Hitler, mas havia lembranças do passado por todos os lados. A empresa mais eminente da cidade, a gigante do aço Voestalpine AG, era originalmente conhecida como Hermann-Göring-Werke. E a vinte quilômetros a leste do centro da cidade estava o resto de Mauthausen, o campo de concentração nazista onde os presos eram sujeitos ao "extermínio pelo trabalho". Entre os prisioneiros que viveram para ver a libertação do campo estava Simon Wiesenthal, que mais tarde se tornaria o mais famoso caçador de nazistas do mundo.

O homem que veio a Linz na primeira terça-feira de junho conhecia bem o passado negro da cidade. Na verdade, por um período de sua multifacetada vida, essa tinha sido sua principal obsessão. Quando desceu do trem em Hauptbahnhof, estava usando um terno escuro que sugeria muita riqueza e um relógio de ouro que deixava a impressão que não tinha chegado a essa riqueza de forma honesta, o que era verdade. Tinha viajado a Linz de Viena, e antes disso tinha estado em Munique, Budapeste e Praga. Duas vezes em sua viagem ele tinha mudado de identidade. Por enquanto era Feliks Adler, um cidadão da Europa Central de origem incerta, amante de muitas mulheres, soldado em guerras esquecidas, um homem que se sentia mais confortável em Gstaad e Saint-Tropez do que em sua cidade natal, onde quer que fosse. Seu nome real, no entanto, era Eli Lavon.

Da estação, ele tinha caminhado por uma rua formada por casas altas de cor creme até chegar à Nova Catedral, a maior igreja da Áustria. Por decreto, seu pináculo ascendente era três metros mais curto do que o de sua contraparte em Viena, a poderosa Stephansdom. Lavon entrou para ver se alguém da rua o seguia. E, debaixo da nave exuberante, pensou, não pela primeira vez, como uma terra tão devotamente católica romana pôde ter tido um papel tão grande no assassinato de seis milhões de pessoas. Estava nos ossos deles, pensou. Entrava pelo leite materno.

Mas essas eram as opiniões de Lavon, não de Feliks Adler, e quando voltou à praça estava sonhando apenas com dinheiro. Caminhou até Hauptplatz, a praça mais famosa de Linz, e realizou uma última verificação de vigilância. Então se encaminhou para o Danúbio e se dirigiu à rotatória do bonde, onde uns dois bondes modernos descansavam sob o sol quente, parecendo que tinham caído equivocadamente na cidade errada, no século errado. De um lado da rotatória havia uma rua chamada Gerstnerstrasse, e perto do final da rua havia uma porta imponente com uma placa de latão onde se lia BANK WEBER AG: SOMENTE COM HORA MARCADA.

Lavon chegou à campainha, mas algo o fez hesitar. Era o velho medo, o medo de quem tinha batido em muitas portas e caminhado por muitas ruas escuras atrás de homens que o teriam matado se soubessem que ele estava ali. Então pensou em um campo que estava a vinte quilômetros ao leste, e de uma cidade na Síria que tinha sido quase apagada do mapa. E ficou pensando se havia uma ligação em algum lugar, um arco do mal, entre os dois. Uma súbita raiva cresceu dentro dele, que controlou apertando o nó de sua gravata e arrumando o que lhe sobrava de cabelo. Então colocou seu dedão firmemente na campainha e, com uma voz que não era dele, declarou que era Feliks Adler e que tinha agendado uma reunião. Passaram-se alguns segundos, que para Lavon pareceram uma eternidade. Finalmente, os trincos se abriram e um ruído o impulsionou como o tiro de uma corrida. Ele respirou fundo, colocou a mão na maçaneta e entrou.

Além da porta havia um vestíbulo, e além do vestíbulo havia uma sala de espera onde estava sentada uma jovem austríaca do norte, tão pálida e bonita que parecia irreal. A garota aparentemente estava acostumada com a atenção indesejada de homens como Herr Adler, pois o cumprimento que ela deu foi ao mesmo tempo cordial e desdenhoso. Ela ofereceu a ele uma cadeira na sala de espera, que ele aceitou, e café, que ele recusou educadamente. Sentou-se com os joelhos juntos e as mãos cruzadas no colo, como se estivesse esperando na plataforma de uma estação de trem. Na parede acima de sua cabeça havia uma televisão transmitindo em silêncio as notícias financeiras norte-americanas. Na mesa que ficava na altura de seu cotovelo, havia cópias das revistas econômicas mais importantes do mundo, junto com várias revistas exaltando os benefícios da vida nas montanhas da Áustria.

Finalmente, o telefone na mesa da jovem tocou, e ela anunciou que Herr Weber — Herr Markus Weber, presidente e fundador do Bank Weber AG — o receberia agora. Ele estava esperando do outro lado da porta, uma figura macilenta, alta, careca, de óculos, usando um terno escuro de agente funerário e um sorriso de superioridade. Ele apertou solene a mão de Lavon, como se o consolasse pela morte de uma tia distante, e o levou por um corredor cheio de pinturas a óleo de lagos nas montanhas e prados floridos. No final do corredor havia uma mesa onde outra mulher, mais velha do que a primeira e com o cabelo e a pele mais escuros, estava sentada olhando para a tela do computador. O escritório de Herr Weber estava à direita; à esquerda estava o escritório que pertencia a seu sócio, Waleed al-Siddiqi. A porta do escritório do sr. al-Siddiqi estava bem fechada. Parados do lado de fora havia dois guarda-costas tão imóveis quanto duas plantas. Os ternos de bom corte não conseguiam esconder o fato de que estavam armados.

Lavon acenou para os dois homens, obtendo nada mais que uma piscada, e depois olhou para a mulher. Seu cabelo era tão negro quanto uma asa de corvo e quase caía sobre os ombros de seu terno escuro. Seus olhos eram grandes e castanhos; seu nariz era reto e proeminente. A impressão geral deixada por sua aparência era de seriedade e, talvez, um traço de distante tristeza. Lavon olhou para sua mão esquerda e viu que no dedo anelar não havia uma aliança. Ele achou que ela tinha uns quarenta anos, a zona de perigo para a solteirice. Não era feia, mas tampouco era bonita. O sutil arranjo de ossos e pele que formam o rosto humano tinha conspirado para torná-la alguém comum.

— Essa é Jihan Nawaz — anunciou Herr Weber. — A senhorita Nawaz é nossa gerente de contas.

Seu cumprimento foi apenas um pouco mais agradável do que o que Lavon tinha recebido da recepcionista austríaca. Ele largou a mão fria dela rapidamente e seguiu Herr Weber até sua sala. Os móveis eram modernos, mas confortáveis, e o chão estava coberto por um tapete grosso que parecia absorver todo o som. Herr Weber dirigiu Lavon até uma cadeira antes de se estabelecer atrás de sua mesa.

— Como posso ajudá-lo? — falou, de repente voltado aos negócios.

— Estou interessado em colocar uma soma de dinheiro sob seus cuidados — respondeu Lavon.

— Posso perguntar como ouviu sobre nosso banco?

— Um sócio meu é cliente daqui.

— Poderia perguntar o nome dele?

— Preferia não falar.

Herr Weber levantou uma palma, como se tivesse entendido tudo.

— Tenho uma pergunta — falou Lavon. — É verdade que o banco passou por dificuldades alguns anos atrás?

— Isso mesmo — concordou Weber. — Como muitas instituições bancárias europeias, fomos atingidos duramente pelo colapso do mercado imobiliário norte-americano e a subsequente crise financeira.

— E então você foi forçado a aceitar um sócio?

— Na verdade, fiquei feliz em aceitá-lo.

— O sr. al-Siddiqi.

Weber assentiu cuidadosamente.

— Ele é do Líbano, estou certo?

— Síria, na verdade.

— Uma pena.

— O quê?

— A guerra — respondeu Lavon.

A expressão neutra de Weber deixou claro que ele não estava interessado em discutir a situação atual do país de origem de seu sócio.

— Você fala alemão como se viesse de Viena — falou depois de um momento.

— Vivi ali por um período de tempo.

— E agora?

— Meu passaporte é canadense, mas prefiro pensar que sou um cidadão do mundo.

— O dinheiro não conhece fronteiras internacionais hoje em dia.

— E é por isso que vim a Linz.

— Já esteve aqui antes?

— Muitas vezes — respondeu Lavon, sinceramente.

O telefone de Weber tocou.

— Se importa?

— Por favor.

O austríaco levantou o fone e ficou olhando diretamente para Lavon enquanto ouvia a voz do outro lado da linha. O tapete grosso engoliu sua resposta murmurada. Então desligou o telefone e perguntou:

— Onde estávamos?

— Você estava a ponto de me garantir que seu banco tem solvência, é estável e que meu dinheiro vai ficar seguro aqui.

— Essas coisas são verdade, Herr Adler.

— Também estou interessado em discrição.

— Como você sem dúvida sabe — respondeu Weber —, a Áustria recentemente concordou em algumas modificações em nosso sistema bancário para agradar aos vizinhos europeus. Dito isso, nossas leis de sigilo bancário continuam entre as mais rigorosas do mundo.

— É do meu conhecimento que vocês têm um mínimo de dez milhões de euros para novos clientes.

— Essa é nossa política. — Weber parou, depois perguntou: — Algum problema, Herr Adler?

— Nenhum.

— Achei que essa seria sua resposta. O senhor parece uma pessoa muito séria.

Herr Adler aceitou esse elogio com um aceno de cabeça.

— Quem mais dentro do banco vai saber que tenho uma conta aqui?

— Eu e a senhorita Nawaz.

— E o sr. al-Siddiqi?

— O sr. al-Siddiqi tem seus clientes, eu tenho os meus. — Weber bateu sua caneta-tinteiro de ouro contra o mata-borrão de couro na mesa. — Bem, Herr Adler, como devemos proceder?

— É minha intenção colocar dez milhões de euros sob seus cuidados. Gostaria que mantivesse cinco milhões deles em dinheiro. O resto gostaria que investisse. Nada muito complicado — acrescentou. — Meu objetivo é preservar a riqueza, não criar mais.

— Não ficará desapontado — respondeu Weber. — Deveria saber, no entanto, que cobramos uma taxa por nossos serviços.

— Sim — falou Lavon, sorrindo. — O sigilo tem seu preço.

Armado com sua caneta-tinteiro de ouro, o banqueiro anotou alguns dados de Lavon, sendo que nenhum deles era verdadeiro. Para sua senha, ele escolheu "pedreira", uma referência à mina de trabalho escravo em Mauthausen. Referência que não passou pela cabeça brilhante e careca de Herr Weber que, por sua vez, nunca tinha encontrado tempo para visitar o memorial do Holocausto localizado a poucos quilômetros de sua cidade natal.

— A senha tem a ver com a natureza do meu negócio — explicou Lavon com um falso sorriso.

— Seu negócio é a mineração, Herr Adler?

— Mais ou menos isso.

Com isso, o banqueiro se levantou e o confiou aos cuidados da senhorita Nawaz, a gerente de contas. Havia formulários a serem preenchidos, declarações a serem assinadas e compromissos dos dois lados sobre sigilo e aderência às leis fiscais. A entrada de dez milhões de euros ao balanço do Bank Weber não melhorou a atitude defensiva dela. Não era naturalmente fria, reconheceu Lavon; era outra coisa. Ele olhou para os dois guarda-costas parados do lado de fora da porta de Waleed al-Siddiqi, o salvador sírio do Bank Weber AG. Então olhou de novo para Jihan Nawaz.

— Algum cliente importante? — perguntou ele.

Ela não demonstrou nenhuma reação.

— Como deseja fazer o depósito na conta? — perguntou ela.

— Uma transferência seria mais conveniente.

Ela entregou um papel no qual estava escrito o número para a transferência.

— Podemos fazer isso agora? — perguntou Lavon.

— Como quiser.

Lavon tirou seu celular e ligou para um banco de confiança em Bruxelas que não sabia que controlava boa parte dos fundos operacionais do Escritório na Europa. Informou a seu banqueiro que desejava transferir dez milhões de euros urgentemente para o Bank Weber AG de Linz, Áustria. Então desligou e sorriu de novo para Jihan Nawaz.

— Terá o dinheiro ao meio-dia de amanhã, no máximo — falou.

— Quer que eu ligue confirmando?

— Por favor.

Herr Adler entregou seu cartão. Ela fez o mesmo.

— Se houver algo mais que precisar, Herr Adler, por favor, pode me ligar diretamente. Irei ajudá-lo, se puder.

Lavon enfiou o cartão no bolso de seu terno, junto com o celular. Levantando-se, apertou a mão de Jihan Nawaz uma última vez antes de voltar à recepção, onde a linda jovem austríaca estava esperando por ele. Enquanto se movia pela sala acarpetada, podia sentir os olhos dos dois guarda-costas em sua nuca, mas não ousou olhar por cima do ombro. Ele estava com medo, pensou. E Jihan Nawaz também.

34

BOULEVARD REI SAUL, TEL AVIV

PARECE DIFÍCIL IMAGINAR, mas houve uma época em que os seres humanos não sentiam a necessidade de compartilhar todos os seus momentos acordados com centenas de milhões, até bilhões, de completos estranhos. Se íamos a um shopping center para comprar uma peça de roupa, não postávamos detalhes minuto a minuto em uma rede social; e se acontecia alguma besteira em uma festa, não havia um registro fotográfico do triste episódio em um álbum de fotos digital que iria sobreviver por toda a eternidade. Mas agora, na era da perda da inibição, parecia que nenhum detalhe da vida era mundano ou humilhante demais para ser compartilhado. Na era online, era mais importante viver se mostrando do que viver com dignidade. Seguidores na internet eram mais apreciados do que amigos de carne e osso, pois davam a ilusória promessa de celebridade, até imortalidade. Se Descartes estivesse vivo hoje, ele poderia ter escrito: eu tuíto, logo existo.

Empregadores aprenderam há muito tempo que a presença online de um indivíduo falava muito sobre seu caráter. Não é surpreendente que os serviços de inteligência mundial tenham descoberto a mesma coisa. No passado, os espiões tinham que abrir correspondências e inspecionar gavetas para aprender os segredos mais profundos de um alvo ou recruta em potencial. Agora tudo que precisavam fazer era digitar algumas teclas, e os segredos apareciam na sua frente: nomes de amigos e inimigos, amores perdidos e velhas feridas, paixões secretas e desejos. Nas mãos de um agente experiente, esses detalhes eram um verdadeiro mapa para o coração humano. Permitiam que eles apertassem qualquer botão, incitando qualquer emoção, quando quisessem. Era fácil fazer um alvo sentir medo, por exemplo, se ele já tinha entregado voluntariamente as chaves do seu centro nervoso. O mesmo era verdade se o agente quisesse fazer o alvo se sentir feliz.

Jihan Nawaz, gerente de contas do Bank Weber AG, nascida na Síria, naturalizada cidadã da Alemanha, não era exceção. Habilidosa em questões tecnológicas, era pioneira no Facebook, usuária inveterada do Twitter, e recentemente havia descoberto as delícias do Instagram. Ao investigar suas contas, a equipe descobriu que vivia em um pequeno apartamento pouco além do perímetro da Innere Stadt de Linz, que tinha uma gata problemática chamada Cleópatra, e que seu carro, um Volvo antigo, tinha causado vários problemas a ela. Descobriram os nomes de seus bares e clubes noturnos favoritos, seus restaurantes favoritos e o café onde ela parava toda manhã para comprar *espresso* e pão a caminho do trabalho. Descobriram também que ela nunca tinha se casado e que tinha sido muito maltratada por seu último namorado sério. Mas o principal é que tinham descoberto que ela nunca tinha conseguido vencer a inata xenofobia dos austríacos e que se sentia sozinha. Era uma história que a equipe entendia bem. Jihan Nawaz, como os judeus antes dela, era a estrangeira.

Curiosamente, havia dois elementos de sua vida que Jihan Nawaz nunca citava online: seu lugar de trabalho e o país em que tinha nascido. Nem havia menção ao banco ou à Síria na montanha de e-mails privados que os hackers da Unidade 8200, o serviço de vigilância eletrônica de Israel, coletaram em suas várias contas. Eli Lavon, que tinha sentido a tensa atmosfera dentro do banco, ficou pensando se Jihan estava apenas seguindo as regras de Waleed al-Siddiqi, o homem que trabalhava por trás de uma porta trancada, guardada por dois alauítas armados. Mas Bella Navot suspeitou que a fonte do silêncio de Jihan fosse outra. E assim, enquanto o resto da equipe vasculhava o lixo digital, Bella foi para a sala de arquivos de Pesquisa e começou a cavar.

As primeiras 24 horas de sua pesquisa não produziram nada de valor. Então, seguindo um palpite, ela encontrou seus velhos arquivos de um incidente que tinha ocorrido na Síria em fevereiro de 1982. Sob a direção de Bella, o Escritório tinha produzido dois registros definitivos do incidente — um documento altamente secreto para uso dentro da comunidade da inteligência de Israel, e outro não confidencial que foi divulgado para o público através do Ministério de Relações Exteriores. As duas versões do relatório continham o testemunho de uma jovem garota, mas Bella tinha retirado seu nome dos dois documentos para proteger sua identidade. No fundo de seus arquivos pessoais, no entanto, havia uma transcrição da declaração original da garota, e no final da transcrição estava seu nome. Dois minutos depois, sem fôlego por correr de Pesquisas à Sala 456C, ela colocou, triunfante, o documento na frente de Gabriel.

— É por Hama — falou ela. — A coitadinha estava em Hama.

— Quanto realmente sabemos sobre Waleed al-Siddiqi?
— O suficiente para saber que é quem estamos procurando, Uzi.
— Me alegre, Gabriel.

Navot tirou os óculos e massageou a base do nariz, algo que sempre fazia quando não sabia como continuar. Estava sentado atrás de sua grande mesa de vidro, com um pé descansando sobre ela. Atrás dele, o sol laranja estava afundando lentamente na superfície do Mediterrâneo. Gabriel ficou olhando por um momento. Há muito tempo ele não olhava o sol.

— É um alauíta — falou por fim —, originalmente de Alepo. Quando estava trabalhando em Damasco, afirmava ser parente da família dirigente. Como pode imaginar, não há nenhuma menção a sua linhagem em nenhum dos panfletos do Bank Weber.

— Qual é a relação dele?
— Aparentemente é um primo distante da mãe, o que é importante. Foi a mãe quem mandou seu filho reprimir os manifestantes com força.

— Parece que você está andando muito com minha esposa.
— Estou.

Navot sorriu.

— Então Waleed al-Siddiqi é um sócio fundador da Mal S.A.?
— É o que estou dizendo, Uzi.
— Como ele ganhou seu dinheiro?
— Começou sua carreira na indústria farmacêutica estatal da Síria, o que também é importante.
— Porque a indústria farmacêutica da Síria é uma extensão do programa de armas químicas e biológicas.

Gabriel assentiu lentamente.

— Al-Siddiqi fez com que uma boa parte dos lucros da indústria fosse diretamente para os cofres da família. Também garantiu que as empresas ocidentais que quisessem fazer negócios na Síria pagassem pelo privilégio na forma de suborno e comissões. Com tudo isso, al-Siddiqi ficou muito rico. — Gabriel parou, depois acrescentou: — Rico o suficiente para comprar um banco.

Navot franziu a testa.

— Quando al-Siddiqi deixou a Síria?
— Há quatro anos.
— Quando a Primavera Árabe estava no auge — falou Navot.
— Não foi coincidência. Al-Siddiqi estava procurando um lugar seguro para administrar a fortuna familiar. E encontrou quando um pequeno banco em Linz teve problemas durante a Grande Recessão.
— Acha que o dinheiro está guardado em contas no Bank Weber?

— Uma parte dele — respondeu Gabriel. — E ele está controlando o resto usando o Bank Weber como seu cartão de entrada.

— Herr Weber faz parte disso?

— Não tenho certeza.

— E a garota?

— Não — falou Gabriel. — Ela não sabe.

— Como pode ter certeza?

— Porque um primo do dirigente sírio nunca confiaria em uma garota de Hama como sua gerente de contas.

Navot colocou o pé no chão e apoiou os pesados antebraços na mesa. O vidro parecia em risco de quebrar debaixo da tensão do seu corpo forte.

— Então, em que você está pensando? — perguntou ele.

— Ela está procurando um amigo — respondeu Gabriel. — Vou dar um para ela.

— Menino ou menina?

— Menina — falou Gabriel. — Definitivamente uma menina.

— Quem está planejando usar?

Gabriel respondeu.

— Ela é analista.

— Fala alemão e árabe fluentemente.

— Que tipo de aproximação está pensando?

— Difícil, infelizmente.

— E a bandeira?

— Posso garantir que não será branca e azul.

Navot sorriu. Quando ele tinha trabalhado no campo como *katsa*, as operações com bandeira falsa eram sua especialidade. Ele tinha várias vezes se apresentado como oficial da inteligência alemã quando recrutava espiões de países árabes ou de dentro das fileiras das organizações terroristas. Convencer um árabe a trair seu país, ou sua causa, era mais fácil se o árabe não soubesse que estava trabalhando para o Estado de Israel.

— O que está planejando fazer com Bella? — perguntou ele.

— Ela quer ir a campo. Falei que a decisão era sua.

— A esposa do chefe não vai a campo.

— Ela vai ficar desapontada.

— Estou acostumado com isso.

— E você, Uzi?

— O que tenho eu?

— Poderia ser útil para o recrutamento.

— Por quê?

— Porque seus avôs viveram em Viena antes da guerra, e você fala alemão como uma cabra austríaca.

— É melhor que o horrível sotaque de Berlim que você tem.

Navot olhou para a parede de televisões, onde uma família da cidade sitiada de Homs estava preparando uma refeição de folhas fervidas. Era a única coisa que havia na cidade para comer.

— Tem outra coisa em que você precisa pensar — falou ele. — Se cometer o menor erro, Waleed al-Siddiqi vai cortar essa garota em pedaços e jogá-la no Danúbio.

— Na verdade — respondeu Gabriel —, ele vai deixar os rapazes fazerem uma festinha com ela primeiro. Depois vai matá-la.

Navot desviou o olhar da tela e virou-se para Gabriel, sério.

— Tem certeza de que quer continuar com isso?

— Totalmente.

— Esperava que essa fosse sua resposta.

— O que vamos fazer com a Bella?

— Leve-a com você. Ou melhor ainda, envie-a direto para Damasco. — Navot olhou para a parede de monitores de novo e balançou a cabeça. — Essa maldita guerra estaria terminada em uma semana.

Mais tarde naquela mesma noite, o *The Guardian* de Londres publicou uma matéria acusando o regime sírio de utilizar tortura e assassinato em escala industrial. A matéria baseava-se em uma coleção de fotografias que tinham sido contrabandeadas da Síria pelo homem que as tinha tirado. Mostravam corpos de milhares de pessoas, homens jovens principalmente, que tinham morrido enquanto estavam sob custódia do governo. Alguns dos homens tinham marcas de tiros. Outros, marcas de enforcamento ou de eletrocussão. Outros não tinham olhos. Quase todos pareciam esqueletos humanos.

Foi nesse cenário que a equipe realizou os preparativos finais. De Serviços Domésticos eles conseguiram duas propriedades seguras — um pequeno apartamento no centro de Linz e uma grande vila amarela às margens do lago Attersee, quarenta quilômetros ao sul. A Divisão de Transportes deu os carros e as motos; Identidade, os passaportes. Gabriel tinha vários para escolher, mas no final ficou com Jonathan Albright, um norte-americano que trabalhava para algo chamado Markham Capital Advisers, de Greenwich, Connecticut. Albright não era um consultor financeiro qualquer. Recentemente tinha levado um espião russo de São Petersburgo para o Ocidente. E antes disso tinha enfiado um carregamento de centrífugas sabotadas na cadeia de suprimentos nuclear do Irã.

Quando os preparativos estavam terminados, os membros da equipe deixaram o Boulevard Rei Saul e foram para seus "locais de transição" designados, uma constelação de apartamentos seguros na área de Tel Aviv onde os agentes de campo do Escritório assumiam suas novas identidades antes de deixar Israel para suas missões. Como sempre, viajavam para seus destinos em momentos diferentes, e por diferentes rotas, para não levantar a suspeita das autoridades de imigração local. Mordecai e Oded foram os primeiros a chegar à Áustria; Dina Sarid, a última. Seu passaporte a identificava como Ingrid Roth, uma nativa de Munique. Ela passou apenas uma noite na casa de Attersee. Depois, ao meio-dia do dia seguinte, tomou posse de seu apartamento em Linz. Naquela noite, enquanto estava parada na frente da janela de uma sala de estar apertada, viu um Volvo velho parar em frente ao prédio do outro lado da rua. A mulher que desceu do carro era Jihan Nawaz.

Dina tirou uma foto de Jihan e a enviou com segurança para a Sala 465C, onde Gabriel estava trabalhando até tarde, apenas com os arquivos de Bella sobre o massacre de Hama como companhia. Ele saiu do Boulevard Rei Saul alguns minutos depois das dez e, ignorando os procedimentos normais do Escritório, voltou ao seu apartamento na rua Narkiss para passar sua última noite em Israel com a esposa. Ela estava dormindo quando ele chegou; Gabriel deitou em silêncio na cama e colocou a mão sobre a barriga dela. Ela se virou, deu um beijo sonolento nele e depois voltou a dormir. E de manhã, quando acordou, ele já tinha partido.

35

MUNIQUE, ALEMANHA

As muitas versões do rosto de Gabriel eram bem conhecidas dos serviços de segurança da Áustria, por isso, Viagens pensou que a melhor rota para ele era por Munique. Ele sorriu quando passou pelo controle de passaportes como faria um norte-americano rico e depois foi até o estacionamento, onde Transporte tinha deixado um Audi A7 não rastreável. A chave estava escondida em uma caixa magnética na roda esquerda. Gabriel a tirou em um rápido movimento e, agachado, procurou por alguma evidência de bomba. Não vendo nada fora do comum, entrou no carro e ligou o motor. O rádio tinha ficado ligado; uma mulher com uma voz chata e grave estava lendo um boletim de notícias na Deutschlandfunk. Ao contrário de muitos de seus compatriotas, Gabriel não se contraía ao som do alemão. Era o idioma que tinha ouvido no útero de sua mãe, e mesmo agora continuava sendo a língua dos seus sonhos. Chiara, quando falava com ele nos seus sonhos, falava em alemão.

Encontrou o cartão de estacionamento onde Transporte disse que estaria — no console do centro, enfiado dentro de um panfleto com os clubes noturnos de Munique — e dirigiu com o cuidado de um estrangeiro até a saída. O atendente do estacionamento examinou o cartão tempo suficiente para enviar a primeira descarga de energia operacional pela coluna de Gabriel. Então o braço da cancela se levantou, e ele se dirigiu à entrada da *autobahn*. Dirigiu sob o sol da Baviera, sendo assaltado pelas lembranças em cada curva. À sua direita, flutuando sobre a paisagem de Munique, estava a espacial Torre Olímpica, dentro da qual aconteceu o Setembro Negro onde começou a carreira de Gabriel. E uma hora depois, quando ele cruzou para a Áustria, a primeira cidade em que entrou foi Braunau am Inn, onde Hitler tinha nascido. Ele tentou evitar pensar em Viena, mas estava além do seu poder de compartimentalização. Ouviu o motor de um carro falhar e viu uma explosão de fogo subindo em uma rua tranquila. E se sentou de novo na cama de hospital de Leah e contou que seu filho tinha morrido. *Deveríamos ter ficado em Veneza juntos, meu amor. As coisas teriam sido diferentes...* Sim, ele pensou agora. As coisas teriam sido diferentes. Ele teria um filho de 25 anos. E nunca teria se apaixonado por uma linda jovem do gueto chamada Chiara Zolli.

A casa onde Hitler nasceu ficava no número 15 da Salzburger Vorstadt, perto da principal região de comércio de Braunau. Gabriel estacionou do outro lado da rua e se sentou um momento sem desligar o motor, pensando se teria forças para passar por tudo isso. De repente, abriu a porta e cruzou a rua, como se quisesse remover a opção de voltar. Vinte e cinco anos antes, o prefeito de Braunau tinha decidido colocar uma placa na frente da casa. Tinha sido tirada da pedreira em Mauthausen e entalhada com uma inscrição que não fazia nenhuma menção específica aos judeus nem ao Holocausto. Sozinho, Gabriel ficou ali parado, pensando não no assassinato de seis milhões de pessoas, mas na guerra acontecendo a quatro mil quilômetros ao sudeste dali, na Síria. Apesar de todos os livros, documentários, memoriais e declarações sobre os direitos humanos universais, um ditador estava mais uma vez matando seu povo com gás venenoso e transformando-os em esqueletos humanos em campos e prisões. Era quase como se as lições do Holocausto tivessem sido esquecidas. Ou talvez, pensou Gabriel, nunca tinham sido aprendidas.

Um jovem casal alemão — os sotaques mostravam que eram bávaros — se juntou a ele na observação da placa e falou de Hitler como se fosse um tirano menor de um império distante. Desanimado, Gabriel voltou a seu carro e cruzou a parte alta da Áustria. Havia neve nos picos das montanhas, mas nos vales, onde estavam as vilas, os campos estavam cheios de flores. Ele entrou em Linz alguns minutos depois das duas horas e estacionou perto da Nova Catedral. Então passou uma hora vigiando o que logo seria o mais bucólico campo de batalha da guerra civil síria. Era a temporada de festivais em Linz. Um festival de cinema tinha acabado de terminar; um festival de jazz logo começaria. Austríacos branquelos tomavam sol na grama verde do parque Danúbio. No alto, uma única nuvem branca movia-se pelo céu azul-celeste como um balão.

A última parada na pesquisa de Gabriel era a rotatória do bonde adjacente ao Bank Weber AG. Estacionado em frente à entrada principal do banco, com o motor em ponto morto, havia uma limusine Mercedes Maybach preta. Julgando pela forma como os pneus pareciam aguentar o peso do carro, ele era blindado. Gabriel se sentou em um banco e deixou dois bondes passarem. Então, quando um terceiro estava chegando na parada, viu um homem elegantemente vestido sair do banco e entrar rapidamente no carro. Seu rosto era marcado por bochechas duras e uma boca estranhamente pequena e reta. Alguns segundos depois, o carro passou por Gabriel como um borrão escuro. O homem estava agora falando tenso pelo celular. O dinheiro não dorme nunca, pensou Gabriel. Inclusive o dinheiro manchado de sangue.

    Quando um quarto bonde deslizou pela rotatória, Gabriel subiu nele e cruzou para o outro lado do Danúbio. Olhou debaixo do carro uma segunda vez para ter certeza de que não tinha sido mexido durante sua ausência. Aí partiu para Attersee. A casa segura estava localizada na margem ocidental do lago perto da cidade de Litzlberg. Havia um portão de madeira e, além dele, um caminho marcado com pinheiros e vinhedos. Vários carros estavam estacionados na frente, incluindo um velho Renault com placas da Córsega. Seu dono estava parado na porta aberta da *villa*, vestido casualmente com calça cáqui larga e um pulôver de algodão amarelo.

    — Sou Peter Rutledge — falou, estendendo a mão para Gabriel com um sorriso. — Bem-vindo a Shangri-La.

Supostamente estavam de férias, por isso os romances abertos nas cadeiras de descanso e os tacos de badminton espalhados pela grama, além do brilhante barco de madeira, alugado pela incrível soma de 25 mil por semana, parado no final de um comprido cais. Dentro da *villa*, no entanto, estavam todos trabalhando. Nas paredes da sala de jantar havia mapas e fotografias de vigilância penduradas, e sobre a mesa havia vários notebooks abertos. Na tela de um deles havia a foto de uma moderna mansão de vidro e aço localizada nas colinas acima de Linz. Em outra aparecia a entrada do Bank Weber AG. Dez minutos depois das cinco, Herr Weber saía pela porta e entrava em um sedã BMW simples. Dois minutos depois, aparecia uma jovem que era tão pálida e bonita que nem parecia real. E depois da jovem veio Jihan Nawaz. Ela correu pela pracinha e subiu ao bonde que estava parado. E apesar de não perceber, o homem com a pele do rosto manchada sentado do outro lado do corredor era um agente da inteligência israelense chamado Yaakov Rossman. Juntos eles viajaram no bonde até Mozartstrasse, sem prestar atenção um ao outro, e depois se separaram — Yaakov foi para o oeste, Jihan para o leste. Quando ela chegou a seu apartamento, viu Dina Sarid descendo de sua scooter azul brilhante do outro lado da rua. As duas mulheres trocaram um rápido sorriso. Então Jihan entrou em seu prédio e subiu pelas escadas até seu apartamento. Dois minutos depois, apareceu em sua conta de Twitter, declarando que estava pensando em tomar algo no bar Vanilli aquela noite. Ninguém respondeu.

Nos três dias seguintes, as duas mulheres andaram pelas tranquilas ruas de Linz sem que seus caminhos se cruzassem. Houve um quase encontro no passeio em frente ao Museu de Arte Moderna e um breve encontro de olhos nos corredores do Alter Markt. Mas, tirando isso, o destino parecia conspirar para mantê-las separadas. Pareciam destinadas a serem vizinhas que não se conhecem, estranhas que se olham através de um golfo que não pode ser cruzado.

Mas sem que Jihan Nawaz soubesse, o encontro delas já estava organizado. Na verdade, estava sendo ativamente preparado por um grupo de homens e mulheres trabalhando em uma linda *villa* nas margens de um lago quarenta quilômetros a sudoeste. Não era uma questão de se as duas mulheres iriam se conhecer, mas de quando. Tudo que a equipe precisava era de mais uma evidência.

Esta chegou na madrugada do quarto dia, quando ouviram Hamid Khaddam, o advogado de Londres que trabalhava para a LXR Investments, abrir contas em um banco suspeito nas Ilhas Caimã. Depois disso, ele ligou para a casa de Waleed al-Siddiqi em Linz e contou que as contas agora estavam prontas para receber fundos. O dinheiro chegou 24 horas depois, em uma transação que foi monitorada pelos hackers da Unidade 8200. A primeira conta recebeu vinte milhões de dólares em fundos que passaram pelo Bank Weber AG. A segunda recebeu 25 milhões.

O que faltava era somente a hora, lugar e circunstâncias do encontro entre as duas mulheres. A hora seria às cinco e meia da tarde do dia seguinte; o lugar seria o Pfarrplatz. Dina estava sentada na frente do café Meier, lendo uma edição esfarrapada de *Os Vestígios do Dia*, quando Jihan passou por sua mesa sozinha, carregando uma bolsa de compras. Ela parou de repente, se virou e caminhou até a mesa.

— É realmente uma coincidência — falou em alemão.

— O quê? — perguntou Dina na mesma língua.

— Está lendo meu livro favorito.

— Bom, não me conte como termina. — Dina colocou o livro na mesa e esticou a mão. — Me chamo Ingrid — falou ela. — Acho que moro em frente a você.

— Acho que sim. Sou Jihan. — Ela sorriu. — Jihan Nawaz.

36

LINZ, ÁUSTRIA

ELAS CAMINHARAM ATÉ UM PEQUENO lugar perto de seus apartamentos onde tomaram vinho. Dina pediu um riesling austríaco, sabendo muito bem que, como *Os Vestígios do Dia*, riesling era o favorito de Jihan. O garçom encheu as taças e saiu. Jihan levantou a dela e fez um brinde pela nova amizade. Então sorriu de forma estranha, como se tivesse medo de estar sendo presunçosa. Ela parecia ansiosa, nervosa.

— Você não está em Linz há muito tempo — falou.
— Dez dias — respondeu Dina.
— E onde vivia antes?
— Em Berlim.
— Berlim é muito diferente de Linz.
— Muito — concordou Dina.
— E por que veio para cá? — Jihan deu outro sorriso estranho. — Desculpa. Não deveria ser bisbilhoteira. É meu maior defeito.
— Bisbilhotar a vida dos outros?
— Sou muito intrometida, não tenho jeito — respondeu ela, assentindo. — Sinta-se livre para me mandar cuidar da minha vida sempre que achar necessário.
— Nem sonharia em fazer isso. — Dina olhou para sua taça. — Eu me divorciei do meu marido recentemente. Decidi que precisava de uma mudança de ritmo, então vim para cá.
— Por que Linz?
— Minha família costumava passar os verões no norte da Áustria, em um lago. Sempre gostei daqui.
— Qual lago?
— O Attersee.

A longa sombra do campanário da igreja se esticava pela rua em direção à mesa delas. Yossi Gavish e Rimona Stern passaram perto, rindo, como se estivessem dividindo uma piada. A recentemente divorciada Ingrid Roth parecia entristecida pela visão do casal feliz. Jihan pareceu incomodada.

— Mas você não foi criada na Alemanha, foi, Ingrid?

— Por que pergunta isso?

— Seu alemão não parece ser o de um nativo.

— Meu pai trabalhou em Nova York — explicou Dina. — Cresci em Manhattan. Quando era jovem, me recusava a falar alemão em casa. Achava que era muito brega.

Se Jihan achou a explicação suspeita, não deu nenhum sinal.

— Está trabalhando em Linz? — perguntou ela.

— Acho que isso depende do que você define por trabalho.

— Defino como ir a um escritório toda manhã.

— Então realmente não estou trabalhando.

— Então por que está aqui?

Estou aqui por sua causa, pensou Dina. Então explicou que tinha vindo para Linz para trabalhar em um livro.

— É escritora?

— Ainda não.

— O livro é sobre o quê?

— É uma história de amor não correspondido.

— Como Stevens e a senhorita Kenton? — Jihan apontou para o livro que estava na mesa entre elas.

— Um pouco.

— A história acontece aqui em Linz?

— Viena, na verdade — respondeu Dina. — Durante a guerra.

— Segunda Guerra Mundial?

Dina assentiu.

— Seus personagens são judeus?

— Um deles.

— O rapaz ou a garota?

— O rapaz.

— E você?

— O que tenho eu?

— É judia, Ingrid?

— Não, Jihan — falou Dina. — Não sou judia.

O rosto de Jihan permaneceu impassível.

— E você? — perguntou Dina, mudando de assunto.

— Não sou judia, também — respondeu Jihan com um sorriso.

— E não é da Áustria.
— Cresci em Hamburgo.
— E antes disso?
— Nasci no Oriente Médio. — Fez uma pausa e acrescentou: — Na Síria.
— Que guerra terrível — falou Dina, distante.
— Se não for incômodo, Ingrid, prefiro não falar sobre a guerra. Me deixa deprimida.
— Então vamos fingir que a guerra não existe.
— Pelo menos por enquanto. — Jihan pegou um maço de cigarros de sua bolsa e quando acendeu um, Dina percebeu que sua mão estava tremendo um pouco. A primeira inalação de tabaco pareceu acalmá-la.
— Não vai *me* perguntar o que estou fazendo em Linz?
— O que está fazendo em Linz, Jihan?
— Um homem do meu país comprou ações em um pequeno banco privado aqui. Precisava de alguém na equipe que falasse árabe.
— Qual banco?
Jihan respondeu com a verdade.
— Suponho que o homem do seu país não se chame Weber — comentou Dina.
— Não. — Jihan hesitou, depois disse: — Seu nome é Waleed al-Siddiqi.
— Que tipo de trabalho você faz?
Jihan parecia grata pela mudança de assunto.
— Sou gerente de contas.
— Parece importante.
— Posso garantir que não. Na maior parte do tempo, abro e fecho contas para nossos clientes. Também acompanho transações com outros bancos e instituições financeiras.
— É tão secreto como todo mundo comenta?
— O sistema bancário austríaco?
Dina assentiu.
Jihan adotou uma expressão rígida.
— O Bank Weber leva muito a sério a privacidade de seus clientes.
— Isso parece o slogan de um panfleto.
Jihan sorriu.
— É.
— E esse sr. al-Siddiqi? — perguntou Dina. — Ele leva a privacidade de seus clientes a sério também?
O sorriso de Jihan desapareceu. Ela apagou o cigarro e olhou nervosa para a rua vazia.
— Preciso pedir um favor, Ingrid — falou finalmente.
— Pode pedir.

— Por favor, não faça perguntas sobre o sr. al-Siddiqi. Na verdade, prefiro que nunca mencione o nome dele de novo.

Trinta minutos depois, na casa de Attersee, Gabriel e Eli Lavon estavam sentados na frente de um laptop, ouvindo quando as duas mulheres se separaram na rua em que estavam seus apartamentos. Quando Dina já estava em casa, Gabriel moveu a barra do player de áudio para o começo e ouviu todo o encontro pela segunda vez. Então ouviu de novo. Poderia ter repassado uma quarta vez se Eli Lavon não tivesse apertado o botão STOP.

— Falei que era ela — disse Lavou.

Gabriel franziu a testa. Então colocou a barra em 17h47 e clicou no PLAY.

"Seus personagens são judeus?"
"Um deles."
"O rapaz ou a garota?"
"O rapaz."
"E você?"
"O que tenho eu?"
"É judia, Ingrid?"
"Não, Jihan. Não sou judia."

Gabriel apertou STOP e olhou para Lavon.

— Não dá para ter tudo, Gabriel. Além disso, essa é a parte importante.

Lavon deslizou a barra para frente e apertou PLAY de novo.

"Eu abro e fecho contas para nossos clientes. Também acompanho transações com outros bancos e instituições financeiras."

STOP.

— Entendeu o que quero dizer? — perguntou Lavon.

— Não tenho certeza se entendi.

— Flerte com ela. Deixe que se sinta confortável. E depois a traga aqui. Mas independente do que faça — acrescentou Lavon —, não demore muito. Não gostaria que o sr. al-Siddiqi descobrisse que Jihan tem uma nova amiga que pode ou não ser judia.

— Acha que ele se importaria?

— Acho.

— Então como seguimos?

Lavon deslizou a barra para frente e apertou o PLAY.

"Foi um prazer conhecê-la, Ingrid. Uma pena que não nos encontramos antes."
"Não vamos deixar passar outros dez dias."

"Está livre para almoçar amanhã?"

"Normalmente trabalho durante o almoço."

Lavon clicou em STOP.

— Acho que Ingrid está forçando demais, não acha?

— Poderia ser perigoso quebrar o ritmo de sua rotina de escrita.

— Às vezes uma mudança pode ajudar. Quem sabe? Ela poderia se inspirar a escrever um livro diferente.

— Qual é o argumento da história?

— É sobre uma garota que decide trair seu chefe quando descobre que ele está escondendo dinheiro para o pior homem do mundo.

— Como termina?

— Os mocinhos vencem.

— A garota termina machucada?

— Envie a mensagem, Gabriel.

Gabriel rapidamente enviou um e-mail encriptado para Dina a instruindo a se encontrar para almoçar com Jihan Nawaz no dia seguinte. Então voltou a barra e apertou o PLAY uma última vez.

"E o sr. al-Siddiqi? Ele leva a privacidade de seus clientes a sério também?"

"Preciso pedir um favor, Ingrid."

"Pode pedir."

"Por favor, não faça perguntas sobre o sr. al-Siddiqi. Na verdade, prefiro que nunca mencione o nome dele de novo."

STOP.

— Ela sabe — falou Lavon. — A única pergunta é: quanto?

— Suspeito que o suficiente para terminar morta.

— As Regras de Hama.

Gabriel assentiu lentamente.

— Então suponho que isso nos deixe somente uma opção.

— Qual, Eli?

— Vamos ter que jogar pelas Regras de Hama, também.

As duas mulheres almoçaram no dia seguinte em Ikaan, e na noite seguinte foram beber no bar Vanilli. Gabriel permitiu que se passasse dois dias sem nenhum contato, em parte porque precisava mover um certo ativo de Israel a Attersee, que era Uzi Navot. Então, na quinta-feira daquela semana, Jihan e Dina tiveram um encontro casual no Alter Markt que na verdade não foi nada casual. Jihan convidou Dina para um café, mas Dina pediu desculpas e disse que tinha que voltar a escrever.

— Mas você vai fazer algo no sábado? — perguntou ela.
— Não tenho certeza. Por quê?
— Uns amigos meus vão dar uma festa.
— Que tipo de festa?
— Comida, bebida, passeios de barco no lago — o que as pessoas fazem sempre nos sábados à tarde durante o verão.
— Não quero ser um incômodo.
— Não vai ser. Na verdade — acrescentou Dina —, tenho certeza de que meus amigos vão tratá-la como convidada de honra.

Jihan sorriu.
— Vou precisar de um vestido novo.
— E um maiô — falou Dina.
— Pode vir fazer compras comigo agora?
— Claro.
— E o seu livro?
— Depois vou ter tempo.

LAGO ATTERSEE, ÁUSTRIA

T INHAM DUAS OPÇÕES DE TRANSPORTE: a pequena scooter de Dina ou o Volvo instável de Jihan. Escolheram o Volvo instável. Ele começou a balançar muito na Innere Stadt uns minutos depois do meio-dia, meia hora depois ela tinha passado os últimos subúrbios de Linz e estavam acelerando por Salzkammergut na A1. O clima tinha conspirado para criar a ilusão de alegria. O sol brilhava em um céu sem nuvens, e o ar que soprava pela janela aberta era fresco e doce. Jihan usava o vestido branco sem mangas que Dina tinha escolhido para ela e grandes óculos escuros que escondiam a modéstia de seus traços. Suas unhas estavam pintadas; o perfume era doce e intoxicante. Enchia Dina de culpa. Ela tinha dado uma falsa alegria a uma mulher solitária e sem amigos. Era, pensou, a maior traição feminina.

Tinha em sua bolsa um papel com as instruções, que tirou quando saíram da A1, entrando na Atterseestrasse. Gabriel tinha insistido para que levasse com elas, e agora, com sua consciência se rebelando, ela apertava forte o papel enquanto guiava Jihan para seu destino. Elas passaram por uma pequena cidade, depois atravessaram uma parte de terra cultivada. O lago estava à esquerda, de um azul profundo e cercado de montanhas verdes. Dina, fazendo o papel de guia turística, apontou a pequena ilha, que podia ser alcançada por um píer, onde Gustav Klimt tinha pintado suas famosas paisagens de Attersee.

Além da ilha havia uma marina onde barcos brancos se espalhavam no ancoradouro, e além da marina havia uma colônia de *villa*s de frente para o lago. Dina fingiu um momento de confusão sobre qual pertencia a seu anfitrião. Então, de repente, apontou para um portão aberto, como se estivesse surpresa de chegarem tão rapidamente. Jihan virou o carro para a esquerda e subiu devagar o caminho. Dina agradeceu o forte perfume dos pinheiros e vinhedos, porque isso superava temporariamente o aroma acusatório do perfume de Jihan. Vários carros estavam estacionados ao acaso na sombra da varanda. Jihan encontrou um espaço vazio e desligou o motor. Então, pegou no banco traseiro as flores e o vinho que tinha trazido como presentes. Quando saíram do carro, ouviram a música que saía de uma janela aberta: "Trust in Me", de Etta James.

A porta da frente estava aberta também. Quando Dina e Jihan se aproximaram, apareceu um homem de meia-idade com cabelo ralo e esvoaçante. Estava usando uma camisa azul francesa e cara, calça de linho claro e um grande relógio de ouro. Estava sorrindo amigavelmente, mas seus olhos castanhos eram vigilantes. Jihan deu uns passos na direção dele e parou. Então sua cabeça se virou para Dina, que pareceu não perceber sua apreensão.

— Gostaria que conhecesse um velho amigo da minha família — dizia ela. — Jihan Nawaz, esse é Feliks Adler.

Jihan ficou parada, sem saber se deveria avançar ou recuar, quando o homem que ela conhecia como Feliks Adler desceu devagar os degraus. Ainda sorrindo, ele pegou as flores e o vinho. Então olhou para Dina.

— Acho que eu e a senhorita Nawaz já nos conhecemos. — O olhar dele foi de Dina para Jihan. — Mas ela não pode falar disso porque violaria as tradições do sistema bancário privado da Áustria. — Ele parou tempo suficiente para dar outro sorriso. — Não é mesmo, senhorita Nawaz?

Jihan permaneceu em silêncio. Estava encarando as flores na mão de Herr Adler.

— Não é coincidência que abri uma conta no Bank Weber na semana passada — falou ele, depois de um momento. — Nem é coincidência que você esteja aqui hoje. Veja, senhorita Nawaz, Ingrid e eu somos mais do que velhos amigos. Somos colegas, também.

Jihan dirigiu um olhar de raiva para Dina. Então olhou de novo para o homem que conhecia como Herr Adler. Quando finalmente falou, sua voz estava tomada pelo medo.

— O que quer comigo? — perguntou.

— Temos um sério problema — respondeu ele. — E precisamos da sua ajuda para resolvê-lo.

— Que tipo de problema?

— Entre, Jihan. Ninguém vai machucá-la aqui. — Ele sorriu e levou-a gentilmente pelo cotovelo. — Tome uma taça de vinho. Desfrute da festa. Conheça o resto de nossos amigos.

Na grande sala da *villa* havia uma mesa com comida e bebida. Não tinha sido tocada, então a impressão era de uma festa cancelada ou, pelo menos, adiada. Um vento gentil soprava pelas portas francesas abertas, trazendo com ele o barulho ocasional de um barco passando. Do outro lado da sala havia uma lareira apagada onde Gabriel estava sentado, olhando atentamente uma pasta. Usava terno escuro sem gravata, e estava irreconhecível com uma peruca grisalha, lentes de contato e óculos. Uzi Navot estava sentado perto dele, com roupa parecida, e ao lado deste estava Yossi Gavish. Usava calças de sarja e um blazer amassado e estava olhando para o teto como um viajante sofrendo de um tédio terminal.

Apenas Gabriel entrou em ação com a chegada de Jihan Nawaz. Ele fechou a pasta, colocou-a na mesinha de café na frente dele, e levantou-se devagar.

— Jihan — falou com um sorriso carinhoso. — Que bom que veio. — Ele avançou cauteloso até ela, um adulto se aproximando de uma criança perdida. — Por favor, desculpe a natureza pouco ortodoxa de nosso convite, mas foi tudo feito para sua proteção.

Falou isso em alemão, com seu sotaque de Berlim. Não passou despercebido para Jihan, a garota síria de Hamburgo agora vivendo em Linz.

— Quem é você? — perguntou ela depois de um momento.

— Prefiro não começar essa conversa mentindo para você — falou ele, ainda sorrindo —, então não vou lhe dar nenhum nome. Sou empregado de um departamento do governo que lida com questões relacionadas a impostos e finanças. — Apontou para Navot e Yossi. — Esses senhores também trabalham para seus respectivos governos. O rapaz grande e com cara de infeliz é da Áustria, e o cara amassado sentado ao lado dele é da Grã-Bretanha.

— E eles? — perguntou Jihan com um aceno para Lavon e Dina.

— Ingrid e Herr Adler estão comigo.

— São muito bons. — Ela olhou para Dina com os olhos entrecerrados. — Principalmente ela.

— Desculpe por tê-la enganado, Jihan, mas não tínhamos outra escolha. Tudo foi feito para sua segurança.

— Minha segurança?

Ele se aproximou dela.

— Queríamos nos encontrar com você de uma forma que não levantaria a suspeita do seu patrão. — Ele fez uma pausa, depois acrescentou: — O sr. al-Siddiqi.

Ela pareceu recuar ao ouvir o nome dele. Gabriel fingiu não notar.

— Imagino que tenha trazido seu celular com você — disse ele, como se tivesse pensado nisso agora.

— Claro.

— Poderia entregar a Ingrid, por favor? É importante desligar todos nossos celulares antes de continuar essa conversa. Nunca dá para saber quem está ouvindo.

Jihan tirou seu celular da bolsa e o entregou a Dina, que o desligou antes de sair da sala. Gabriel voltou à mesinha de café e pegou a pasta. Abriu-a com ar grave, como se tivesse material que ele não queria mostrar em público.

— Infelizmente, o banco para o qual você trabalha está sendo investigado há algum tempo — falou ele depois de um momento. — A investigação é de natureza internacional, como você pode ver pela presença de meus colegas da Áustria e do Reino Unido. Descobrimos evidências substanciais para sugerir que Bank Weber AG é quase que somente um empreendimento criminoso envolvido com lavagem de dinheiro, fraude e ocultação ilegal de bens e rendas tributáveis. O que significa que você, Jihan, está em sérios problemas.

— Sou apenas a gerente de contas.

— Exatamente. — Ele tirou uma folha de papel da pasta e entregou para que ela visse. — Sempre que uma conta é aberta no Bank Weber, Jihan, sua assinatura aparece em toda a documentação. Também realiza a maioria das transferências do banco. — Ele tirou outra folha de papel da pasta, apesar de que, dessa vez, sua consulta foi privada. — Por exemplo, você recentemente transferiu uma grande soma de dinheiro para o Trade Winds Bank nas ilhas Caimã.

— Como sabem sobre essa transferência?

— Foram duas, na verdade, uma de 25 milhões, a outra de apenas vinte milhões. As contas para onde o dinheiro foi mandado são controladas pela LXR Investments. Um advogado chamado Hamid Khaddam abriu as duas instruído pelo sr. al-Siddiqi. Hamid Khaddam é de Londres. Ele nasceu na Síria. — Gabriel levantou a vista do arquivo. — Como você, Jihan.

O medo dela era palpável. Ela conseguiu levantar o queixo um pouco antes de responder.

— Nunca conheci o sr. Khaddam.

— Mas conhece o nome dele?

Ela assentiu lentamente.

— Não nega o fato de que transferiu pessoalmente o dinheiro para essas contas?

— Fiz o que me mandaram.

— O sr. al-Siddiqi?

Ela ficou em silêncio. Gabriel colocou os documentos de volta na pasta e esta em cima da mesa. Yossi estava olhando de novo para o teto. Navot estava olhando, pelas portas francesas abertas, para os barcos que passavam como se desejasse estar num deles.

— Parece que estou perdendo minha plateia — falou Gabriel, gesticulando para os dois homens imóveis. — Posso ver que eles gostariam de ir direto ao ponto para podermos passar às questões importantes.

— Que questões? — perguntou Jihan com mais calma do que Gabriel teria pensado ser possível.

— Meus amigos de Viena e de Londres não estão interessados em perseguir uma mera caixa de banco. E, para ser sincero, nem eu. Queremos o homem que manda no Bank Weber, o homem que trabalha atrás de uma porta trancada, protegido por uma dupla de guarda-costas armados. — Ele fez uma pausa, depois acrescentou: — Queremos o sr. al-Siddiqi.

— Infelizmente, não posso ajudá-los.

— Claro que pode.

— Tenho escolha?

— Todos temos escolhas na vida — respondeu Gabriel. — Infelizmente, você escolheu aceitar um emprego no banco mais sujo da Áustria.

— Não sabia que era sujo.

— Prove.

— Como?

— Nos contando tudo que sabe sobre o sr. al-Siddiqi. E entregando uma lista completa de todos os clientes do Bank Weber, a quantia de dinheiro que depositaram lá e a localização dos vários instrumentos financeiros nos quais o dinheiro está investido.

— Isso é impossível.

— Por quê?

— Porque seria uma violação das leis bancárias austríacas.

Gabriel colocou uma mão no ombro de Navot.

— Esse homem trabalha para o governo austríaco. E se ele diz que não é uma violação da lei austríaca, então não é.

Jihan hesitou.

— Há outra razão pela qual não posso ajudar — falou ela finalmente. — Não tenho acesso completo aos nomes de todos os correntistas.

— Não é a gerente de contas?

— Claro.

— E não é responsabilidade da gerente de contas *gerenciar* realmente as contas?

— Obviamente — respondeu ela, franzindo a testa.

— Então, qual é o problema?

— O sr. al-Siddiqi.

— Então talvez devêssemos começar por aí, Jihan. — Gabriel colocou gentilmente uma mão no ombro dela. — Com o sr. al-Siddiqi.

LAGO ATTERSEE, ÁUSTRIA

ELES A COLOCARAM em um lugar de honra na sala, com Dina, sua falsa amiga, à esquerda, e Gabriel, o auditor fiscal sem nome de Berlim, à direita. Uzi Navot ofereceu comida, que ela recusou, e chá, que aceitou. Serviu-a ao estilo árabe, em um copo pequeno, meio doce. Ela tomou um pequeno gole, soprou gentilmente na superfície e colocou o copo cuidadosamente na mesa em frente. Então descreveu uma tarde no outono de 2010 quando viu um anúncio em uma revista de negócios que falava sobre um emprego em Linz. Estava trabalhando na sede de um importante banco alemão em Hamburgo e, sem alarde, estava explorando outras opções. Viajou a Linz na semana seguinte e fez uma entrevista com Herr Weber. Então caminhou pelo corredor, passou pelos guarda-costas, e teve uma reunião separada com o sr. al-Siddiqi. Realizada totalmente em árabe.

— Ele mencionou o fato de que era da Síria? — perguntou Gabriel.
— Ele não precisou.
— Os sírios têm um sotaque diferente?
Ela assentiu.
— Especialmente quando vêm das montanhas Ansariya.
— Elas estão no lado ocidental da Síria? Perto do Mediterrâneo?
— Isso mesmo.
— E o povo que vive lá são principalmente alauítas, não são?
Ela hesitou, depois assentiu lentamente.
— Perdoe-me, Jihan, mas sou um pouco novato quando se trata das questões do Oriente Médio.
— Como a maioria dos alemães.
Ele aceitou a repreensão dela com um sorriso conciliador e depois retomou seus questionamentos.

— Sua impressão era que o sr. al-Siddiqi era alauíta? — perguntou ele.
— Era óbvio.
— Você é alauíta, Jihan?
— Não — respondeu ela. — Não sou alauíta.

Ela não contou nenhum outro detalhe biográfico sobre si, e Gabriel não perguntou.

— Os alauítas são os dirigentes do seu país, não são?
— Sou uma cidadã alemã vivendo na Áustria — respondeu ela.
— Posso refazer minha pergunta?
— Por favor.
— A família dirigente da Síria é alauíta, não é correto, Jihan?
— É.
— E os alauítas mantêm as posições mais importantes nas Forças Armadas e nos serviços de segurança do país.

Ela deu um breve sorriso.

— Talvez não seja tão novato afinal.
— Aprendo rápido.
— É evidente.
— O sr. al-Siddiqi contou que era parente do presidente?
— Ele deu a entender — falou ela.
— Isso a deixou preocupada?
— Foi antes da Primavera Árabe. — Fez uma pausa e acrescentou: — Antes da guerra.
— E os dois guarda-costas na porta dele? — perguntou Gabriel. — Como ele explicou isso?
— Ele me contou que tinha sido sequestrado em Beirute vários anos antes e o mantiveram como refém.
— E acreditou nele?
— Beirute é uma cidade perigosa.
— Já esteve lá?
— Nunca.

Gabriel olhou para sua pasta de novo.

— O sr. al-Siddiqi deve ter ficado muito impressionado com você — falou ele depois de um momento. — Ofereceu um emprego no ato, com o dobro do salário que estava ganhando em Hamburgo.
— Como sabe disso?
— Estava na sua página no Facebook. Você contou a todo mundo que estava querendo recomeçar. Seus colegas em Hamburgo deram uma festa de despedida para você em um restaurante elegante nas margens do rio. Posso mostrar as fotos se quiser.

— Não é necessário — falou ela. — Lembro bem daquela noite.

— E quando chegou em Linz — continuou Gabriel —, o sr. al-Siddiqi tinha um apartamento esperando por você, não foi? Estava totalmente mobiliado: lençóis, pratos, jarras e panelas, até os aparelhos eletrônicos.

— Estava incluído no meu pacote de compensação.

Gabriel levantou a vista do arquivo e franziu a testa.

— Não achou isso estranho?

— Ele falou que queria que minha transição fosse a menos dolorosa possível.

— Foi isso que ele falou? Menos dolorosa?

— Foi.

— E o que o sr. al-Siddiqi pediu em retorno?

— Lealdade.

— Só isso?

— Não — respondeu ela. — Ele disse que eu nunca deveria discutir os negócios do Bank Weber com ninguém.

— Com bons motivos.

Ela ficou em silêncio.

— Quanto tempo você demorou para perceber que o Bank Weber não era um banco comum, Jihan?

— Eu suspeitei desde o início — respondeu ela. — Mas quando chegou a primavera, tive certeza.

— O que aconteceu na primavera?

— Quinze rapazes de Daraa pintaram um grafite na parede de uma escola. E o sr. al-Siddiqi começou a ficar muito nervoso.

Nos seis meses seguintes, contou, ele estava em movimento constante — Londres, Bruxelas, Genebra, Dubai, Hong Kong, Argentina, às vezes tudo isso na mesma semana. Sua aparência começou a piorar. Perdeu peso; apareceram olheiras. Sua preocupação com a segurança aumentou muito. Quando estava em seu escritório, o que era algo raro, a televisão estava sempre ligada na Al Jazeera.

— Estava acompanhando a guerra? — perguntou Gabriel.

— De forma obsessiva — respondeu Jihan.

— Ele escolheu um lado?

— O que você acha?

Gabriel não falou nada. Jihan tomou um gole de chá, pensando antes de responder.

— Ficou furioso com os norte-americanos por pedirem ao presidente sírio para deixar o poder — falou ela finalmente. — Falou que aconteceria como no Egito. Falou que iriam lamentar o dia que permitissem que ele fosse retirado do poder.

— Por que a al-Qaeda tomaria a Síria?

— É.

— E você, Jihan? Defende um lado na guerra?

Ela ficou em silêncio.

— Certamente o sr. al-Siddiqi deve ter ficado curioso sobre como você se sentia.

Mais silêncio. Ela olhou nervosa pela sala, para as paredes, para o teto. Era a doença síria, pensou Gabriel. O medo nunca os abandonava.

— Está segura aqui, Jihan — falou Gabriel, em voz baixa. — Está entre amigos.

— Estou?

Olhou para os rostos reunidos ao redor dela. O cliente que não era cliente. A vizinha que não era vizinha. Os três auditores fiscais que não eram auditores fiscais.

— Não damos nossa verdadeira opinião na frente de um homem como o sr. al-Siddiqi — falou ela depois de um momento. — Especialmente se ainda temos parentes vivendo na Síria.

— Tinha medo dele?

— Com bons motivos.

— Então falou que tinha a mesma opinião sobre a guerra.

Ela hesitou, depois assentiu lentamente.

— E tem, Jihan?

— A mesma opinião?

— É.

Hesitou de novo. Outro olhar nervoso ao redor da sala. Finalmente, falou:

— Não, não tenho a mesma opinião que o sr. al-Siddiqi sobre a guerra.

— Apoia os rebeldes?

— Apoio a liberdade.

— Você é uma jihadista?

Ela levantou o braço nu e perguntou:

— Pareço uma jihadista?

— Não — falou Gabriel, sorrindo para a demonstração dela. — Parece uma mulher totalmente moderna e ocidentalizada que sem dúvida acha que a conduta do regime sírio é repugnante.

— É o que acho.

— Então por que continua trabalhando para um homem que apoia um regime que está matando seus próprios cidadãos?

— Às vezes, eu me pergunto a mesma coisa.

— O sr. al-Siddiqi a pressionou para ficar?

— Não.

— Então talvez tenha ficado pelo dinheiro. Afinal, ele estava pagando o dobro do que ganhava em seu emprego anterior. — Gabriel parou e virou a cabeça de lado, pensativo. — Ou talvez tenha ficado por outro motivo, Jihan. Talvez tenha ficado porque estava curiosa sobre o que estava acontecendo por trás da porta trancada e os guarda-costas. Talvez tenha ficado curiosa para saber por que o sr. al-Siddiqi estava viajando tanto e perdendo tanto peso.

Ela hesitou, então falou:

— Talvez estivesse.

— Sabe o que o sr. al-Siddiqi está fazendo, Jihan?

— Está administrando o dinheiro de um cliente muito especial.

— Sabe o nome desse cliente?

— Sei.

— Como descobriu?

— Por acidente.

— Que tipo de acidente?

— Esqueci minha carteira no trabalho uma noite — respondeu ela. — E quando voltei para pegá-la, ouvi algo que não deveria.

39

LAGO ATTERSEE, ÁUSTRIA

Mais tarde, quando Jihan pensou sobre aquele dia, ela iria lembrá-lo como a Sexta-Feira Negra. O medo da crise grega tinha feito com que os preços das ações caíssem dramaticamente na Europa e nos Estados Unidos. Na Suíça, o ministro da Economia tinha anunciado que estava congelando duzentos milhões de dólares de bens ligados à família governante da Síria e seus associados. O sr. al-Siddiqi ficou louco com as notícias. Ficou trancado em seu escritório quase toda a tarde, saindo apenas duas vezes para gritar alguma besteira trivial para Jihan. Ela passou as últimas horas do dia olhando o relógio, e, ao dar as cinco da tarde saiu sem desejar ao sr. al-Siddiqi ou a Herr Weber um bom fim de semana, como era seu costume. Foi só depois, quando estava se vestindo para jantar, que percebeu que tinha deixado sua carteira no escritório.

— Como você voltou ao banco? — perguntou Gabriel.
— Com minhas chaves, claro.
— Não sabia que tinha suas próprias chaves.
Ela abriu sua bolsa e tirou as chaves para mostrar a Gabriel.
— Como você sabe — falou ela —, Bank Weber não é um banco comercial. Somos um banco de investimento, o que significa que gerenciamos riquezas para indivíduos com renda alta.
— Mantêm dinheiro?
— Uma pequena quantia.
— O banco oferece cofres de segurança para seus clientes?
— Claro.
— Onde estão?
— No porão.
— Tem acesso a eles?

— Sou a gerente de contas.
— O que significa?
— Posso ir a qualquer lugar do banco, exceto nas salas de Herr Weber ou do sr. al-Siddiqi.
— É proibido entrar nelas?
— A menos que seja convidada.

Ele fez uma pausa, como se quisesse digerir essa informação, e depois pediu a Jihan para retomar sua narrativa sobre a Sexta-Feira Negra. Ela explicou que tinha voltado ao banco em seu carro e, usando suas chaves pessoais, entrou pela porta da frente. Quando a porta abriu, ela tinha trinta segundos para digitar os oito números no painel de controle do sistema de segurança; do contrário, o alarme iria tocar e metade da força policial de Linz estaria ali em questão de minutos. Mas quando se aproximou do painel, viu que o sistema de alarme não tinha sido ativado.

— O que quer dizer que mais alguém estava no banco?
— Correto.
— Era o sr. al-Siddiqi?
— Ele estava em seu escritório — falou ela, assentindo lentamente. — Ao telefone.
— Com quem?
— Alguém que estava infeliz por seus bens terem sido congelados pelo governo suíço.
— Sabe quem era?
— Não — respondeu ela. — Mas suspeito que fosse alguém poderoso.
— Por que diz isso?
— Porque o sr. al-Siddiqi parecia assustado. — Ela ficou em silêncio por um momento. — Foi bastante chocante. Não é algo que vou esquecer.
— Os guarda-costas estavam presentes?
— Não.
— Por que não?
— Suponho que ele tinha mandado que fossem embora.

Gabriel perguntou o que ela fez em seguida. Jihan respondeu que pegou sua carteira e saiu do banco o mais rápido possível. Na segunda de manhã, quando voltou ao trabalho depois do fim de semana, havia um bilhete em sua mesa. Era do sr. al-Siddiqi. Ele queria conversar a sós com ela.

— Por que ele queria vê-la?
— Disse que queria se desculpar. — Inesperadamente, ela sorriu. — Outra coisa que nunca tinha acontecido antes.
— Pelo que estava se desculpando?

— Por ter me tratado mal na sexta-feira anterior. Era mentira, claro — acrescentou ela rapidamente. — Ele queria ver se eu tinha ouvido algo quando estava dentro do banco naquela noite.

— Ele sabia que você esteve lá?

Ela assentiu.

— Como?

— Ele sempre verifica a memória das câmeras de vigilância. Na verdade, elas estão conectadas diretamente ao computador em sua mesa.

— Ele perguntou de maneira direta o que você tinha ouvido?

— O sr. al-Siddiqi nunca faz nada direto. Prefere ir comendo pelas beiradas.

— O que contou a ele?

— O suficiente para tranquilizá-lo.

— E acreditou em você?

— Acreditou — respondeu ela depois de pensar por um momento. — Acho que sim.

— E foi tudo?

— Não — respondeu ela. — Ele queria falar sobre a guerra.

— O quê?

— Ele perguntou se meus parentes que ainda viviam na Síria estavam bem. Queria saber se havia algo que ele poderia fazer para ajudá-los.

— Ele estava sendo sincero?

— Quando um parente da família dirigente oferece ajuda, normalmente quer dizer o oposto.

— Ele estava ameaçando você?

Ela ficou em silêncio.

— E, mesmo assim, você ficou — disse Gabriel.

— É — respondeu ela. — Fiquei.

— E seus parentes? — perguntou ele, consultando sua pasta de novo. — Estão bem, Jihan?

— Vários morreram ou ficaram feridos.

— Sinto muito por isso.

Ela assentiu uma vez, mas não disse nada.

— Onde foram mortos?

— Em Damasco.

— Você é de lá, Jihan?

— Vivi pouco tempo lá quando era criança.

— Mas não nasceu lá?

— Não — respondeu ela. — Nasci ao norte de Damasco.

— Onde?

— Hama — falou ela. — Nasci em Hama.

40

LAGO ATTERSEE, ÁUSTRIA

Um silêncio se abateu sobre a sala, pesado e com mau presságio, como o silêncio que se segue à explosão de um atentado suicida em um mercado lotado. Bella entrou sem se apresentar e se sentou em uma cadeira vazia diretamente na frente de Jihan. As duas mulheres ficaram se olhando, como se apenas as duas conhecessem um terrível segredo, enquanto Gabriel olhava distraído para sua pasta. Quando ele finalmente falou de novo, adotou um tom de indiferença clínica, um médico realizando um exame de rotina em uma paciente saudável.

— Você tem 38 anos, Jihan? — perguntou ele.

— Trinta e *nove* — corrigiu ela. — Mas ninguém nunca lhe disse que é terrivelmente grosseiro perguntar a idade de uma mulher?

Seu comentário fez com que vários sorrissem na sala, mas os sorrisos desapareceram quando Gabriel fez a seguinte pergunta.

— O que significa que nasceu em... — Sua voz sumiu, como se estivesse tentando calcular. Jihan forneceu a data para ele sem demora.

— Nasci em 1976 — falou ela.

— Em Hama?

— Isso — respondeu ela. — Em Hama.

Bella olhou para seu marido, que estava olhando para outro lado. Gabriel estava novamente folheando algo em sua pasta com a devoção de um auditor fiscal por papel impresso.

— E quando se mudou para Damasco, Jihan? — perguntou ele.

— Foi no outono de 1982.

Ele levantou o rosto de repente e franziu a testa.

— Por quê, Jihan? — perguntou ele. — Por que deixou Hama no outono de 1982?

Ela olhou para ele em silêncio. Então olhou para Bella, a recém-chegada, a mulher sem aparente emprego ou propósito, e respondeu.

— Deixamos Hama — falou ela —, porque no outono de 1982 não havia mais Hama. A cidade tinha desaparecido. Hama foi apagada da face da Terra.

— Houve um enfrentamento em Hama entre o regime e a Irmandade Muçulmana?

— Não houve um enfrentamento — respondeu ela. — Foi um massacre.

— Então você e sua família se mudaram para Damasco?

— Não — respondeu ela. — Fui sozinha.

— Por quê, Jihan? — perguntou ele, fechando o arquivo. — Por que você foi a Damasco sozinha?

— Porque não tinha mais família. Nem família, nem cidade. — Ela olhou para Bella de novo. — Eu estava sozinha.

Para entender o que aconteceu em Hama, Jihan continuou, era necessário saber o que tinha acontecido antes. A cidade já tinha sido considerada a mais bonita da Síria, célebre por suas graciosas rodas d'água no rio Orontes. Também era conhecida pelo fervor especial de seu islamismo sunita. As mulheres de Hama usavam o véu longo muito antes de ser moda no mundo muçulmano, especialmente no antigo bairro de Barudi, onde a família Nawaz vivia em um apartamento apertado. Jihan era uma entre cinco filhos, a mais nova, a única menina. Seu pai não tinha educação formal e trabalhava fazendo bicos no velho mercado do outro lado do rio. Acima de tudo, ele estudava o Corão e atacava o ditador sírio, que via como um herege e um camponês que não tinha o direito de governar sobre os sunitas. Seu pai não era membro da Irmandade Muçulmana, mas apoiava o objetivo da organização de transformar a Síria em um Estado islâmico. Tinha sido preso duas vezes e torturado pela Mukhabarat, e uma vez tinha sido forçado a dançar na rua enquanto cantava louvores ao dirigente e sua família.

— Foi o maior dos insultos — explicou Jihan. — Como um devoto muçulmano sunita, meu pai não ouvia música. E ele *nunca* dançava.

Suas lembranças pessoais dos problemas que levaram ao massacre eram embaçadas, no melhor dos casos. Lembrava-se de alguns dos maiores ataques terroristas da Irmandade — em especial, um ataque em Damasco que matou 64 pessoas inocentes — e lembrava-se de corpos cheios de balas nos becos de Barudi, vítimas de execuções sumárias feitas por agentes da Mukhabarat. Mas como a maioria dos moradores, ela não tinha ideia da calamidade que cairia sobre a linda cidade às margens do Orontes. Então, numa noite fria e chuvosa do começo de fevereiro, espalhou-se a notícia de que unidades das Companhias de Defesa tinham chegado em silêncio na cidade. Eles tentaram fazer o primeiro ataque em Barudi, mas a Irmandade estava esperando. Vários homens do regime foram mortos a tiros de metralhadora. Então, a Irmandade e seus apoiadores lançaram uma série de ataques assassinos contra membros do Partido Baath e da Mukhabarat em toda a cidade. Dos minaretes veio a mesma exortação: "Levantem-se e expulsem os descrentes de Hama!". A batalha pela cidade tinha começado.

No final, os sucessos iniciais da Irmandade iriam liberar a fúria do regime como nunca se tinha visto antes. Nas três semanas seguintes, o exército sírio usou tanques, helicópteros de ataque e artilharia para transformar Hama em uma pilha de escombros. E quando a fase militar da operação estava completa, especialistas em demolição dinamitaram qualquer prédio que tinha sobrado e esmagaram os escombros. Quem tinha conseguido sobreviver ao massacre foi preso e colocado em centros de detenção. Qualquer suspeito de ter conexões com a Irmandade foi brutalmente torturado e morto. Os cadáveres foram enterrados em covas comuns, e foi colocado asfalto por cima.

— Caminhar pelas ruas de Hama hoje — falou Jihan — é o mesmo que caminhar sobre os ossos dos mortos.

— Mas você sobreviveu — falou Gabriel em voz baixa.

— É — respondeu ela. — Eu sobrevivi.

Uma lágrima escorreu por seu rosto e criou um caminho que ia até seu queixo. Era a primeira. Ela a enxugou abruptamente, como se tivesse medo de mostrar suas emoções na frente de estranhos, e arrumou a bainha de seu vestido.

— E sua família? — perguntou Gabriel, penetrando seu silêncio. — O que aconteceu com eles?

— Meu pai e meus irmãos foram mortos durante a luta.

— E sua mãe?

— Ela foi morta alguns dias depois. Tinha dado à luz quatro inimigos do regime. Não poderia viver.

Outra lágrima escapou de seus olhos. Dessa vez ela ignorou.

— E você, Jihan? Qual foi seu destino?

— Fui enviada a um acampamento junto com outras crianças de Hama. Estava em algum lugar do deserto, não tenho certeza onde. Alguns meses depois, a Mukhabarat me deixou ir para Damasco para viver com um primo distante. Ele nunca gostou muito de mim, então me mandou para a Alemanha para morar com o irmão dele.

— Em Hamburgo?

Ela assentiu lentamente.

— Morávamos em Marienstrasse. Número 57. — Ela parou, depois perguntou: — Já ouviu falar dessa rua? A Marienstrasse?

Gabriel disse que não. Era outra mentira.

— Havia uns rapazes que viviam do outro lado da rua no número 54. Rapazes muçulmanos. Árabes. Achava que um deles era bem bonito. Era quieto, intenso. Nunca me olhava nos olhos quando nos cruzávamos na rua porque eu não usava o véu. — Os olhos dela iam de um rosto ao outro. — E sabe quem era esse rapaz? Mohamed Atta. — Ela balançou a cabeça lentamente. — Era quase como se eu nunca tivesse saído de Barudi. Troquei um bairro da Irmandade Muçulmana por outro.

— Mas não estava interessada na política do Oriente Médio?

— Nunca — falou ela, balançando a cabeça com força. — Tentei ao máximo ser uma boa garota alemã, mesmo que os alemães não gostassem muito de mim. Fui para a escola, para a universidade, e depois consegui um emprego num banco alemão.

— E depois veio para Linz — falou Gabriel. — E conseguiu um emprego trabalhando para um homem que estava relacionado com as pessoas que mataram sua família.

Ela ficou em silêncio.

— Por quê? — perguntou Gabriel. — Por que foi trabalhar para um homem como Waleed al-Siddiqi?

— Não sei. — Olhou para os rostos ao redor dela. O cliente que não era cliente. A vizinha que não era vizinha. Os três auditores fiscais que não eram auditores fiscais. — Mas estou feliz por ter aceitado o emprego.

Gabriel sorriu.

— Eu também.

41

LAGO ATTERSEE, ÁUSTRIA

A essa altura, JÁ ERA O FINAL da tarde. Do lado de fora, o vento tinha parado e a superfície do lago parecia uma folha de vidro escuro. Jihan parecia de repente exausta; estava olhando pelas portas francesas abertas com os olhos vazios de uma refugiada. Gabriel colocou seus arquivos na mesa e tirou seu terno burocrático. Então, sozinho, levou Jihan pelo jardim até o barco a motor amarrado no final de um longo píer. Ele entrou primeiro e, pegando a mão de Jihan, a ajudou a entrar e se sentar. Ela colocou seus óculos escuros de estrela de cinema e se arrumou cuidadosamente, como se estivessem a ponto de tirar uma foto. Gabriel ligou o motor, desamarrou as cordas e deixou-as boiando. Afastou-se do píer devagar, para não fazer ondas, e virou o barco para o sul. O céu ainda estava claro, mas os picos das montanhas no final do lago retinham os resquícios de uma nuvem que passava. Os austríacos chamavam essas montanhas de Höllengebirge: as Montanhas do Inferno.

— Você dirige bem o barco — falou Jihan atrás dele.

— Costumava velejar quando era mais jovem.

— Onde?

— No Báltico — respondeu ele. — Passava os verões lá quando era criança.

— Entendo — falou Jihan, distante. — E ouvi que Ingrid costumava passar seus verões aqui no Attersee.

Estavam sozinhos no centro do lago. Gabriel desligou o motor e virou seu banco para ficar de frente para ela.

— Você sabe tudo sobre mim agora — falou ela —, e eu não sei nada sobre você. Nem mesmo seu nome.

— É para sua proteção.

— Ou talvez para a sua. — Ela levantou os óculos escuros para mostrar seus olhos. O sol do final da tarde os iluminou. — Sabe o que vai acontecer comigo se o sr. al-Siddiqi descobrir que contei essas coisas?

— Ele vai matá-la — respondeu Gabriel, direto. — E é por isso que devemos ter certeza de que ele nunca vai saber.

— Talvez ele já saiba. — Ela olhou séria para ele por um momento. — Ou talvez você trabalhe para o sr. al-Siddiqi? Talvez eu já esteja morta.

— Pareço alguém que trabalha para o sr. al-Siddiqi?

— Não — admitiu ela. — Mas não parece um auditor fiscal alemão, também.

— As aparências enganam.

— Os auditores fiscais alemães também.

Um vento cruzou o barco e criou ondas na superfície do lago.

— Sente esse cheiro? — perguntou Jihan. — O cheiro de flores.

— Chamam de Rosenwind.

— É mesmo?

Ele assentiu. Jihan fechou os olhos e inalou o perfume.

— Minha mãe sempre usou um pouco de óleo de rosas no pescoço e na barra de seu hijab. Quando os sírios estavam bombardeando Hama, ela me abraçava forte para não ficar com medo. Eu costumava apertar meu rosto contra seu pescoço para poder sentir o cheiro das rosas em vez da fumaça dos incêndios.

Ela abriu os olhos e fixou-os em Gabriel.

— Quem é você? — perguntou ela.

— Sou o homem que vai ajudá-la a terminar o que você começou.

— O que isso significa?

— Você ficou no Bank Weber por um motivo, Jihan. Queria saber o que o sr. al-Siddiqi estava fazendo. E agora sabe que ele esteve escondendo dinheiro para o regime. Bilhões de dólares que deveriam ser usados para educar e cuidar do povo sírio. Bilhões de dólares agora escondidos em uma rede de contas bancárias espalhadas pelo mundo.

— O que você pretende fazer com isso?

— Vou transformar a família dirigente síria em camponeses das montanhas Ansariya de novo. — Ele parou, depois acrescentou: — E você vai me ajudar.

— Não posso.

— Por que não?

— Porque não tenho a informação que você está procurando.

— Onde está?

— Uma parte está no computador do escritório do sr. al-Siddiqi. É muito seguro.

— Segurança informática é um mito, Jihan.

— E é por isso que ele não mantém a informação realmente importante guardada ali. Ele sabe bem que não deve confiar em nenhum aparelho eletrônico.

— Está me dizendo que está tudo na cabeça dele?

— Não — respondeu ela. — Está aqui.

Ela colocou sua mão sobre o coração.

— Ele carrega com ele?

— Em um pequeno caderno de couro — respondeu ela, assentindo. — Está ou no bolso do peito de seu terno ou em sua maleta, mas ele *nunca* o perde de vista.

— O que tem no caderno?

— Uma lista de números de contas, instituições e saldos atualizados. Muito simples. Muito direto.

— Já viu o caderno?

Ela assentiu.

— Estava em sua mesa uma vez quando ele me chamou em sua sala. Está escrito com sua própria letra. Contas que foram fechadas ou transferidas estão cruzadas por uma linha simples.

— Há outras cópias?

Ela negou com a cabeça.

— Tem certeza?

— Absoluta — respondeu ela. — Ele guarda somente uma cópia, assim sabe se alguém teve acesso a ela.

— E se suspeitasse que alguém viu o caderno?

— Acho que tem uma forma de trancar as contas.

Uma leve brisa fez parecer que um buquê de rosas tivesse sido atirado entre eles. Voltou a colocar seus óculos escuros e passou a ponta do dedo pela superfície da água.

— Há outro problema — falou ela depois de um momento. — Se vários bilhões de dólares de bens sírios desaparecerem, o sr. al-Siddiqi e seus amigos em Damasco vão começar a procurar. — Ela parou, depois acrescentou: — O que significa que você vai ter que me fazer desaparecer, também. — Ela tirou sua mão da água e olhou para Gabriel. — Pode fazer isso?

— Num piscar de olhos.

— Ficarei segura?

— Ficará, Jihan. Ficará segura.

— Onde vou viver?

— Onde quiser, desde que seja razoável, claro.

— Gosto daqui — falou ela, olhando para as montanhas. — Mas é muito perto de Linz.

— Então vamos encontrar algum lugar parecido.

— Vou precisar de uma casa. E um pouco de dinheiro. Não muito — acrescentou ela, rápido. — Só o suficiente para viver.

— Algo me diz que dinheiro não será problema.

— Quero ter certeza de que não é dinheiro do dirigente. — Ela enfiou seu dedo no lago de novo. — Está coberto de sangue.

Ela parecia estar escrevendo algo na superfície da água. Gabriel ficou tentado a perguntar o que era, mas preferiu deixá-la em paz. Uma nuvem tinha se liberado das Montanhas do Inferno. Flutuava sobre suas cabeças, parecia tão perto que Gabriel teve que resistir à vontade de esticar a mão e agarrá-la.

— Nunca explicou como me encontrou — falou Jihan de repente.

— Não acreditaria se eu lhe contasse.

— É uma boa história?

— Acho que sim.

— Talvez Ingrid possa escrevê-la em vez do livro em que está trabalhando agora. Nunca gostei de histórias sobre Viena durante a guerra. São muito parecidas com as de Hama.

Ela levantou a cabeça e olhou para Gabriel.

— Vai me contar quem você é?

— Quando tudo terminar.

— Está me dizendo a verdade?

— Estou, Jihan. Estou dizendo a verdade.

— Diga-me seu nome — insistiu ela. — Diga-me agora e vou escrever no lago. E quando acabar, vou esquecê-lo.

— Infelizmente, não funciona assim.

— Vai pelo menos levar o barco de volta para a casa?

— Sabe pilotar isso?

— Não.

— Venha aqui — falou ele. — Eu mostro para você.

Ela ficou na *villa* no lago Attersee muito tempo depois de escurecer; então, ao lado de Dina, voltou com seu Volvo preto para Linz. Passou boa parte da viagem tentando descobrir o nome e a afiliação do homem que iria roubar a fortuna conquistada de forma ilícita pela família dirigente síria, mas Dina não falou nada. Falou somente da festa que não tinham participado, de um jovem arquiteto bonito que parecia ter ficado muito interessado em Jihan, e do atraente cheiro de rosas que apareceu com o vento noturno. Quando chegaram perto da cidade, Jihan parecia ter esquecido temporariamente os eventos da tarde.

— Acha que ele vai mesmo me ligar? — perguntou sobre o imaginário arquiteto de Dina.

— Vai — falou Dina, sentindo novamente a culpa sobre seus ombros. — Acho que vai.

Tinha passado um pouco da meia-noite quando elas entraram na rua tranquila perto de Innere Stadt. Elas se separaram com beijos formais no rosto e subiram para seus apartamentos. Quando Dina entrou no dela, viu a silhueta de um homem forte sentado rígido na janela. Estava olhando pelo espaço das persianas. No chão perto de seu pé havia uma HK 9mm.

— Alguma coisa? — perguntou ela.

— Não — respondeu Christopher Keller. — Ela está limpa.

— Quer que eu faça café?

— Não precisa.

— Quer comer algo?

— Eu trouxe algo.

— Quem vai substituí-lo?

— Vou trabalhar sozinho por enquanto.

— Mas você precisa dormir de vez em quando.

— Sou do Regimento — falou Keller enquanto olhava para fora. — Não preciso dormir.

PARTE QUATRO

O RESULTADO

42

LONDRES

MAS COMO CONSEGUIR PEGAR o caderno durante tempo suficiente para roubar seu conteúdo? E como fazer isso de uma forma que Waleed al--Siddiqi nunca percebesse que o caderno tinha sumido? Essas foram as perguntas que a equipe debateu depois da partida de Jihan da casa de Attersee. A solução mais óbvia era o equivalente do Escritório de invasão forçada, mas Gabriel rejeitou a proposta. Insistia que a operação fosse realizada sem sangue e de uma forma que não alertaria o clã dirigente da Síria de que acontecia algo estranho com o dinheiro deles. Tampouco gostou da sugestão de Yaakov de uma armadilha de sedução. Até onde sabiam, o sr. al-Siddiqi era um homem sem vícios pessoais, a não ser pelo fato de que administrava a riqueza que um assassino em massa tinha saqueado.

Havia uma máxima rigorosa no Escritório, criada por Shamron, de que um problema simples às vezes tinha uma solução simples. E a solução para o problema deles, falou Gabriel, tinha apenas dois componentes. Eles tinham que obrigar Waleed al-Siddiqi a entrar num avião, e forçá-lo a cruzar uma fronteira amiga. Além disso, ele acrescentou, a equipe deveria saber com antecipação dos dois eventos.

O que explicava por que logo cedo na manhã seguinte, tendo dormido muito pouco, Gabriel entrou em um Audi alugado e saiu da Áustria pela mesma rota que tinha entrado. A Alemanha nunca tinha parecido tão linda. As verdes fazendas da Bavária eram seu Éden; Munique, com a espiral da Torre Olímpica flutuando por cima da névoa do verão como um minarete, era sua Jerusalém. Ele deixou o carro no estacionamento do aeroporto de Munique e correu para pegar o voo das dez e meia da British Airways para Londres. Seu companheiro de assento era alguém que gostava de beber logo cedo, de Birmingham; e Gabriel, poucas horas depois de deixar a presença de Jihan, era novamente Jonathan Albright da Markham Capital Advisers. Tinha ido a Munique, explicou, para explorar a possibilidade de adquirir uma empresa de tecnologia alemã. E sim, tinha acrescentado, prometia ser muito lucrativa.

Estava chovendo em Londres, uma nuvem baixa e escura de tempestade, e parecia ser noite no aeroporto de Heathrow. Gabriel passou pelo controle de passaportes e seguiu os sinais amarelos até o hall de entrada, onde Nigel Whitcombe o esperava usando uma capa de chuva ensopada, parecendo um governador colonial em algum canto distante do Império.

— Sr. Baker — falou ele quando apertou a mão de Gabriel. — É bom vê-lo de novo. Bem-vindo de volta à Inglaterra.

Whitcombe tinha um Vauxhall Astra, que dirigia muito rápido e com uma habilidade indolente. Foi para Londres usando a M4. Então, a pedido de Gabriel, deu algumas voltas de contravigilância através de Earl's Court e West Kensington antes de finalmente continuar até um chalé em Maida Vale. Tinha uma porta na frente da cor da casca de limão e uma placa de boas-vindas onde se podia ler ABENÇOADOS TODOS AQUELES QUE ENTRAREM NESSA CASA. Graham Seymour estava sentado na biblioteca, um volume de Trollope aberto sobre seu joelho. Quando Gabriel entrou sozinho, o chefe do MI6 fechou o livro lentamente e, levantando-se, colocou-o de novo na prateleira.

— O que foi dessa vez? — perguntou ele.

— Dinheiro — respondeu Gabriel.

— A quem pertence?

— Ao povo sírio. Mas por enquanto — acrescentou Gabriel —, está nas mãos de Mal S.A.

Seymour levantou uma sobrancelha nobre.

— Como você encontrou? — perguntou ele.

— Jack Bradshaw me indicou a direção correta. E uma mulher chamada Jihan me contou como encontrar o mapa do tesouro.

— E você, imagino, quer escavá-lo.

Gabriel ficou em silêncio.

— O que precisa do Serviço Secreto de Sua Majestade?

— Permissão para realizar uma operação em solo britânico.

— Haverá mortos?

— Acho que não.

— Onde vai acontecer?

— No Tate Modern, se ainda estiver disponível.

— Algum outro lugar?

— Aeroporto de Heathrow.

Seymour franziu a testa.

— Talvez você devesse começar do começo, Gabriel. E dessa vez — acrescentou ele —, poderia ser uma boa ideia me contar tudo.

Foi Jack Bradshaw, o espião britânico caído transformado em contrabandista de arte, que tinha juntado Gabriel e Graham Seymour, assim, foi por Bradshaw que Gabriel começou sua história. Foi completa, mas, por necessidade, bastante censurada. Por exemplo, Gabriel não mencionou o nome do ladrão de arte que tinha contado que o Caravaggio, desaparecido há tanto tempo, tinha sido recentemente vendido. Nem identificou o mestre falsificador que tinha encontrado morto em seu estúdio em Paris, ou os ladrões que tinham roubado o *Doze Girassóis numa Jarra* do Rijksmuseum Vincent van Gogh, em Amsterdã, ou o nome do agente secreto suíço que tinha dado acesso à galeria de quadros roubados de Jack Bradshaw no Freeport de Genebra. Foi a carta encontrada no cofre de Bradshaw que levou Gabriel à LXR Investments e, no final, a um pequeno banco particular em Linz, apesar de que Gabriel não afirmou que a trilha tinha passado por um escritório de advogados pan-árabes com sede na rua Great Suffolk.

— Quem foi o sujeito que colocou sua versão falsa do Van Gogh no mercado em Paris? — perguntou Seymour.

— Era do Escritório.

— É mesmo? — duvidou Seymour. — Porque se ouviu por aí que ele era britânico.

— Quem você acha que espalhou isso, Graham?

— Você pensa em tudo, não é? — Seymour ainda estava parado na frente das estantes de livros. — E o *verdadeiro* Van Gogh? — perguntou ele. — Você vai devolvê-lo, não vai?

— Assim que conseguir colocar as mãos no caderno de Waleed al-Siddiqi.

— Ah, o caderno. — Ele tirou um livro de Greene e o abriu com o dedo indicador. — Vamos supor que você seja bem-sucedido em ter acesso àquela lista de contas. E daí?

— Use sua imaginação, Graham.

— Vai roubar? É isso que está sugerindo?

— Roubar é uma palavra feia.

— O seu serviço tem esse tipo de capacidade?

Gabriel deu um breve sorriso.

— Depois de tudo que fizemos juntos — falou ele —, me surpreende que faça essa pergunta.

Seymour devolveu o volume de Greene a seu lugar original.

— Não sou contra dar uma olhada na contabilidade dos bancos de vez em quando — falou depois de um tempo —, mas roubar é outra coisa. Afinal, somos britânicos. Acreditamos em jogar limpo.

— Não temos esse luxo.

— Não banque a vítima, Gabriel. Não combina com você. — Seymour tirou outro livro da estante, mas dessa vez nem abriu a capa.

— Algo o incomoda, Graham?

— O dinheiro.

— O que tem o dinheiro?

— Há uma grande possibilidade de que uma parte dele esteja em instituições financeiras britânicas. E se vários milhões de libras de repente desaparecessem de seus balanços... — Sua voz desapareceu, sem terminar o pensamento.

— Não deveriam ter aceitado o dinheiro para início de conversa, Graham.

— As contas foram, sem dúvida, abertas por um intermediário — respondeu Seymour. — O que significa que os bancos não têm ideia de quem é o verdadeiro dono do dinheiro.

— Logo irão saber.

— Não se quiser minha ajuda.

Um silêncio pairou entre eles. Foi quebrado, no final, por Graham Seymour.

— Sabe o que vai acontecer se vier a público que o ajudei a roubar um banco britânico? — perguntou ele. — Vou terminar mendigando em Leicester Square.

— Então vamos fazer isso discretamente, Graham, da forma como sempre fazemos.

— Desculpe, Gabriel, mas os bancos britânicos estão fora de cogitação.

— E as agências de bancos britânicos em solo estrangeiro?

— Ainda são bancos britânicos.

— E bancos nos territórios britânicos externos?

— Fora de cogitação — repetiu Seymour.

Gabriel fingiu pensar um pouco.

— Então, acho que vou ter que fazer isso sem sua ajuda. — Ele se levantou. — Desculpe ter tirado você do seu escritório, Graham. Diga a Nigel que posso voltar sozinho a Heathrow.

Gabriel começou a caminhar até a porta.

— Está esquecendo uma coisa — disse Seymour.

Gabriel se virou.

— Para parar você, só preciso dizer a Waleed al-Siddiqi para queimar esse caderno.

— Eu sei — respondeu Gabriel. — Mas também sei que você nunca faria isso. Sua consciência não permitiria. E lá no fundo, quer esse dinheiro tanto quanto eu.

— Não se estiver depositado em um banco britânico.

Gabriel olhou para o teto e contou até cinco em sua cabeça.

— Se o dinheiro estiver nas ilhas Caimã, Bermuda ou qualquer outro território britânico, eu vou pegá-lo. Se estiver aqui em Londres, fica em Londres.

— Combinado — falou Seymour.

— Desde que — acrescentou Gabriel rapidamente — a HMG congele esses bens.

— O primeiro-ministro teria que tomar uma decisão como essa.

— Estou muito confiante de que o primeiro-ministro vai concordar comigo.

Dessa vez, foi Graham Seymour que olhou para o teto, bravo.

— Você ainda não me contou como vai conseguir o caderno.

— Na verdade — falou Gabriel —, você vai fazer isso para mim.

— Ainda bem que me contou isso. Mas como vamos fazer com que al-Siddiqi venha para a Grã-Bretanha?

— Vou convidá-lo para uma festa. Com alguma sorte — acrescentou Gabriel —, será a última que ele vai participar.

— Melhor que seja uma grande festa, então.

— É o que pretendo.

— Quem vai organizar?

— Um amigo meu da Rússia que não gosta de ditadores que roubam dinheiro.

— Nesse caso — falou Seymour, sorrindo pela primeira vez —, promete ser uma noite inesquecível.

43

CHELSEA, LONDRES

Um espião britânico caído, um policial italiano com apenas um olho, um mestre no roubo de quadros, um assassino profissional da ilha da Córsega: essa foi a coleção de personagens através dos quais o caso tinha avançado até agora. Então parecia combinar bem que a próxima parada nessa improvável viagem de Gabriel fosse no número 43 da rua Cheyne Walk, a casa em Londres de Viktor Orlov. Orlov era um pouco como Julian Isherwood; fazia com que a vida fosse mais interessante, e por isso Gabriel o adorava. Mas sua afeição pelo russo era baseada em algo bem mais prático. Se não fosse por Orlov, Gabriel estaria morto em um campo de concentração da era de Stalin ao leste de Moscou. E Chiara estaria deitada ao lado dele.

Diziam que Viktor Orlov dividia as pessoas em duas categorias: as que estavam dispostas a serem usadas e aquelas que eram muito estúpidas para perceber que estavam sendo usadas. Alguns acrescentariam ainda um terceiro tipo: aquelas dispostas a deixar Viktor roubar seu dinheiro. Ele não escondia que era um predador e um barão dos ladrões. Na verdade, usava esses rótulos com orgulho, junto com seus ternos italianos de dez mil dólares e suas camisas listradas, que eram sua marca registrada, especialmente feitas por um homem em Hong Kong. A dramática queda do comunismo soviético tinha apresentado a Orlov a oportunidade de ganhar muito dinheiro em pouco tempo, e ele não tinha perdido essa oportunidade. Orlov raramente pedia desculpas por algo, menos ainda pela maneira como tinha ficado rico. "Se tivesse nascido na Inglaterra, poderia ter ganhado meu dinheiro honestamente.", ele contou a um entrevistador britânico pouco depois de estabelecer sua residência em Londres. "Mas nasci na Rússia. E ganhei uma fortuna russa."

Criado em Moscou durante os piores dias da Guerra Fria, Orlov tinha sido abençoado com uma facilidade natural com os números. Depois de completar o ensino médio, estudou física na Universidade de Leningrado de Tecnologia da Informação, Mecânica e Ótica, e depois desapareceu no programa de armas nucleares russo, onde trabalhou até o final da União Soviética. Enquanto a maioria dos seus colegas continuava a trabalhar sem salário, Orlov renunciou ao Partido Comunista e jurou ficar rico. Em poucos anos, tinha ganhado uma fortuna razoável importando computadores, aparelhos e outros bens ocidentais para o nascente mercado russo. Mais tarde, usou essa fortuna para comprar a maior empresa estatal de aço da Rússia junto com Ruzoil, a gigante petroleira da Sibéria, a preços muito baixos. Em pouco tempo, Viktor Orlov, ex-físico do governo que já tinha compartilhado um apartamento com duas outras famílias soviéticas, era um bilionário e o homem mais rico da Rússia.

Mas na Rússia pós-soviética, uma terra sem lei e tomada pelo crime e pela corrupção, a fortuna de Orlov fez dele um homem marcado. Sobreviveu a pelo menos três atentados contra sua vida e dizem que mandou matar vários homens como retaliação. Mas a maior ameaça contra Orlov viria do homem que sucedeu Boris Yeltsin como presidente da Rússia. Ele acreditava que Viktor Orlov e outros oligarcas tinham roubado os bens mais valiosos do país, e era sua intenção tomá-los de volta. Depois de se estabelecer no Kremlin, o novo presidente se reuniu com Orlov e exigiu duas coisas: sua empresa de aço e Ruzoil. "E fique longe da política", ele acrescentou, ameaçador. "Ou vou ter que eliminá-lo."

Orlov concordou em abrir mão de sua parte no aço, mas não de Ruzoil. O presidente não ficou satisfeito. Imediatamente mandou que os promotores abrissem uma investigação sobre fraude e suborno e, em uma semana, os promotores russos tinham um mandado para a prisão de Orlov. Enfrentando a perspectiva de uma longa estadia em um *neo-gulag*, ele sabiamente fugiu para Londres, onde se tornou um dos críticos mais ferozes do presidente russo. Durante vários anos, a Ruzoil ficou congelada por ordem da justiça, fora do alcance tanto de Orlov como dos novos mestres do Kremlin. Finalmente, Orlov concordou em entregar a empresa no que foi, na verdade, o maior pagamento de resgate da história — 12 bilhões de dólares em troca da libertação de três agentes sequestrados do Escritório. Por sua generosidade, Orlov recebeu um passaporte britânico e uma reunião bastante privada com a rainha. No final, declarou que este tinha sido o dia de que mais se orgulhava em sua vida.

Havia se passado mais de cinco anos desde que Viktor Orlov tinha feito o acordo financeiro com o Kremlin, mas continuava no topo da lista de inimigos russos. Como resultado, anda por Londres em uma limusine blindada, e sua casa em Cheyne Walk parece a embaixada de uma nação sitiada. As janelas eram à prova de bala, e estacionado no meio-fio havia um Range Rover cheio de guarda-costas, todos ex-membros do velho regimento de Christopher Keller, o Serviço Aéreo Especial. Não prestaram muita atenção em Gabriel quando ele chegou na hora marcada, às quatro e meia, e passando pelo portão de ferro, se apresentou na porta da frente de Orlov. A campainha, quando ele a tocou, foi atendida por uma empregada com um uniforme preto e branco engomado, que acompanhou Gabriel por uma escadaria ampla e elegante até o escritório de Orlov. A sala era uma réplica exata do gabinete privado da rainha no Palácio de Buckingham, exceto pela tela de plasma gigante atrás da mesa de Orlov. Normalmente, ela transmitia dados financeiros do mundo todo, mas naquela tarde era a crise na Ucrânia que chamava a atenção de Orlov. O exército russo tinha invadido a península da Crimeia e agora estava ameaçando tomar outras regiões do leste da Ucrânia. A Guerra Fria tinha oficialmente voltado, era o que declarava o comentarista. A lógica dele tinha apenas um erro. Na cabeça do presidente russo, a Guerra Fria nunca tinha terminado.

— Avisei que isso iria acontecer — falou Orlov depois de um momento. — Avisei que o czar queria o império de volta. Deixei muito claro que a Geórgia era apenas o aperitivo e que a Ucrânia, o celeiro da velha união, seria o prato principal. E agora está acontecendo ao vivo na televisão. E o que os europeus fizeram?

— Nada — respondeu Gabriel.

Orlov assentiu lentamente, os olhos fixos na tela.

— E você sabe por que os europeus não estão fazendo nada enquanto o Exército Vermelho invade de forma brutal outra nação independente.

— Dinheiro — respondeu Gabriel.

Orlov assentiu de novo.

— Avisei sobre isso também. Falei para eles não ficarem tão dependentes do comércio com a Rússia. Pedi que não ficassem viciados no gás natural barato da Rússia. Ninguém me ouviu, claro. E agora os europeus não têm como impor sanções sérias contra o czar porque isso iria atacar muito suas economias. — Balançou a cabeça lentamente. — Isso me deixa mal.

Nesse instante, apareceu o presidente russo na tela, uma mão rígida ao lado do corpo e a outra balançando como uma foice. Seu rosto tinha sido operado recentemente de novo; os olhos estavam tão esticados que ele parecia um homem das repúblicas da Ásia Central. Seria uma figura cômica se não fosse pelo sangue em suas mãos, um pouco do qual pertencia a Gabriel.

— Na última estimativa — dizia Orlov, os olhos fixos em seu velho inimigo —, ele vale 130 bilhões de dólares, o que o tornaria o homem mais rico do mundo. Como acha que conseguiu todo esse dinheiro? Afinal, ele passou toda sua vida recebendo um salário do governo.

— Acho que ele roubou.

— Você acha?

Orlov se virou da tela e olhou para Gabriel pela primeira vez. Era um homem pequeno e ágil de sessenta anos, com uma cabeça de cabelos grisalhos penteados com gel de uma forma jovem e espetada. Atrás dos óculos sem armação, seu olho esquerdo tremia nervoso. Era o que acontecia normalmente quando falava sobre o presidente russo.

— Sei com certeza que ele embolsou uma boa porção da Ruzoil depois que a entreguei ao Kremlin para tirá-lo da Rússia. Valia uns 12 bilhões de dólares na época. Coisa pouca no grande esquema geral — acrescentou Orlov. — Ele e seu círculo interno estão ficando incrivelmente ricos às custas do povo russo. É por isso que vai fazer o que for preciso para continuar no poder. — Orlov fez uma pausa, depois acrescentou: — Assim como seu amigo na Síria.

— Então por que não me ajuda a fazer algo sobre isso?

— Roubar o dinheiro do czar? É o que mais adoraria no mundo. Afinal — acrescentou Orlov —, uma parte dele é meu. Mas não é possível.

— Concordo.

— Então, o que está sugerindo?

— Que roubemos o dinheiro de seu amigo sírio, no lugar.

— Você o encontrou?

— Não — respondeu Gabriel. — Mas sei quem está controlando o dinheiro.

— Seria Kemel al-Farouk — falou Orlov. — Mas o homem que está realmente administrando o portfólio de investimentos é Waleed al-Siddiqi.

Gabriel ficou muito assombrado para responder. Orlov sorriu.

— Você deveria ter vindo falar comigo antes — disse ele. — Poderia ter evitado muitos problemas.

— Como sabe sobre al-Siddiqi?

— Porque você não é o único procurando o dinheiro. — Orlov olhou para a TV atrás de si, onde o presidente russo estava agora recebendo um informe de seus generais.

— O czar também está atrás dele. Mas isso não é surpresa — acrescentou ele. — O czar quer tudo.

Quando deu cinco horas, a empregada apareceu com uma garrafa de Château Pétrus, o lendário vinho de Pomerol que Orlov bebia como se fosse água Evian.

— Quer uma taça, Gabriel?

— Não, obrigado, Viktor. Estou dirigindo.

Orlov balançou a mão desdenhoso e serviu vários centímetros do vinho tinto escuro em uma taça.

— Onde estávamos? — perguntou ele.

— Estava prestes a me contar como é que sabe sobre Waleed al-Siddiqi.

— Tenho fontes em Moscou. Excelentes fontes — acrescentou ele com um sorriso. — Achei que já sabia disso.

— Suas fontes são as melhores, Viktor.

— Melhores que as do MI6 — falou ele. — Deveria aconselhar seu amigo Graham Seymour a atender minhas ligações de vez em quando. Posso ser muito útil para ele.

— Vou mencionar isso da próxima vez que me encontrar com ele.

Orlov se sentou na ponta de um sofá comprido e convidou Gabriel a se sentar na outra ponta. Do outro lado das janelas à prova de bala, o trânsito da noite fluía por Chelsea Embankment cruzando a ponte Albert até Battersea. No mundo de Viktor Orlov, no entanto, só havia a figura ligeiramente ridícula cruzando as telas de sua TV.

— Por que você acha que ele saiu em defesa do presidente sírio quando o resto do mundo civilizado estava pronto para usar a força militar contra ele? Foi por que queria proteger o único amigo da Rússia no mundo árabe? Queria manter sua base naval em Tartus? A resposta para as duas questões é sim. Mas há outra razão. — Orlov olhou para Gabriel e disse: — Dinheiro.

— Quanto?

— Meio bilhão de dólares, pagável diretamente para uma conta controlada pelo czar.

— Quem falou?

— Preferia não falar.

— De onde vem esse meio bilhão?

— O que você acha?

— Como não sobrou nada no tesouro sírio, eu diria que veio diretamente do bolso do dirigente.

Orlov assentiu e olhou para a tela de novo.

— E o que você acha que o czar fez depois de ter recebido a confirmação de que o dinheiro tinha sido depositado em sua conta?

— Como o czar é um maldito ambicioso, acho que mandou que seus velhos colegas na SVR encontrassem o resto.

— Você conhece bem o czar.

— E tenho as cicatrizes para provar.

Orlov sorriu e tomou um gole do vinho.

— Minhas fontes me dizem que a busca foi realizada pelo *rezident* da SVR em Damasco. Ele já sabia sobre Kemel al-Farouk. Demorou cinco minutos para chegar ao nome de al-Siddiqi.

— Al-Siddiqi controla toda a fortuna?

— Nem perto disso — respondeu Orlov. — Se tivesse que adivinhar, diria que ele administra mais ou menos metade do dinheiro do dirigente.

— Então o que o czar está esperando?

— Está esperando para ver se o dirigente sobrevive ou se termina como Gaddafi. Se sobreviver, pode ficar com seu próprio dinheiro. Mas se terminar como Gaddafi, a SVR vai agarrar aquela lista de contas que al-Siddiqi carrega em seu bolso.

— Vou chegar antes deles — falou Gabriel. — E você vai me ajudar.

— O que exatamente precisa que eu faça?

Gabriel contou. Orlov girou os óculos pela haste, algo que sempre fazia quando estava pensando em dinheiro.

— Não vai ser barato — falou depois de um momento.

— Quanto, Viktor?

— Trinta milhões, no mínimo. Talvez quarenta quando tudo estiver preparado.

— O que você diz de cada um pagar sua parte dessa vez?

— Quanto você tem?

— Poderia conseguir uns dez milhões por aí — falou Gabriel. — Mas eu teria que lhe dar em dinheiro.

— É verdadeiro?

— Totalmente.

Orlov sorriu.

— Então aceito em dinheiro.

44

LONDRES — LINZ, ÁUSTRIA

Houve um intenso debate sobre como chamar aquilo. Orlov exigia que seu nome estivesse associado com o empreendimento — algo pouco surpreendente, pois ele estava colocando a maior parte do dinheiro. "O nome Orlov é símbolo de qualidade", ele argumentava. "O nome Orlov é símbolo de sucesso." Verdade, falou Gabriel, mas também é símbolo de corrupção, jogo duplo e rumores de violência, acusações que Orlov nunca se importou em negar. No final, eles ficaram com "Iniciativa de Negócios Europeia": estoico, sólido e sem nenhuma controvérsia. Orlov ficou resmungando com a derrota.

— Por que não chamamos de "doze horas de tédio irrestrito"? — murmurou. — Dessa forma podemos ter certeza de que ninguém vai querer participar.

Eles anunciaram o empreendimento na segunda-feira seguinte nas páginas do *Financial Journal*, o venerável diário de negócios de Londres que Orlov tinha comprado por uma bagatela alguns anos antes, quando estava à beira da falência. O objetivo declarado da reunião, ele dizia, era juntar as mentes mais brilhantes do governo, indústria e finanças para chegar a um consenso sobre recomendações políticas que levantariam a economia europeia de sua estagnação pós-recessão. A reação inicial foi morna, no melhor dos casos. Um comentarista chamou de Loucura de Orlov. Outro a batizou de *Titanic* de Orlov.

— Com uma diferença crítica — acrescentou. — Esse barco vai afundar antes de deixar o porto.

Ainda houve outros que desdenharam da conferência como mais um na longa lista de truques publicitários de Orlov, uma acusação que ele negou várias vezes durante um dia inteiro de entrevistas nas redes de notícias de negócios. Então, como se quisesse provar que seus críticos estavam errados, embarcou em uma turnê silenciosa pelas capitais europeias para angariar apoio a seu empreendimento. Sua primeira parada foi Paris, onde, depois de uma maratona de reuniões de negociação, o ministro de Economia francês concordou em enviar uma delegação. Em seguida partiu para Berlim, onde conseguiu uma promessa dos alemães de que iam participar. O resto do continente seguiu. Os Países Baixos concordaram numa tarde, assim como a Escandinávia. Os espanhóis ficaram tão desesperados para participar que Orlov nem precisou ir até Madri. Também não foi necessário viajar a Roma. Na verdade, o primeiro-ministro italiano disse que iria participar pessoalmente — desde que, claro, ainda estivesse no cargo na ocasião.

Tendo ganhado o compromisso dos governos europeus, Orlov foi atrás das estrelas dos negócios e das finanças. Capturou os titãs da indústria automobilística alemã, e os gigantes industriais da Suécia e da Noruega. Transportes quis entrar na brincadeira, assim como Aço e Energia. Os bancos suíços relutaram no começo, mas concordaram depois que Orlov garantiu que não seriam crucificados por seus pecados anteriores. Mesmo Martin Landesmann, o rei suíço dos fundos de investimento e realizador internacional de boas ações, anunciou que encontraria tempo em sua agenda lotada, apesar de ter implorado para Orlov devotar pelo menos parte do programa para questões importantes para ele como a mudança climática, a dívida do Terceiro Mundo e agricultura sustentável.

E assim, em poucos dias, a conferência que já tinha sido chamada de loucura se tornou o evento mais importante do mundo dos negócios. Orlov estava tomado por pedidos de convites. Havia os norte-americanos que se perguntavam por que não tinham sido convidados. Modelos, estrelas do rock e atores que queriam se juntar aos ricos e poderosos. O ex-primeiro-ministro, caído em desgraça por um escândalo pessoal, que queria uma chance de se redimir. Até os companheiros da oligarquia russa que mantinham ligações desconfortáveis com os inimigos de Orlov no Kremlin. Ele deu a mesma resposta para todos. Os convites seriam enviados por correio noturno no primeiro dia de julho. RSVPs deveriam voltar em 48 horas. A imprensa teria autorização para ver os comentários iniciais de Orlov, mas todas as outras discussões, incluindo o jantar de gala, seriam fechadas para a imprensa. "Queremos que nossos participantes se sintam livres para falar o que quiserem", disse Orlov. "E não poderão fazer isso se a imprensa estiver ouvindo suas palavras."

Tudo isso parecia de pouca importância na encantada cidade austríaca localizada numa curva estranhamente pontuda do rio Danúbio. Sim, o presidente da Voestalpine AG, a gigante de aço de Linz, tinha recebido sondagens de Orlov sobre sua participação na conferência em Londres, mas, tirando isso, a vida continuava normal. Houve alguns festivais de verão, os cafés enchiam e esvaziavam duas vezes por dia, e no pequeno banco privado localizado perto da rotatória do bonde, uma filha de Hama continuava com sua rotina diária como se nada incomum tivesse ocorrido. Com seu celular hackeado, que agora agia como um transmissor em tempo integral, Gabriel e o resto da equipe eram capazes de ouvir todos seus movimentos. Eles ouviam quando ela abria contas e movimentava dinheiro. Ouviam suas reuniões com Herr Weber e com o sr. al-Siddiqi. E à noite, ouviam como ela sonhava com Hama.

Ouviam, também, como ela retomava sua amizade com uma aspirante a romancista, recentemente divorciada e vivendo sozinha em Linz, chamada Ingrid Roth. Elas almoçavam juntas, faziam compras, visitavam museus. E em duas ocasiões voltaram à linda *villa* amarela na margem ocidental do Attersee, onde Jihan foi interrogada e preparada por um homem que tinha sido levada a acreditar que era alemão. No final da primeira sessão, ele pediu uma descrição detalhada do escritório do sr. al-Siddiqi. E quando voltou para a segunda sessão, uma réplica do escritório tinha sido criada em um dos quartos da *villa*. Era uma falsificação perfeita em todos os detalhes: a mesma mesa, o mesmo computador, o mesmo telefone, até a mesma câmera de segurança no alto e o mesmo teclado numérico na porta.

— Para que isso? — perguntou Jihan, assombrada.

— Para praticar — falou Gabriel com um sorriso.

E eles praticaram, durante três horas sem parar, até ela conseguir realizar sua missão sem demonstrar um traço de medo ou tensão. Então, ela refez no escuro, e com um alarme, e com Gabriel gritando que os homens do sr. al-Siddiqi estavam vindo atrás dela. Ele não contou a Jihan que o treinamento que ela recebia tinha sido criado pelo serviço secreto do Estado de Israel. Nem mencionou o fato de que, em várias ocasiões, ele tinha passado por períodos desse mesmo treinamento. Na presença dela, ele nunca era Gabriel Allon. Era um auditor fiscal tedioso e sem nome que era muito bom no seu trabalho.

A farsa de Jihan parecia pesar cada vez mais na consciência de Gabriel com a aproximação do dia da operação. Ele lembrava a equipe a cada momento que seus oponentes iam jogar pelas Regras de Hama — e talvez pela Regra de Moscou também — e repassava cada pequeno detalhe. Com o humor de Gabriel cada vez pior, Eli Lavon tomou a liberdade de adquirir um pequeno barco de madeira, só para conseguir tirá-lo da casa por algumas horas a cada tarde. Ele navegava até as Montanhas do Inferno e depois voltava para casa, sempre tentando melhorar seu tempo. O cheiro do Rosenwind o fazia lembrar da criança aterrorizada agarrando-se à sua mãe — e, às vezes, do aviso que a velha bruxa tinha sussurrado em seu ouvido na ilha da Córsega.

Não deixe que nenhum mal aconteça com ela ou vai perder tudo...

Mas sua obsessão principal durante esses últimos dias de junho era com Waleed al-Siddiq, o banqueiro sírio que ia a todos lugares com um caderno de couro preto em seu bolso. Estava viajando com frequência nesse período e, como era seu costume, com passagens compradas com poucas horas de antecedência. Houve uma viagem de um dia a Bruxelas, um voo noturno para Beirute e, finalmente, uma visita rápida a Dubai, onde passou boa parte do tempo na sede do Banco TransArabian, uma instituição que o Escritório conhecia muito bem. Voltou a Viena à uma hora, no primeiro dia de julho, e às três estava passando pela porta do Bank Weber AG, seguido, como sempre, por seus dois guarda-costas alauítas. Jihan o cumprimentou cordialmente em árabe e entregou uma pilha de correspondência que tinha chegado. Incluía um envelope DHL, dentro do qual havia um convite chique para algo chamado a Iniciativa de Negócios Europeia. Ele o carregou sem abrir até seu escritório e fechou a porta.

Era uma quarta-feira, o que significava que ele tinha até as cinco horas da sexta-feira para enviar seu RSVP via e-mail. Gabriel tinha se preparado para uma longa espera e, infelizmente, Waleed al-Siddiqi não o desapontou. A quarta-feira passou sem resposta, assim como a quinta-feira de manhã e de tarde. Eli Lavon via a demora como um sinal positivo. Significava, ele falou, que o banqueiro estava lisonjeado pelo convite e estava deliberando se iria participar. Mas Gabriel temia outra coisa. Tinha investido muito em tempo e dinheiro para atrair o banqueiro sírio para a Grã-Bretanha. E agora parecia que não tinha nada para mostrar por seus esforços a não ser uma deslumbrante palestra para empresários europeus. Melhorar a anêmica economia europeia era um empreendimento nobre, ele disse a Lavon, mas estava longe de ser uma de suas principais prioridades.

Na sexta-feira de manhã, Gabriel estava tomado pela preocupação. Ligava para Viktor Orlov em Londres a cada hora. Caminhava pela sala principal. Murmurava para o teto em qualquer idioma que parecesse melhor para seu humor, que se alterava a cada momento. Finalmente, às duas, ele abriu a porta do falso escritório de al-Siddiqi e gritou em árabe para ele se decidir logo. Foi nesse ponto que Eli Lavon achou melhor intervir. Pegou Gabriel gentilmente pelo cotovelo e o levou até o final do longo píer.

— Vai — falou, apontando para a ponta distante do lago. — E não volte aqui nem um minuto antes das cinco.

Gabriel subiu relutante no barco e navegou até as Montanhas do Inferno, de uma ponta à outra, seguido pelo perfume das rosas. Só demorou uma hora para chegar à ponta sul do lago; baixou as velas em uma enseada protegida e se esquentou sob o sol, o tempo todo resistindo à vontade de usar seu celular. Finalmente, às três e meia, levantou a vela principal e a bujarrona, voltando para o norte. Chegou à cidade de Seeberg às dez para as cinco, virou mais uma vez para estibordo, e acelerou para a viagem direto até a casa no lado oposto do lago. Quando se aproximou, viu a pequena figura de Eli Lavon parado no píer, um braço levantado em uma saudação silenciosa.

— E então? — perguntou Gabriel.

— Parece que o sr. al-Siddiqi sente-se honrado em participar da Iniciativa de Negócios Europeia.

— Só isso?

— Não — falou Lavon, franzindo a testa. — Ele também gostaria de conversar em particular com a senhorita Nawaz.

— Sobre o quê?

— Entre — respondeu Lavon. — Vamos saber em um minuto.

45

LINZ, ÁUSTRIA

ELA HAVIA PEDIDO cinco minutos. Cinco minutos para fechar os últimos arquivos de contas. Cinco minutos para arrumar sua já arrumada mesa. Cinco minutos para que seu coração caótico voltasse ao normal. O tempo tinha se esgotado. Ela se levantou, de forma um pouco mais abrupta do que o normal e arrumou sua saia. Ou estava enxugando o suor das palmas de suas mãos? Ela verificou se não tinha nenhum fio solto e depois olhou para os guarda-costas parados na porta do sr. al-Siddiqi. Estavam olhando para ela. Imaginou que o sr. al-Siddiqi estivesse olhando para ela, também. Sorrindo, ela cruzou o corredor. Sua batida na porta fingia ser decidida: três golpes duros que doeram em sua mão.

— Entre — foi tudo que ele disse.

Ela ficou olhando direto para frente enquanto o guarda-costas à sua direita — o alto chamado Yusuf — digitou o código de acesso no teclado na parede. Os trincos se liberaram com um ruído e a porta se abriu tranquilamente com seu toque. A sala em que entrou estava na semiescuridão, iluminada por uma única lâmpada halógena na mesa. Ela notou que a lâmpada tinha sido movida um pouco, mas do contrário, a mesa estava organizada como sempre: o computador à esquerda, a base de couro no centro, o telefone à direita. No momento, o fone estava apertado forte contra o ouvido do sr. al-Siddiqi. Estava usando um terno cinza escuro, uma camisa branca e uma gravata preta que brilhava como granito polido. Seus pequenos olhos escuros estavam focados em algum ponto acima da cabeça de Jihan; seu dedo indicador estava ao lado do seu nariz aquilino, criando um ar contemplativo. Ele o apontou, como uma pistola, para a cadeira vazia. Jihan se sentou e se endireitou. Ela percebeu que ainda estava sorrindo. Olhando para baixo, verificou seu e-mail no celular e tentou não ficar adivinhando quem estava do outro lado da ligação do sr. al-Siddiqi.

Finalmente, ele murmurou algumas palavras em árabe e desligou o telefone.

— Perdoe-me, Jihan — falou no mesmo idioma —, mas infelizmente, essa ligação não podia esperar.

— Algum problema?

— Nada além do normal. — Ele colocou as mãos debaixo do queixo pensativo e olhou sério para ela por um momento. — Tem algo que eu gostaria de discutir com você — falou ele finalmente. — É tanto pessoal quanto profissional. Espero que você me permita falar livremente.

— Tem algo errado?

— Você é que deve me dizer, Jihan.

Seu pescoço parecia estar pegando fogo.

— Não entendo — falou ela, calma.

— Posso fazer uma pergunta?

— Claro.

— Está feliz aqui em Linz?

Ela franziu a testa.

— Por que está perguntando algo assim?

— Porque você nem sempre parece muito feliz. — Sua boca pequena e dura fez um movimento que parecia um sorriso. — Eu a vejo como uma pessoa muito séria, Jihan.

— E sou.

— E honesta? — perguntou ele. — Você se considera uma pessoa honesta?

— Bastante.

— Nunca violaria a privacidade de nossos clientes?

— Claro que não.

— E nunca discutiria nossos negócios com ninguém fora do banco?

— Nunca.

— Nem com algum membro de sua família?

— Não.

— Nem com um amigo?

Ela balançou a cabeça.

— Tem certeza, Jihan?

— Tenho, sr. al-Siddiqi.

Ele olhou para a televisão. Estava ligada, como sempre, na Al Jazeera. O volume estava no mudo.

— E sobre lealdade? — perguntou depois de um momento. — Você se considera uma pessoa leal?

— Bastante.

— Ao que você é leal?

— Nunca pensei nisso, na verdade.
— Pense agora, por favor. — Ele olhou para a tela de seu computador para lhe dar um momento de privacidade.
— Acho que sou leal a mim mesma — falou ela.
— Resposta interessante. — Seus olhos escuros se moveram da tela do computador para o rosto dela. — De que forma você é leal a si mesma?
— Tento viver seguindo um certo código.
— Como qual?
— Nunca machucaria alguém intencionalmente.
— Mesmo se essa pessoa machucar você?
— É — respondeu ela. — Mesmo se me machucasse.
— E se você suspeitasse que alguém fez algo errado, Jihan? Tentaria machucá-lo então?
Ela sorriu forçadamente.
— Essa é a parte pessoal ou profissional do que o senhor queria discutir? — perguntou ela.
Sua pergunta pareceu desconcertá-lo. Seu olhar passeou pela televisão silenciosa.
— E em relação a seu país? — perguntou ele. — Você é leal a seu país?
— Gosto muito da Alemanha — respondeu ela.
— Você tem um passaporte alemão e fala o idioma como nativa, Jihan, mas você não é alemã. Você é síria. — Ele fez uma pausa, depois acrescentou: — Como eu.
— É por isso que me contratou?
— Eu contratei você — afirmou ele — porque precisava de alguém com sua capacidade idiomática para me ajudar aqui na Áustria. Você provou ser muito valiosa para mim, Jihan, e é por isso que estou pensando em criar um novo cargo para você.
— Que tipo de cargo?
— Você trabalharia diretamente para mim.
— Que tipo de trabalho?
— O que eu precisar.
— Não sou secretária, sr. al-Siddiqi.
— Nem eu a trataria como uma. Iria me ajudar a administrar os portfólios de investimento de meus clientes. — Ele a olhou por um momento como se estivesse tentando ler seus pensamentos. — Isso lhe interessa?
— Quem seria o gerente de contas?
— Alguém novo.
Ela abaixou a vista e respondeu olhando para suas mãos.

— Estou muito lisonjeada por me considerar para esse cargo, sr. al-Siddiqi.

— Não parece muito animada com a ideia. Na verdade, Jihan, parece um pouco desconfortável.

— De jeito nenhum — respondeu ela. — Só estou tentando imaginar por que iria querer alguém como eu nessa posição importante.

— Por que *não* você? — retrucou ele.

— Não tenho experiência gerenciando bens.

— Tem algo muito mais valioso do que experiência.

— O quê, sr. al-Siddiqi?

— Lealdade e honestidade, as duas qualidades que mais valorizo em um funcionário. Preciso de alguém em quem possa confiar. — Ele formou um triângulo com seus dedos longos e magros, e apoiou na ponta de seu nariz. — Eu *posso* confiar em você, não posso, Jihan?

— Claro, sr. al-Siddiqi.

— Isso significa que você está interessada?

— Muito — respondeu ela. — Mas gostaria de uns dias para pensar.

— Infelizmente, não posso esperar tanto tempo por uma resposta.

— Quanto tempo eu tenho?

— Diria que tem uns dez segundos. — Ele sorriu de novo. Parecia que tinha aprendido a fazer a expressão praticando em frente ao espelho.

— E se eu aceitar? — perguntou Jihan.

— Vou precisar fazer uma verificação de antecedentes antes de continuar. — Ficou silencioso por um momento. — Você não teria problema com isso, teria?

— Imagino que já tenha passado por uma verificação de antecedentes antes de ser contratada.

— É verdade.

— Então por que o senhor deve fazer outra?

— Porque essa vai ser diferente.

Ele fez parecer como uma ameaça. Talvez fosse.

Na sala de espera da casa de Attersee, Gabriel tinha, sem saber, adotado a mesma pose de Waleed al-Siddiqi: as pontas dos dedos pressionando a ponta do nariz, os olhos mirando para frente. Estavam fixos não em Jihan Nawaz, mas no computador que estava emitindo o som de sua voz. Eli Lavon estava sentado ao lado dele, mordendo a parte interna da bochecha. E ao lado de Lavon estava sentado Yaakov Rossman, o melhor falante de árabe da equipe. Como sempre, Yaakov parecia estar contemplando um ato de violência.

— Poderia ser uma coincidência — disse Lavon sem convicção.

— Poderia — repetiu Gabriel. — Ou é possível que o sr. al-Siddiqi não goste das companhias com que Jihan tem andado.

— Não é contra as regras ter uma amiga.

— A menos que a amiga trabalhe para o serviço de inteligência do Estado de Israel. Então suspeito que ele seria contra.

— Por que ele suporia que Dina é israelense?

— Ele é sírio, Eli. Automaticamente supõe o pior.

Do computador veio o som de Jihan saindo da sala do sr. al-Siddiqi e voltando para sua mesa. Gabriel voltou a barra para cinco minutos e nove segundos e clicou no PLAY.

"Você se considera uma pessoa honesta?"

"Bastante."

"Nunca violaria a privacidade de nossos clientes?"

"Claro que não."

"E nunca discutiria nossos negócios com ninguém fora do banco?"

"Nunca."

"Nem com algum membro de sua família?"

"Não."

"Nem com um amigo?"

Gabriel apertou STOP e olhou para Lavon.

— Vamos combinar que isso não parece muito encorajador — falou Lavon.

— Que tal isso?

Gabriel clicou no PLAY.

"De que forma você é leal a si mesma?"

"Tento viver seguindo um certo código."

"Como qual?"

"Nunca machucaria alguém intencionalmente."

"Mesmo se essa pessoa machucar você?"

"É. Mesmo se me machucasse."

"E se você suspeitasse que alguém fez algo errado, Jihan? Tentaria machucá-lo então?"

STOP.

— Se ele suspeita da lealdade dela — falou Lavon —, por que está oferecendo uma promoção? Por que não mandá-la embora?

— Mantenha seus amigos perto e seus inimigos mais perto ainda.

— Shamron disse isso?

— Pode ter sido.

— O que quer dizer?

— Al-Siddiqi não pode demiti-la porque tem medo de que ela saiba muito. Então está usando a promoção como uma desculpa para fazer outra verificação sobre ela.

— Ele não precisa de uma desculpa. Tudo que precisa é fazer umas ligações a seus amigos na Mukhabarat.

— Quanto tempo temos, Eli?

— Difícil dizer. Afinal, estão bastante ocupados no momento.

— Quanto tempo? — pressionou Gabriel.

— Alguns dias, talvez uma semana.

Gabriel aumentou o volume da transmissão ao vivo que vinha do celular de Jihan. Ela estava arrumando sua bolsa e dando boa noite a Herr Weber.

— Não há nada de errado em tirá-la daqui e desistir — falou Lavon, em voz baixa.

— Também não teríamos o dinheiro.

Lavon estava mordendo a parte interna de sua boca de novo.

— O que vamos fazer? — perguntou ele finalmente.

— Vamos nos certificar de que nada aconteça com ela.

— Esperemos que os amigos do sr. al-Siddiqi na Mukhabarat estejam ocupados demais para atender seu pedido.

— É — falou Gabriel. — Vamos esperar que sim.

Alguns minutos depois das cinco horas Jihan Nawaz saiu do Bank Weber AG. Um bonde estava esperando na rotatória; ela cruzou o Danúbio até a Mozartstrasse e depois caminhou pelas ruas tranquilas do Innere Stadt, cantando baixinho para esconder o medo. Era uma música que tinha tocado no rádio o verão todo, o tipo de música que Jihan nunca tinha ouvido quando era criança. No bairro Barudi de Hama não havia música, só o Corão.

Quando entrou em sua rua, notou um homem alto e magro com a pele pálida e olhos cinzentos caminhando na calçada em frente. Ela já o tinha visto algumas vezes nos últimos dias; na verdade, ele tinha sentado atrás dela no bonde naquela manhã a caminho do trabalho. Na manhã anterior, era o homem com o rosto marcado que a tinha seguido. E no dia anterior tinha sido um homem pequeno e quadrado que parecia capaz de dobrar uma barra de ferro. Seu favorito, no entanto, era o homem que tinha vindo ao banco como Herr Feliks Adler. Ele era diferente dos outros, pensou. Era um verdadeiro artista.

O medo desapareceu tempo suficiente para ela pegar a correspondência na caixa de correio. O chão da entrada do prédio estava tomado por folhetos; pisou sobre eles, subiu as escadas até seu apartamento e se trancou dentro. A sala de estar encontrava-se precisamente como ela havia deixado, assim como a cozinha e seu quarto. Ela se sentou na frente do computador e olhou sua página de Facebook e seu Twitter, e por alguns minutos conseguiu se convencer de que a conversa com o sr. al-Siddiqi tinha sido uma troca normal de questões de trabalho. Então o medo voltou e suas mãos começaram a tremer.

"E se você suspeitasse que alguém fez algo errado, Jihan? Tentaria machucá-lo então?

Ela pegou seu celular e discou para a mulher que conhecia como Ingrid Roth.

— Não queria ficar sozinha agora. Alguma chance de ir até seu apartamento?
— É melhor que não venha.
— Algum problema?
— Só estou tentando trabalhar um pouco.
— Está tudo bem?
— Está tudo bem.
— Tem certeza, Ingrid?
— Tenho certeza.

Elas desligaram o telefone. Jihan colocou o celular perto do computador e caminhou até a janela. E por um instante viu o rosto de um homem que a observava do outro lado da rua. "Talvez você trabalhe para o sr. al-Siddiqi", ela pensou quando o rosto do homem desapareceu. "Talvez eu já esteja morta."

46

AEROPORTO DE HEATHROW, LONDRES

A DELEGAÇÃO DO MINISTRO alemão foi a primeira a chegar. Viktor Orlov achou isso perfeito, pois sempre tinha visto os alemães como expansionistas por natureza. Passaram pelo controle de passaportes com a ajuda de um agente britânico e foram levados até o hall de chegadas, onde uma linda jovem — russa, mas não descaradamente — estava atrás de um quiosque improvisado onde se podia ler INICIATIVA DE NEGÓCIOS EUROPEIA. A garota verificou os nomes deles e os acompanhou até um luxuoso ônibus que os levou até o hotel Dorchester, o hotel oficial da conferência. Só um membro da delegação, um suplente que fazia algo envolvendo comércio, reclamou de suas acomodações. Foi, tirando isso, um bom começo.

Os holandeses chegaram logo depois, seguidos pelos franceses, os italianos, os espanhóis, e um grupo de noruegueses que pareciam ter vindo a Londres para um funeral. Então foi a vez dos industriais do aço alemães, seguidos pelos da indústria automobilística, e os de eletrodomésticos. A delegação da indústria de moda italiana fez uma chegada espalhafatosa, e a mais silenciosa foi a dos banqueiros suíços, que de alguma forma conseguiram chegar sem serem notados. Os gregos enviaram um único vice-ministro cujo trabalho era pedir dinheiro. Orlov o chamava de Ministro com o Chapéu na Mão.

A seguinte a chegar foi a delegação de Maersk, o conglomerado dinamarquês de transporte e energia. Então, no voo da British Airways do meio da tarde vindo de Viena, chegou um homem chamado Waleed al-Siddiqi, que antes era de Damasco, depois de Linz, onde tinha participação em um pequeno banco privado. Curiosamente, ele foi o único convidado que chegou com guarda-costas, tirando o primeiro-ministro italiano, que ninguém queria morto. A garota no quiosque lutou um momento para encontrá-lo na lista, pois seu nome não estava com o artigo definido *al*. Foi um pequeno erro, intencional, que o Escritório viu como o selo de qualidade de qualquer operação bem planejada.

Parecendo um pouco irritado, al-Siddiqi e seus guarda-costas saíram, uma limusine Mercedes de cortesia estava parada no meio-fio. O carro pertencia ao MI6, assim como o motorista. Cerca de cinquenta metros atrás da limusine havia um Vauxhall Astra vermelho. Nigel Whitcombe estava sentado atrás do volante; Gabriel estava no passageiro, usando um fone de ouvido minúsculo. O fone, junto com o transmissor escondido ao qual estava conectado, provou ser desnecessário, pois Waleed al-Siddiqi passou toda a viagem até Londres em completo silêncio. Foi, pensou Gabriel, um bom começo.

Eles o seguiram até o Dorchester; então Whitcombe deixou Gabriel em um apartamento do Escritório não tão seguro em Bayswater Road. Sua sala de estar tinha vista para Lancaster Gate e o Hyde Park, e foi aí que ele estabeleceu seu modesto posto de comando. Tinha um celular seguro e dois laptops, um conectado à rede do MI6, o outro conectado à equipe em Linz. O computador do MI6 permitia que ele monitorasse o transmissor que tinha sido colocado no quarto de hotel de al-Siddiqi; no outro, ele ouvia a transmissão do celular grampeado de Jihan. Naquele momento, ela estava caminhando pela Mozartstrasse, cantarolando baixinho. De acordo com o relatório de acompanhamento, Mikhail Abramov estava caminhando atrás dela e Yaakov Rossman estava na calçada oposta. Nenhum sinal de oposição. Nenhum sinal de problema.

E foi assim que Gabriel passou aquela longa noite, ouvindo outras vidas, lendo os relatórios concisos de vigilância, pensando em operações anteriores. Ele caminhava pela sala de estar, repassava as centenas de detalhes, pensava em sua esposa e nos bebês que iam nascer. E às duas da manhã, quando Jihan acordou com um grito de terror, considerou por um momento que o melhor seria fazê-la desaparecer. Mas não era possível, ainda não. Ele precisava mais do que o caderno de Waleed al-Siddiqi; precisava do conteúdo de seu computador também. E para isso precisava da filha de Hama.

Finalmente, quando o céu estava começando a se iluminar no leste, ele deitou no sofá e dormiu. Acordou três horas depois com uma matéria da Al Jazeera sobre a última atrocidade na Síria, seguida pelo barulho de água na Jacuzzi luxuosa do quarto de Waleed al-Siddiqi. O banqueiro saiu de seu quarto às oito e meia, e, acompanhado por seus guarda-costas, desfrutou do abundante bufê do Dorchester. Enquanto estava lendo os jornais matutinos, uma equipe do MI6 verificava o quarto para ter certeza se ele tinha esquecido seu caderno. Não tinha.

Saiu pela porta do hotel sem seus guarda-costas às 9h20, um conjunto de credenciais penduradas no pescoço por uma tira azul e dourada. Gabriel sabia disso porque uma foto de vigilância do MI6 apareceu em sua tela de computador dois minutos depois. A foto seguinte mostrava al-Siddiqi dando seu nome à mesma garota russa que o havia esperado no aeroporto. E em seguida ele estava entrando em um ônibus luxuoso que o levou para a parte leste de Londres, até a entrada de Somerset House. Outro operativo do MI6 tirou uma foto quando ele desceu do ônibus e caminhou em silêncio por um pequeno grupo de jornalistas. Seus olhos brilhavam com arrogância — e talvez, pensou Gabriel, um traço de orgulho perdido. Parecia que Waleed al-Siddiqi tinha chegado ao encontro do mundo dos negócios europeu. Sua estadia ali não seria longa, pensou Gabriel. E sua queda seria mais dura do que a da maioria.

Quando, em seguida, Gabriel viu o banqueiro, estava cruzando o espaço empedrado da Fountain Courtyard. Então, dois minutos depois, estava se sentando em uma sala de eventos enorme, com teto alto e vista para o Tâmisa. À sua esquerda, vestido com vários tons de cinza, estava Martin Landesmann, o suíço bilionário dos fundos de investimento. O cumprimento deles — que Gabriel foi capaz de ouvir graças a um transmissor do MI6 escondido — foi contido, mas cordial. Landesmann rapidamente voltou a conversar com um dos executivos do Maersk, deixando al-Siddiqi com um momento para revisar a pilha de materiais impressos que tinha sido deixado em seu assento. Entediado, fez uma rápida ligação, mas Gabriel não descobriu para quem. Então ouviu-se um som forte que pareciam pregos sendo batidos em um caixão. Mas não era um caixão; era apenas Viktor Orlov, martelando na mesa para começar a Iniciativa de Negócios Europeia.

Era em momentos como esse que Gabriel ficava feliz por ter nascido em uma família de artistas e não de empresários. Porque nas quatro horas seguintes teve que aguentar uma discussão enfadonha sobre a confiança do consumidor europeu, margens de lucro antes dos impostos, valores padronizados, razão dívida/renda, eurobônus, bônus em eurodólares e questões de Euro Equity. Ele agradeceu pelo intervalo ao meio-dia; passou ouvindo Jihan e Dina, que almoçaram na Hauptplatz sob o olhar cuidadoso de Oded e Eli Lavon.

A sessão da tarde da conferência começou às duas e foi rapidamente sequestrada por Martin Landesmann, que fez um apaixonado discurso sobre o aquecimento global e os combustíveis fósseis que foi respondido com sinais de desprezo e negativas dos homens da Maersk. Às quatro, uma declaração escrita rapidamente com recomendações políticas foi aprovada por voto unânime, assim como uma moção secundária defendendo outra reunião em Londres no ano seguinte. No final, Viktor Orlov apareceu para a imprensa em Fountain Courtyard e declarou que a conferência tinha sido um sucesso. Sozinho no apartamento, Gabriel não quis fazer julgamentos.

Com isso, os delegados voltaram ao Dorchester para relaxar. Al-Siddiqi fez duas ligações telefônicas de seu quarto, uma para sua esposa, a outra para Jihan. Então subiu a um ônibus para jantar no Turbine Hall do Tate Modern. Ficou sentado entre um par de banqueiros suíços que passaram a maior parte da noite reclamando sobre as novas regulamentações bancárias europeias que estavam ameaçando seu modelo de negócio. Al-Siddiqi culpou os norte-americanos. Então, em voz baixa, falou algo sobre os judeus que fez com que os banqueiros suíços gargalhassem.

— Ouça, Waleed — falou um dos gnomos —, você realmente deveria vir nos visitar da próxima vez que estiver em Zurique. Tenho certeza de que podemos ajudá-lo e a seus clientes.

Os banqueiros suíços disseram ter que viajar cedo e saíram antes da sobremesa. Al-Siddiqi passou uns poucos minutos conversando com um homem do Lloyds sobre o risco de fazer negócios com os russos e depois resolveu ir embora. Ele dormiu bem naquela noite, assim como Gabriel, e eles acordaram juntos na manhã seguinte com a notícia de que as forças do governo sírio tinham conquistado uma importante vitória sobre os rebeldes na cidade de Homs. Al-Siddiqi tomou banho e café da manhã de luxo; Gabriel tomou uma ducha rápida e engoliu uma xícara dupla de café solúvel. Então desceu até Bayswater Road e entrou no lado do passageiro de um Vauxhall Astra que estava à espera. Atrás do volante, vestido com um uniforme azul de segurança de aeroporto, estava Nigel Whitcombe. Ele se livrou do trânsito matutino e partiram para Heathrow.

Uma garoa fina estava caindo às 8h32 quando Waleed al-Siddiqi saiu na porta do hotel Dorchester, um guarda-costas de cada lado. Sua limusine de cortesia do MI6 estava esperando na porta, junto com seu motorista do MI6, que estava parado ao lado do porta-malas aberto, as mãos para trás, balançando-se um pouco.

— Sr. Siddiqi — chamou ele, deliberadamente tirando o artigo definido do nome de seu cliente. — Deixe-me ajudá-los, cavalheiros. — E fez exatamente isso, colocou as malas no porta-malas e os donos delas dentro do carro: um guarda-costas no banco do passageiro da frente, o outro atrás do motorista e o "sr. Siddiqi" no banco atrás do passageiro. Às 8h34 o carro entrou em Park Lane. SUJEITO A CAMINHO, dizia a mensagem que apareceu na rede de comunicações do MI6. FOTOS SE FOR NECESSÁRIO.

A corrida até o aeroporto de Heathrow demorou 45 minutos e foi facilitada pelo fato de que o carro de al-Siddiqi era parte de um comboio clandestino do MI6 que consistia de seis veículos. O voo dele, British Airways 700 para Viena, saía do terminal três. O motorista tirou a bagagem do porta-malas, desejou ao cliente uma boa viagem, e recebeu um olhar vazio como resposta. Como o banqueiro sírio estava voando de primeira classe, o processo de check-in consumiu apenas dez minutos. A garota no balcão fez um círculo ao lado do número do portão em seu cartão de embarque e apontou para a área de segurança apropriada.

— É só seguir por ali — falou ela. — O senhor tem sorte, sr. al-Siddiqi. As filas não estão tão ruins essa manhã.

Era impossível saber se Waleed al-Siddiqi se considerava com sorte, porque a expressão que usou ao cruzar o salão muito iluminado com diversos painéis com os status dos voos era de um homem lutando internamente com questões muito mais complicadas. Seguido por seus dois guarda-costas, ele apresentou seu passaporte e cartão de embarque para o guarda de segurança para uma última inspeção e depois se juntou à fila menor. Viajante experiente, tirou o casaco sem pressa e removeu os eletrônicos e líquidos de sua mala. Sem sapatos, viu a esteira puxar suas posses para dentro da máquina de raio-x. Então, quando foi instruído, passou pelo scanner e levantou os braços como se estivesse se entregando depois de um longo sítio.

Como suas coisas não tinham nada remotamente perigoso, foi convidado a seguir em frente e retirar suas posses do outro lado da esteira. Um casal norte-americano, jovem e com jeito de rico, esperava na frente dele. Quando suas bandejas de plástico vieram rolando pela esteira, eles agarraram tudo rapidamente e correram para o saguão. Waleed al-Siddiqi franziu a testa com superioridade e avançou. Pensativo, bateu no bolso da camisa. Então olhou para a esteira parada, e esperou.

Por trinta longos segundos, três oficiais de segurança ficaram olhando para a tela da máquina de raio-x como se temessem que o paciente não conseguiria sobreviver. Finalmente, um dos oficiais se afastou e, com uma bandeja de plástico na mão, caminhou até onde estava al-Siddiqi. A identificação no bolso do peito do oficial dizia CHARLES DAVIES. Seu nome verdadeiro era Nigel Whitcombe.

— Essas coisas são suas? — perguntou ele.

— São — respondeu al-Siddiqi, seco.

— Precisamos fazer mais averiguações. Não vai demorar nem um minuto — acrescentou Whitcombe, cordialmente — e depois você poderá seguir.

— Seria possível me dar meu casaco?
— Desculpe — falou Whitcombe, negando com a cabeça. — Algum problema?
— Não — disse Waleed al-Siddiqi, sorrindo forçado. — Nenhum problema.

Whitcombe convidou o banqueiro e seus guarda-costas a se sentarem na área de espera. Então levou a bandeja plástica para trás de uma barreira e colocou-a na mesa de inspeção, perto da mala de al-Siddiqi. O pequeno caderno de couro estava exatamente onde Jihan Nawaz tinha dito que estaria, no bolso esquerdo do casaco. Whitcombe rapidamente entregou a uma jovem agente do MI6 chamada Clarissa, que o levou até uma porta ali perto que se abriu quando ela se aproximou. Do outro lado da porta havia uma pequena sala com paredes brancas ocupadas por dois homens. Um dos homens era o diretor-geral. O outro era um homem com brilhantes olhos verdes e cabelo grisalho cujas aventuras ela tinha lido nos jornais. Algo fez com que entregasse o caderno ao homem com olhos verdes e não para seu diretor-geral. Aceitando-o sem dizer nada, ele abriu na primeira página e colocou-o debaixo das lentes de alta resolução de uma câmera. Então colocou seu olho no visor e tirou a primeira foto.

— Vire a página — falou ele em voz baixa e, quando o diretor-geral do MI6 virou a página, tirou outra foto.
— De novo, Graham.
Clique...
— Próxima.
Clique...
— Mais rápido, Graham.
Clique...
— Outra vez.
Clique...

47

LINZ, ÁUSTRIA

A MENSAGEM DE TEXTO APARECEU NO celular de Jihan às dez e meia, horário austríaco: ESTOU LIVRE PARA O ALMOÇO. QUE TAL O FRANZESCO? O assunto era inócuo. A escolha do restaurante, no entanto, não era. Era um sinal pré-combinado. Por alguns segundos, Jihan sentiu que era incapaz de respirar; Hama, parecia, tinha se apoderado de seu coração. Foram necessárias várias tentativas antes que ela conseguisse digitar uma resposta com duas palavras: TEM CERTEZA? A resposta voltou rápido: ABSOLUTA! NÃO VEJO A HORA.

Com a mão tremendo, Jihan colocou seu celular na mesa e tirou o telefone do gancho. Vários números estavam programados nos botões de ligação rápida, incluindo um que estava marcado CELULAR DO SR. AL-SIDDIQI. Ela repassou seu roteiro mais uma vez. Então apertou o botão. A ligação não foi atendida e por isso Jihan ficou momentaneamente aliviada. Ela desligou sem deixar mensagem. Então respirou fundo e ligou novamente.

A primeira ligação de Jihan para Waleed al-Siddiqi não foi atendida porque naquele momento o celular dele ainda estava com um oficial de segurança do aeroporto de Heathrow chamado Charles Davies, também conhecido como Nigel Whitcombe. Quando tocou a segunda vez, ele tinha retomado o controle de seu aparelho, mas estava muito preocupado para atender; estava verificando se seu caderno de couro ainda estava no bolso esquerdo de seu casaco, e estava. Na terceira ligação, ele estava na área de *duty-free* do terminal e de mau-humor. Atendeu com um grunhido.

— Sr. al-Siddiqi — exclamou Jihan, como se estivesse feliz por ouvir o som da voz dele. — Ainda bem que consegui falar com o senhor antes de embarcar no seu voo. Infelizmente, temos um pequeno problema nas ilhas Caimã. O senhor tem alguns minutos?

O problema, ela falou, eram as cartas autenticadas de incorporação de uma empresa chamada LXR Investments of Luxembourg.

— Qual o problema com elas? — perguntou o sr. al-Siddiqi.

— Elas sumiram.

— Do que você está falando?

— Acabei de receber uma ligação de Dennis Cahill do Trade Winds Bank, em Georgetown.

— Sei quem é.

— O sr. Cahill diz que não consegue encontrar os documentos de registro da firma.

— Eu sei que meu representante deu a ele essas cartas pessoalmente.

— O sr. Cahill não nega isso.

— Então, qual é o problema?

— Tenho a impressão que foram destruídas por engano — disse Jihan. — Ele gostaria que enviássemos novas cópias.

— Quando?

— Imediatamente.

— Por que a pressa?

— Aparentemente, tem algo a ver com os norte-americanos. Não deu nenhum detalhe.

Em voz baixa, al-Siddiqi murmurou uma velha praga sobre mulas e parentes distantes. Jihan sorriu. Sua mãe usava a mesma expressão nas raras ocasiões em que perdia a paciência.

— Acho que tenho cópias desses documentos no computador da minha sala — falou ele depois de um momento. — Na verdade, tenho certeza.

— O que gostaria que eu fizesse, sr. al-Siddiqi?

— Gostaria que enviasse a esse idiota do Trade Winds Bank, claro.

— Tudo bem se ligar de novo do meu celular? Vai ser mais fácil assim.

— Rápido, Jihan. Já está na hora do meu embarque.

"Sim", ela pensou, quando desligou o telefone. "Vamos fazer isso rápido."

Abriu a primeira gaveta de sua mesa e tirou dois itens: um bloco de notas de couro preto e um HD externo, também preto, de 8x11 cm. O HD estava dentro de um bloco de anotações, por isso era invisível para as câmeras de segurança.

Ela pressionou os dois itens firmemente contra a sua blusa, se levantou e caminhou até a porta do escritório do sr. al-Siddiqi. Digitou o número do celular dele no caminho. Ele atendeu exatamente quando ela chegou na porta.

— Pronto — falou ela.

— O código é oito, sete, nove, quatro, um, dois. Entendeu?

— Sim, sr. al-Siddiqi. Um momento, por favor.

Usando a mesma mão que segurava o celular, ela rapidamente digitou os seis números e apertou ENTER. Os trincos se abriram com um ruído que foi ouvido do outro lado da ligação.

— Entre — falou o sr. al-Siddiqi.

Jihan abriu a porta. Estava escuro do lado de dentro. Ela não acendeu a luz.

— Estou aqui — disse.

— Ligue o computador.

Ela se sentou na cadeira executiva de couro. Estava quente, como se ele tivesse acabado de se levantar. O monitor do computador, escuro, estava à esquerda, o teclado alguns centímetros na frente dele, a CPU no chão debaixo da mesa. Ela esticou a mão e realizou sem erros a mesma manobra que tinha praticado tantas vezes na casa em Attersee — a manobra que tinha praticado no escuro, e com o alemão sem nome gritando que o sr. al-Siddiqi estava chegando para matá-la. Mas ele não estava vindo matá-la; estava do outro lado do telefone, dizendo com calma o que ela devia fazer.

— Pronta? — perguntou ele.

— Ainda não, sr. al-Siddiqi.

Houve um momento de silêncio.

— Agora, Jihan?

— Agora sim, sr. al-Siddiqi.

— Está vendo a caixa de login?

Ela respondeu que sim.

— Vou lhe dar outro número com seis dígitos. Está pronta?

— Pronta — falou ela.

Ele falou os seis números. Eles levavam ao menu principal do mundo escondido do sr. al-Siddiqi. Quando ela falou de novo, conseguiu parecer calma, quase entediada.

— Funcionou — disse.

— Está vendo minha pasta de documentos principais?

— Acho que sim.

— Clique nela, por favor.

Ela clicou. O computador pediu outra senha.

— É igual à anterior — disse ele.

— Acho que esqueci, sr. al-Siddiqi.

Ele repetiu o número. Quando ela digitou na caixa de login, a pasta de arquivos se abriu. Jihan viu os nomes de dezenas de empresas: de investimentos, holdings, companhias de desenvolvimento imobiliário, empresas de importação e exportação. Ela reconheceu alguns dos nomes, pois tinha realizado, sem saber, transações relacionadas a elas. A maioria, no entanto, era desconhecida.

— Digite LXR Investments na caixa de busca, por favor.

Ela fez isso. Apareceram dez pastas.

— Abra a que tem o nome de Registro.

Ela tentou.

— Está pedindo outra senha.

— Tente a mesma.

— Pode repetir de novo, por favor?

Ele repetiu. Mas quando Jihan digitou, a pasta continuou travada e apareceu uma mensagem, avisando contra entradas sem autorização.

— Espere um minuto, Jihan.

Ela apertou o celular contra o ouvido. Podia ouvir o anúncio final de embarque para um voo a Viena e o barulho de páginas sendo viradas.

— Vou lhe dar outro número — falou finalmente al-Siddiqi.

— Pronto — falou ela.

Ele falou os seis novos números. Ela digitou na caixa e falou:

— Consegui.

— Está vendo o arquivo PDF com as cartas de incorporação?

— Estou.

— Anexe em um e-mail e envie àquele idiota do Trade Winds. Mas faça um favor — acrescentou ele rapidamente.

— Claro, sr. al-Siddiqi.

— Envie da sua conta.

— Claro.

Ela anexou o documento a um e-mail em branco, digitou seu endereço e clicou em ENVIAR.

— Pronto — falou ela.

— Preciso desligar agora.

— Boa viagem.

A linha ficou muda. Jihan colocou seu celular na mesa do sr. al-Siddiqi perto do teclado e saiu da sala. A porta, quando se fechou, travou automaticamente atrás dela. Jihan caminhou calma de volta à sua mesa, repassando os seis números em sua cabeça. *Oito, sete, nove, quatro, um, dois...*

Atrás de uma porta no fundo do terminal três do aeroporto de Heathrow em Londres, Gabriel estava sentado olhando para a tela de um laptop, com Graham Seymour ao seu lado. Na sua mão havia um *flash drive* contendo tudo que havia no notebook de al-Siddiqi, e na tela do computador havia um vídeo ao vivo do banco privado do sr. al-Siddiqi em Linz, cortesia de Yossi Gavish, que estava sentando em um Opel estacionado do lado de fora. O relatório de vigilância não indicava nenhum sinal de oposição, nenhum sinal de problema. Na lateral havia um relógio em contagem regressiva: *8:27, 8:26, 8:25, 8:24...* Era o tempo que faltava para o download do material do computador do sr. al-Siddiqi.

— E o que acontece agora? — perguntou Seymour.

— Esperamos até que o número chegue a zero.

— E depois?

— Jihan se lembra que deixou seu telefone na mesa do sr. al-Siddiqi.

— Esperamos que al-Siddiqi não tenha uma forma de mudar remotamente o código de entrada de sua sala.

Gabriel olhou para o relógio: *8:06, 8:05, 8:04...*

Sete minutos depois, Jihan Nawaz começou a procurar seu celular. Era fingimento, uma mentira, realizada para as câmeras de vigilância do sr. al-Siddiqi e, talvez, para si mesma. Ela procurou na sua mesa, nas gavetas, no chão ao redor, no lixo. Procurou até no banheiro e na cozinha, apesar de que tinha certeza de que não tinha ido a nenhum dos dois lugares desde que usou o telefone pela última vez. Finalmente, ligou para seu número do telefone de linha em sua mesa e ouviu como ele tocava baixinho do outro lado da porta do sr. al-Siddiqi. Ela xingou em voz baixa, novamente para as câmeras do sr. al-Siddiqi, e ligou para o celular dele para pedir permissão para entrar em sua sala. Não houve resposta. Ela ligou de novo com o mesmo resultado.

Ela desligou o telefone. Claro, ela pensou para si mesma, o sr. al-Siddiqi não se incomodaria se ela entrasse no escritório dele para pegar seu celular. Afinal, ele tinha acabado de dar acesso aos arquivos mais particulares dele. Ela verificou a hora e viu que tinham se passado dez minutos. Então pegou um bloco de anotações preto e se levantou. Forçou-se para caminhar tranquila até a porta dele; sua mão parecia dormente quando digitou os seis números no teclado: *oito, sete, nove, quatro, um, dois...* O trinco se abriu imediatamente com um barulho forte. Ela imaginou que era o barulho da arma que iria dar um tiro fatal em sua cabeça. Abriu a porta e entrou, cantarolando algo baixinho para esconder seu medo.

A escuridão era impenetrável, absoluta. Ela caminhou até a mesa e colocou sua mão direita sobre seu celular. Então, com a esquerda, colocou o bloco em cima de outro idêntico que tinha deixado ali dez minutos antes — o que estava escondendo o HD externo das câmeras do sr. al-Siddiqi. Com um movimento rápido desconectou o USB e levantou os três itens — o HD e os dois blocos de anotações idênticos — colocando-os na frente da sua blusa. Então saiu e fechou a porta atrás de si. Os trincos se travaram com outro barulho de tiro. Quando voltou à sua mesa, seus pensamentos foram novamente tomados por números. Eram os números de dias e horas que ela ainda tinha para viver.

À uma hora da tarde, Jihan informou a Herr Weber que estava saindo para almoçar. Ela pegou sua bolsa e colocou seus óculos de sol de atriz de cinema. Depois, dando um aceno seco para Sabrina, a recepcionista, saiu. Um bonde estava esperando na rotatória; ela subiu rapidamente, seguida, alguns segundos depois, pelo homem alto com pele pálida e olhos cinzentos. Ele se sentou mais perto de Jihan do que o normal, como se estivesse tentando deixá-la tranquila; e quando desceu em Mozartstrasse, o que tinha o rosto marcado estava esperando para caminhar com ela até Franzesco. A mulher que conhecia como Ingrid Roth estava lendo D. H. Lawrence numa mesa banhada pelo sol. Quando Jihan se sentou em frente, ela abaixou o livro e sorriu.

— Como foi sua manhã? — perguntou ela.

— Produtiva.

— Está na sua bolsa?

Jihan assentiu.

— Vamos pedir?

— Não consigo comer.

— Coma algo, Jihan. E sorria — acrescentou ela. — É importante que você sorria.

O voo 316 da El Al parte de Heathrow diariamente às 14h20 do terminal um. Gabriel subiu poucos minutos antes de a porta se fechar, colocou sua bagagem no compartimento acima de sua cabeça e se sentou na primeira classe. O assento ao lado estava vazio. Um momento depois, Chiara apareceu.

— Oi, estranho — falou ela.

— Como você conseguiu isso?

— Amigos em postos importantes. — Ela sorriu. — Como foi tudo lá?
Sem falar nada, ele mostrou o *flash drive*.
— E Jihan?
Ele assentiu.
— Quanto tempo temos para encontrar o dinheiro?
— Não muito — disse ele.

48

BOULEVARD REI SAUL, TEL AVIV

A UNIDADE QUE OCUPAVA A sala 414C do Boulevard Rei Saul não tinha nome oficial, porque, oficialmente, ela não existia. Aqueles que tinham participado dos trabalhos se referiam a ela somente como Minyan, pois a unidade era formada por dez homens exclusivamente. Eles sabiam pouco de espionagem pura ou de operações especiais de combate, apesar de que a terminologia que usavam trazia muitas coisas dessas duas disciplinas. Eles penetravam em redes usando *back doors* ou com ataques de força bruta; usavam *trojans*, bombas-relógio e *black hats*. Com uns poucos comandos, podiam deixar uma cidade no escuro, derrubar uma rede de controle de tráfego aéreo ou fazer as centrífugas de uma fábrica de enriquecimento de urânio iraniana girarem loucamente fora de controle. Resumindo, tinham a capacidade de virar as máquinas contra seus mestres. Em particular, Uzi Navot se referia ao Minyan como dez bons motivos pelos quais ninguém em sã consciência deveria usar um computador ou um celular.

Estavam esperando em seus terminais, uma equipe heterogênea usando jeans e suéteres, quando Gabriel voltou ao Boulevard Rei Saul, com o conteúdo do caderno e do computador de Waleed al-Siddiqi. Eles tentaram primeiro no banco Trade Winds nas ilhas Caimã, uma instituição que já tinham visitado antes, e fizeram a primeira descoberta significativa. Os números das duas contas recentemente abertas para a LXR Investments não combinavam com os números que al-Siddiqi tinha anotado em seu caderno; ele tinha escrito em um código cru, uma inversão de numerais, que logo descobriram. Parecia que ele gostava do Trade Winds, pois tinha aberto dez outras contas ali com vários nomes. No total, o pequeno banco nas ilhas Caimã tinha mais de trezentos milhões de dólares em bens da Mal S.A. Além disso, o caderno e os arquivos de computador revelaram que cinco outros bancos nas ilhas Caimã tinham contas da LXR Investments ou outras empresas fantasmas. O total em um único paraíso fiscal era de 1,2 bilhão de dólares. E isso era só o começo.

Eles trabalharam metodicamente e geograficamente, com a supervisão de Gabriel o tempo todo. Das ilhas Caimã passaram para as Bermudas, ao norte, onde mais três bancos tinham mais de seiscentos milhões. Depois fizeram uma viagem rápida pelas Bahamas antes de ir ao Panamá, onde desenterraram outro meio bilhão em 14 contas listadas no caderno de al-Siddiqi. A turnê pelo hemisfério ocidental concluiu em Buenos Aires, a cidade dos canalhas e dos criminosos de guerra, onde encontraram outros quatrocentos milhões de dólares em uma dúzia de contas. Em nenhum momento eles tiraram um centavo. Simplesmente colocaram armadilhas e circuitos de roteamento invisíveis que lhes permitiriam, quando quisessem, realizar o maior roubo de bancos da história.

Mas o dinheiro não era a única preocupação de Gabriel. E assim, quando os hackers expandiram sua busca para o centro de bancos de Hong Kong, ele caminhou até sua sala vazia para revisar os últimos informes de Linz. Era final da manhã na Áustria; Jihan estava em sua mesa, Waleed al-Siddiqi estava digitando algo rápido em seu computador. Gabriel sabia disso porque tinha feito mais no aeroporto de Heathrow do que fotografar as páginas do caderno secreto de al-Siddiqi. Também tinha grampeado o celular do banqueiro. Como o aparelho de Jihan, agora ele agia como um transmissor de áudio o tempo todo. Além disso, a equipe tinha a capacidade de ler os e-mails e as mensagens de texto de al-Siddiqi, e tirar fotografias e gravar vídeos quando quisessem. Waleed al-Siddiqi, banqueiro privado da família dirigente da Síria, agora pertencia ao Escritório. Eles o dominavam.

Quando Gabriel voltou à sala dos hackers, trouxe com ele sua velha lousa de madeira. Os ciberespiões acharam que era um objeto curioso; na verdade, a maioria nunca tinha visto uma geringonça como essa antes. Gabriel escreveu um número nela: 2,9 bilhões de dólares, o valor total das contas identificadas e isoladas até o momento. E quando os hackers tinham terminado o trabalho em Hong Kong, ele mudou o número para 3,6 bilhões. Dubai aumentou para 4,7 bilhões; Amã e Beirute, para 5,4 bilhões. Liechtenstein e França acrescentaram outros oitocentos milhões, e, algo nada surpreendente, os bancos da Suíça contribuíram com incríveis dois bilhões, levando a um total de 8,2 bilhões. Os bancos de Londres tinham outros seiscentos milhões de libras. De acordo com as ordens de Gabriel, os hackers montaram suas armadilhas e circuitos de roteamento invisíveis no improvável evento de que Graham Seymour voltasse atrás em seu acordo de congelar o dinheiro.

Nesse momento, outras trinta horas tinham se passado, trinta horas durante as quais Gabriel e os hackers não tinham dormido ou consumido nada além de café. Era final da tarde na Áustria; Jihan estava se preparando para ir embora, Waleed al-Siddiqi estava novamente digitando algo em seu computador. Com os olhos sonolentos, Gabriel mandou os hackers criarem um botão cerimonial que, quando pressionado, faria com que mais de oito bilhões desaparecessem num piscar de olhos. Então subiu para a suíte executiva. A luz sobre a porta estava brilhando verde. Uzi Navot estava lendo um arquivo em sua mesa.

— Quanto? — perguntou ele, levantando a cabeça.

Gabriel contou.

— Se fosse menos de oito bilhões — disse Navot, sarcástico —, eu mesmo poderia autorizar. Mas sob essas circunstâncias, gostaria de falar em particular com o primeiro-ministro antes que alguém aperte o botão.

— Concordo.

— Então talvez você devesse falar com o primeiro-ministro. Afinal — acrescentou Navot —, provavelmente é hora de se conhecerem.

— Vou ter muito tempo para isso depois, Uzi.

Navot fechou o arquivo e olhou entre suas venezianas para o mar.

— E como faremos? — perguntou ele depois de um momento. — Pegamos o dinheiro, depois pegamos a garota?

— Na verdade — respondeu Gabriel —, minha intenção é fazer com que os dois desapareçam no mesmo momento.

— Ela está pronta?

— Já faz algum tempo.

— Um desaparecimento misterioso? É assim que você pretende fazer?

Gabriel assentiu.

— Sem bagagem, sem reservas de avião, nada para sugerir que ela estava planejando uma viagem. Nós a levamos de carro para a Alemanha e depois a trazemos de volta a Israel de Munique.

— Quem vai ter a pouco invejável tarefa de contar a ela que esteve trabalhando para nós?

— Estava esperando fazer isso eu mesmo.

— Mas?

— Temo que a boa amiga de Jihan, Ingrid Roth, vai ter que fazer isso por mim.

— Quer agarrar o dinheiro essa noite?

Gabriel assentiu.

— Então é melhor eu falar com o primeiro-ministro.

— Acho que sim.

Navot balançou a cabeça lentamente.

— Oito bilhões de dólares — falou depois de um momento. — Isso é muito dinheiro.

— E tenho certeza de que há mais em outro lugar.

— Oito bilhões é muito. Quem sabe? — acrescentou Navot. — Poderia até ser suficiente para comprar aquele Caravaggio de volta.

Gabriel não falou nada.

— E quem vai apertar o botão? — perguntou Navot.

— É um trabalho para o chefe, Uzi.

— Não seria correto.

— Por que não?

— Porque foi sua operação do começo ao fim.

— Que tal concordarmos com um candidato? — perguntou Gabriel.

— Em quem está pensando?

— Na maior especialista do país em Síria e no movimento baathista.

— Ela poderia gostar. — Navot estava olhando de novo pela janela. — Gostaria que fosse você que contasse a Jihan que ela esteve trabalhando para nós.

— Eu também, Uzi. Mas não temos tempo.

— E se ela não entrar no avião?

— Vai entrar.

— Como pode ter tanta certeza?

— Porque ela não tem outra opção.

— Gostaria de colocar Waleed al-Siddiqi em um avião também — falou Navot. — De preferência dentro de um caixão.

— Algo me diz que a Mal S.A. vai cuidar de Waleed por nós quando descobrirem que oito bilhões de dólares desapareceram.

— Quanto tempo você acha que ele tem de vida?

Gabriel olhou para seu relógio.

Não demorou muito para se espalhar pela fraternidade fechada de segurança e defesa de que um evento de grande magnitude estava prestes a acontecer. Os não iniciados só podiam adivinhar o que era. Os iniciados só balançavam a cabeça, espantados. Era, declararam, uma conquista de proporções shamronianas, talvez a maior da carreira dele. Claramente já era hora de acabar com o sofrimento de Uzi Navot e fazer a mudança que todos sabiam que ocorreria no Boulevard Rei Saul.

Se Navot sabia dessas conversas, não deu nenhum sinal disso durante sua reunião com o primeiro-ministro. Foi rápido, fidedigno e sóbrio sobre as implicações do que significaria desaparecer com oito bilhões de dólares. Era um movimento ousado, falou, que certamente levaria a uma retaliação se conseguissem descobrir quem estava por trás da operação. Ele aconselhou o primeiro-ministro a colocar o Comando do Norte do IDF em alerta geral e aumentar a segurança em todas as embaixadas israelenses, especialmente nas cidades onde o Hezbollah e a inteligência síria fossem mais ativos. O primeiro-ministro concordou com os dois passos. Também mandou que aumentasse a segurança em todas as redes de computador e de comunicação de Israel. Então, com um simples movimento de cabeça, ele deu sua aprovação final.

— Gostaria de apertar o botão? — perguntou Navot.

— É tentador — respondeu o primeiro-ministro com um sorriso —, mas provavelmente pouco inteligente.

Quando Navot voltou ao Boulevard Rei Saul, Gabriel tinha passado as últimas instruções à equipe. Era sua intenção capturar o dinheiro às nove horas, horário de Linz, dez horas em Tel Aviv. Quando o dinheiro tivesse chegado a seu destino final, um processo que demoraria apenas cinco minutos, ele mandaria uma mensagem a Dina e Christopher Keller instruindo os dois a levar Jihan com eles. Serviços Domésticos e Transporte iriam limpar, tranquilamente, a bagunça.

Às nove, horário de Tel Aviv, não havia nada a fazer, a não ser esperar. Gabriel passou aquela hora final trancado na sala 414C, ouvindo os hackers explicarem pela vigésima vez como oito bilhões iriam passar de dezenas de contas ao redor do globo para uma única no Israel Discount Bank, Ltd. sem deixar nenhum rastro digital. E pela vigésima vez, ele fingiu entender o que estavam falando, quando o tempo todo estava se perguntando se algo assim era realmente possível. Ele não entendia a linguagem que os hackers falavam, nem estava muito interessado em aprender. Só estava feliz por estarem do lado dele.

O trabalho que acontecia na sala 414C era tão delicado que nem mesmo o diretor do Escritório sabia o código que abria a porta. Como resultado, Uzi Navot precisou bater na porta para poder entrar. Acompanhado por Bella e Chiara, ele entrou na sala às 21h50, horário de Tel Aviv, e recebeu as mesmas informações que Gabriel tinha recebido alguns minutos antes. Ao contrário de Gabriel, que se via como um homem do século XVI, Navot sabia como os computadores e a internet funcionavam. Ele fez várias perguntas pertinentes, pediu um conjunto final de garantias sobre a possibilidade de negação e depois deu a ordem formal de capturar o dinheiro.

Bella se sentou ao computador indicado e esperou o comando de Gabriel para apertar o botão. Eram 21h55 em Tel Aviv, 20h55 em Linz. Jihan Nawaz estava sozinha em seu apartamento, cantarolando baixinho para esconder seu medo. Dois minutos depois, às 20h57, horário local, ela recebeu uma ligação de Waleed al-Siddiqi. A conversa que se seguiu durou dez minutos. E antes mesmo de terminar, Gabriel deu a ordem de recuar. Ninguém apertaria nenhum botão, ele falou. Não essa noite.

49

LAGO ATTERSEE, ÁUSTRIA

M AIS TARDE NAQUELA NOITE, OUTRA GUERRA civil explodiu no Oriente Médio. Era menor que as outras e, felizmente, não houve bombardeios ou matanças, pois era uma guerra de palavras, entre pessoas da mesma fé, filhos do mesmo Deus. Mesmo assim, as frentes de batalha eram cruéis e estavam claramente definidas. Um lado queria descontar as fichas enquanto ainda tinha o dinheiro que ganhou. O outro queria rolar o dado mais uma vez, queria dar mais uma espiada na Mal S.A. Para o bem ou para o mal, o líder dessa facção era Gabriel Allon, futuro chefe do serviço secreto de inteligência de Israel. E assim, depois de uma discussão que durou boa parte da noite, ele pegou o voo El Al 353 para Munique e no começo da tarde estava de novo na sala de estar da casa de Attersee, vestido como o auditor fiscal sem nome de Berlim. Um laptop estava aberto na mesinha de café, os alto-falantes emitindo o distinto som de Waleed al-Siddiqi falando em árabe. Ele abaixou o volume só um pouco quando Jihan e Dina entraram.

— Jihan — chamou ele, como se não a estivesse esperando tão cedo. — Bem-vinda. É bom vê-la tão bem. Você conseguiu bem mais do que esperávamos. De verdade. Não podemos agradecer o suficiente por tudo que fez.

Ele tinha feito esse discurso em seu alemão com sotaque de Berlim, através de um sorriso de hoteleiro com vagas. Jihan olhou para Dina, depois para o laptop.

— Foi para isso que me trouxe aqui de novo? — finalmente perguntou. — Para me agradecer?

— Não — foi tudo que ele disse.

— Então por que estou aqui?

— Está aqui — falou ele, aproximando-se devagar dela — por causa da ligação que recebeu às 20h57 ontem à noite. — Ele balançou a cabeça inquisitivamente para um lado. — Lembra-se da ligação que recebeu ontem à noite, não?

— Impossível esquecer.

— Sentimos o mesmo. — A cabeça dele estava de lado, mas agora sua mão direita segurava pensativamente o queixo. — O momento da ligação foi incrível, para dizer o mínimo. Se tivesse chegado alguns minutos depois, você nunca teria atendido.

— Por que não?

— Porque já teria partido. E com você, muito dinheiro — acrescentou ele rapidamente. — 8,2 bilhões de dólares, para ser preciso. Tudo por causa do corajoso trabalho que você fez.

— Por que não aproveitaram?

— Foi muito tentador — respondeu ele. — Mas se tivéssemos continuado, seria impossível pensar na oportunidade que o sr. al-Siddiqi apresentou.

— Oportunidade?

— Estava ouvindo as coisas que ele falou para você ontem à noite?

— Tentei não ouvir.

Gabriel pareceu genuinamente perplexo com a resposta dela.

— E por quê?

— Porque não aguento mais o som da voz dele. — Fez uma pausa, depois acrescentou: — Não vou entrar pelas portas daquele banco de novo. Por favor, faça o dinheiro desaparecer. E depois me faça desaparecer também.

— Vamos ouvir a gravação da conversa juntos, está bem? E se ainda se sentir da mesma maneira, partimos da Áustria juntos essa tarde, todos nós, e nunca mais vamos voltar.

— Não fiz as malas.

— Não será preciso. Vamos cuidar de tudo.

— Para onde planejam me levar?

— Um lugar seguro, onde ninguém vai encontrá-la.

— Para onde? — perguntou ela de novo, mas Gabriel não respondeu e se sentou na frente do computador. Com um clique do mouse, ele silenciou a voz de Waleed al-Siddiqi. Então, com outro clique, abriu um arquivo de áudio com o nome de INTERCEPTAÇÃO 238. Eram 20h57 da noite anterior. Jihan Nawaz estava sozinha em seu apartamento, cantarolando baixinho para esconder seu medo. E então seu celular começou a tocar.

Tocou quatro vezes antes que ela atendesse, e quando falou parecia um pouco sem fôlego.

"Alô."

"Jihan?"

"Sr. al-Siddiqi?"

"Desculpe ligar tão tarde. É um mau momento?"

"Não, de jeito nenhum."

"Alguma coisa errada?"

"Não, por quê?"

"Você parece brava com algo."

"Tive que correr para o telefone, só isso."

"Tem certeza? Tem certeza de que não há nada errado?"

Gabriel clicou no ícone de PAUSA.

— Ele está sempre tão preocupado com seu bem-estar?

— É uma obsessão recente dele.

— Por que deixou o telefone tocar tantas vezes?

— Porque quando vi quem estava ligando, não queria atender.

— Tinha medo?

— Para onde vão me levar?

Gabriel clicou no PLAY.

"Estou bem, sr. al-Siddiqi. Como posso ajudá-lo?"

"Preciso discutir algo importante com você."

"Claro, sr. al-Siddiqi."

"Seria possível ir até seu apartamento?"

"Já é tarde."

"Sei disso."

"Desculpe, mas não é uma boa hora. Não dá para esperar até segunda-feira?"

Gabriel clicou em PAUSE.

— Gostaria de parabenizá-la por seu *tradecraft*. Conseguiu dispensá-lo com facilidade.

— *Tradecraft*?

— É um termo usado no mundo da inteligência.

— Não sabia que era uma operação da inteligência. E não foi *tradecraft* — acrescentou ela. — Uma garota muçulmana sunita de Hama nunca permitiria que um homem casado viesse a seu apartamento desacompanhado, mesmo se esse homem casado fosse seu patrão.

Gabriel sorriu e clicou no PLAY.

"Infelizmente não posso esperar até segunda-feira. Preciso que faça uma viagem para mim na segunda-feira."

"Para onde?"

"Genebra."

STOP.
— Ele já pediu para você viajar por ele?
— Nunca.
— Sabe o que mais vai acontecer em Genebra na segunda-feira?
— Todo mundo sabe o que vai acontecer — respondeu ela. — Os norte-americanos, russos e europeus vão tentar conseguir um acordo de paz entre o regime e os rebeldes sírios.
— Um marco, não é mesmo?
— Será um diálogo de surdos.
Outro sorriso.
PLAY.
"Por que Genebra, sr. al-Siddiqi?"
"Preciso que pegue uns documentos para mim. Só vai ficar lá uma ou duas horas. Eu mesmo faria isso, mas tenho que ir a Paris nesse mesmo dia."
STOP.
— Para você saber — disse Gabriel —, o sr. al-Siddiqi não comprou uma passagem de avião para ir a Paris na segunda-feira.
— Ele sempre compra no último minuto.
— E por que os documentos precisam ser retirados pessoalmente? — perguntou Gabriel, ignorando-a. — Por que não podem ser enviados no serviço de entregas do correio? Por que não transferir via e-mail?
— Não é incomum que registros financeiros confidenciais sejam entregues em mãos.
— Especialmente quando são entregues a um homem como Waleed al-Siddiqi.
PLAY.
"O que exatamente precisa que eu faça?"
"É bem simples, na verdade. Só preciso que se encontre com um cliente no hotel Métropole. Ele vai lhe dar um pacote de documentos e você deve trazê-los de volta a Linz."
"E o nome do cliente?"
"Kemel al-Farouk."
STOP.
— Quem é ele? — perguntou Jihan.
Gabriel sorriu.
— Kemel al-Farouk é quem tem as chaves do reino — falou ele. — Kemel al-Farouk é o motivo pelo qual você precisa ir a Genebra.

50

LAGO ATTERSEE, ÁUSTRIA

ELES FORAM PARA O TERRAÇO e se sentaram debaixo da sombra de um guarda-sol. Um barco passando pelo lago abriu uma ferida na superfície da água; então o barco desapareceu e eles ficaram sozinhos de novo. Poderiam ser as duas últimas pessoas no mundo se não fosse pelo som da voz de Waleed al-Siddiqi transmitindo do laptop dentro da casa.

— Vi que comprou outro barco — disse Jihan, apontando para o lago.

— Na verdade, meus colegas compraram para mim.

— Por quê?

— Eu estava deixando todos loucos.

— Por quê?

— Por você, Jihan. Queria ter certeza de que estávamos fazendo todo o possível para que você estivesse segura.

Ela ficou em silêncio por um momento.

— Navegar aqui deve ser bem diferente do que é no Báltico. — Ela olhou para ele e sorriu. — Foi *lá* onde você aprendeu a navegar, não foi? No Báltico?

Ele assentiu lentamente.

— Nunca gostei — falou ela.

— Do Báltico?

— De navegar. Não gosto da sensação de não ter controle.

— Eu consigo ir a qualquer lugar nesse barco pequeno.

— Então você deve ser bom em controlar as coisas.

Gabriel não falou nada.

— Por quê? — perguntou Jihan depois de um momento. — Por que é tão importante que consigamos esses documentos de Kemel al-Farouk?

— Por causa do relacionamento dele com a família governante — respondeu Gabriel. — Kemel al-Farouk é o vice-ministro de Relações Exteriores da Síria. Na verdade, ele estará sentado na mesa de negociações quando começarem as conversações na tarde de segunda-feira. Mas seu título não corresponde à sua influência. O dirigente nunca dá um passo sem falar primeiro com Kemel, em termos de finanças ou política. Acreditamos que há mais dinheiro por aí — acrescentou Gabriel. — Muito mais. E acreditamos que os documentos de Kemel podem mostrar o caminho.

— Acreditam?

— Não há garantias nesse negócio, Jihan.

— E qual é esse negócio?

Gabriel ficou em silêncio de novo.

— Mas por que o sr. al-Siddiqi quer que *eu* vá pegar os documentos? — perguntou Jihan. — Por que não vai ele mesmo?

— Porque quando a delegação síria chegar em Genebra vai estar sob vigilância constante da inteligência suíça, sem mencionar os norte-americanos e seus aliados europeus. Não há como al-Siddiqi chegar perto daquela delegação.

— Não quero chegar perto deles também. São as mesmas pessoas que destruíram minha cidade, as mesmas pessoas que assassinaram minha família. Estou falando com você em alemão por causa de homens como eles.

— Então por que não se uniu à rebelião síria, Jihan? Por que não vingar o assassinato de sua família nos trazendo esses documentos?

Da sala veio o som da risada de Waleed al-Siddiqi.

— Oito bilhões de dólares não é suficiente? — perguntou ela depois de um momento.

— É muito dinheiro, Jihan, mas eu quero mais.

— Por quê?

— Porque vai permitir que tenhamos mais influência sobre as ações dele.

— Do dirigente?

Ele assentiu.

— Desculpe — falou ela com um sorriso —, mas isso não parece algo que um auditor fiscal alemão diria.

Ele deu um sorriso evasivo, mas não falou nada.

— Como isso funcionaria? — perguntou ela.

— Você vai fazer tudo que o sr. al-Siddiqi pedir — respondeu Gabriel. — Vai voar para Genebra na segunda de manhã. Vai pegar o carro com chofer do aeroporto até o hotel Métropole e recolher os documentos. E depois vai voltar ao aeroporto e viajar para Linz. — Ele fez uma pausa, depois acrescentou: — E em algum ponto do caminho, vai fotografar os documentos com seu celular e enviar para mim.

— E depois?

— Se, como suspeitamos, esses documentos forem uma lista de contas adicionais, vamos atacá-los enquanto você estiver no ar. Quando seu avião chegar em Viena, tudo já terá terminado. E aí vamos fazer você desaparecer.

— Para onde? — perguntou ela. — Para onde vão me levar?

— Um lugar seguro, onde ninguém poderá machucá-la.

— Infelizmente isso não é suficiente — disse ela. — Quero saber onde você pretende me levar quando isso terminar. E por falar nisso, você pode me contar quem realmente é. E dessa vez, eu quero a verdade. Sou uma filha de Hama. Não gosto quando as pessoas mentem para mim.

Eles entraram no barco a motor com a civilidade tensa de um casal brigando e foram para o lado sul do lago. Jihan se sentou rígida na popa, as pernas cruzadas, os braços cruzados, os olhos fazendo dois buracos na nuca dele. Ela tinha absorvido as confissões dele com um silêncio enraivecido, como uma esposa ouvindo a admissão de uma infidelidade do marido. Por enquanto, ele não tinha mais nada para dizer. Era a vez de ela falar.

— Seu maldito — falou ela por fim.

— Sente-se melhor agora?

Falou essas palavras sem se virar para ela. Aparentemente, ela não sentiu necessidade de responder.

— E se eu tivesse contado a verdade no começo? — perguntou ele. — O que você teria feito?

— Teria mandado você ir para o inferno.

— Por quê?

— Porque vocês são exatamente como eles.

Ele esperou um tempo antes de responder.

— Tem o direito de estar com raiva, Jihan. Mas não ouse me comparar com o açougueiro de Damasco.

— Você é pior!

— Deixe esses slogans de lado. Porque se o conflito na Síria provou algo, é que nós realmente somos diferentes de nossos adversários. Cento e cinquenta mil mortos, milhões de refugiados, todos pelas mãos dos irmãos árabes.

— Vocês fizeram a mesma coisa! — gritou ela.

— Besteira. — Ele ainda não estava olhando para ela. — Você pode achar difícil de acreditar — falou ele —, mas eu quero que os palestinos tenham um Estado próprio. Na verdade, eu quero fazer tudo que estiver em meu poder para tornar isso realidade. Mas, por enquanto, isso não é possível. É preciso dois lados para fazer a paz.

— São vocês que estão ocupando a terra deles!

Ele não se importou em responder, pois tinha aprendido há muito tempo que debates assim quase sempre assumiam a qualidade de um gato correndo atrás do próprio rabo. Em vez disso, desligou o motor e virou seu banco para ficar de frente para ela.

— Tire esse disfarce — pediu ela. — Deixe-me ver seu rosto.

Ele tirou os óculos falsos.

— Agora a peruca.

Ele obedeceu. Ela se inclinou para frente e olhou para o rosto dele.

— Tire essas lentes de contato. Quero ver seus olhos.

Ele tirou as lentes e jogou-as no lago.

— Satisfeita, Jihan?

— Como você fala alemão tão bem?

— Minha família veio de Berlim. Minha mãe foi a única a sobreviver ao Holocausto. Quando chegou a Israel, não falava hebraico. Alemão foi a primeira língua que ouvi.

— E a Ingrid?

— Seus pais tiveram seis filhos, um para cada milhão assassinado no Holocausto. Sua mãe e duas de suas irmãs foram mortas por um ataque suicida do Hamas. Ingrid ficou muito ferida. É por isso que ela caminha mancando. É por isso que nunca usa shorts ou vestido.

— Qual é o nome verdadeiro dela?

— Não é importante.

— Qual é o seu?

— Que diferença isso faz? Você me odeia por quem eu sou. Você me odeia por causa *do que* eu sou.

— Eu odeio você porque mentiu para mim.

— Não tive escolha.

O vento aumentou e trouxe com ele o cheiro das rosas.

— Você realmente nunca suspeitou que éramos de Israel?

— Suspeitei — admitiu ela.

— Por que não perguntou?

Ela não respondeu.

— Talvez porque não queria saber a resposta. E talvez agora que teve a chance de gritar comigo e me xingar, possamos voltar ao trabalho. Vou deixar o açougueiro de Damasco muito pobre. Vou garantir que ele nunca mais use gás venenoso contra seu próprio povo, que ele nunca transforme outra cidade em ruínas. Mas não posso fazer isso sozinho. Preciso da sua ajuda. — Ele parou, depois perguntou: — Vai me ajudar, Jihan?

Ela estava brincando com sua mão na água.

— Aonde vai me levar quando isso acabar?

— Aonde você acha?

— Não poderia viver lá, de jeito nenhum.

— Não é tão ruim quanto você foi levada a acreditar. Na verdade, é bastante bom. Mas não se preocupe — acrescentou ele —, não vai precisar ficar muito tempo. Assim que for seguro para partir, poderá viver onde quiser.

— Está me dizendo a verdade dessa vez ou é outra de suas mentiras?

Gabriel não falou nada. Jihan pegou a água do lago e deixou que escorresse por seus dedos.

— Eu vou fazer — falou ela, finalmente —, mas preciso de algo seu em troca.

— Qualquer coisa, Jihan.

Ela olhou para ele por um momento, sem falar nada. Então disse:

— Preciso saber seu nome.

— Não é importante.

— É para mim — respondeu ela. — Me diga seu nome ou pode encontrar outra pessoa para retirar aqueles documentos em Genebra.

— Não é como as coisas funcionam no nosso negócio.

— Me diga seu nome — repetiu ela. — Vou escrever na água e depois esquecer.

Ele sorriu e falou seu nome.

— Como o arcanjo? — perguntou ela.

— Isso — respondeu ele. — Como o arcanjo.

— E seu sobrenome?

Ele falou também.

— É conhecido.

— Deveria ser.

Ela se inclinou para a lateral do barco e marcou o nome dele na superfície escura do lago. Então uma rajada de vento desceu das Montanhas do Inferno e tudo desapareceu.

LAGO ATTERSEE — GENEBRA

Q UANDO TUDO TERMINASSE, GABRIEL seria capaz de lembrar poucas coisas das 24 horas seguintes, pois foram um furacão de planejamento, fortes brigas familiares e tensas conversações ocorrendo através de canais seguros. No Boulevard Rei Saul, sua exigência emergencial de mais propriedades seguras e transporte causou uma breve rebelião, que Uzi Navot conseguiu suprimir com um olhar duro e algumas poucas palavras inflexíveis. Só Transações Bancárias não teve problemas com o pedido de Gabriel por mais fundos. Sua operação já estava resultando em um lucro substancial, com ganhos inesperados no quarto trimestre.

Jihan Nawaz não ficaria sabendo de nada sobre as batalhas internas do Escritório, só das exigências da última tarefa que faria para ele. Ela voltou à casa no lago Attersee no domingo à tarde para uma reunião pré-operativa final, e para treinar as fotografias de documentos sob a pressão simulada de Gabriel, que era sua marca pessoal. Depois, se juntou à equipe para um almoço na grama de frente para o lago. A falsa bandeira que eles tinham usado desde seu recrutamento já tinha sido guardada há tempos. Eles eram israelenses agora, agentes de um serviço de inteligência que a maioria dos árabes via com uma mistura paradoxal de ódio e espanto. Havia o estudioso Yossi, o falso burocrata do serviço de Rendas e Alfândega da Grã-Bretanha. Havia a figura baixa e amarrotada que tinha sido apresentado como Feliks Adler. Havia Mikhail, Yaakov e Oded, seus três guardiões nas ruas de Linz. E havia Ingrid Roth, sua vizinha, sua confidente, com quem compartilhava feridas secretas, que tinha sofrido uma perda que Jihan entendia muito bem.

E no final da mesa, silencioso e observador, estava o homem de olhos verdes cujo nome ela tinha escrito na água. Ele não era o monstro que a imprensa árabe tinha descrito; nenhum deles era. Eram encantadores. Eram espertos. Eram inteligentes. Amavam seu país e seu povo. Sentiam muito pelo que tinha acontecido com Jihan e sua família em Hama. Sim, eles admitiam, Israel tinha cometido erros desde sua fundação, erros terríveis. Mas não queriam nada mais do que viver em paz e serem aceitos por seus vizinhos. A Primavera Árabe tinha trazido por pouco tempo a promessa de mudança no Oriente Médio, mas infelizmente isso tinha se transformado em uma luta mortal entre sunitas e xiitas, entre os jihadistas globais e a velha ordem dos homens fortes árabes. Claro, eles concordavam, havia uma camada média, um Oriente Médio moderno onde as ligações religiosas e tribais eram menos importantes do que governos decentes e progresso. Por algumas horas naquela tarde nas margens do Attersee parecia que quase tudo era possível.

Ela se separou deles pela última vez no começo da tarde e, acompanhada por sua amiga Ingrid, voltou a seu apartamento. Só Keller ficou cuidando dela naquela noite, pois o resto da equipe tinha começado uma rápida transição de campo de batalha que um engraçadinho do Escritório iria mais tarde chamar de grande migração para o oeste. Gabriel e Eli Lavon viajaram de carros juntos, Gabriel dirigindo, Lavon inquieto e preocupado, da mesma forma que tinham feito mil vezes antes. Mas havia uma diferença. O alvo deles não era um terrorista com sangue israelense nas mãos; eram bilhões de dólares que pertenciam ao povo da Síria. Lavon, o caçador de bens, quase não podia conter sua animação. Se controlassem o dinheiro do açougueiro, ele falou, poderiam vencê-lo. Poderiam *ser os donos* dele.

Chegaram em Genebra na hora incerta entre a escuridão e a manhã, e foram para o velho apartamento seguro do Escritório no boulevard de Saint-Georges. Mordecai tinha chegado ali antes deles, e na sala de estar tinha construído um posto de comando completo, com computadores e um rádio seguro. Gabriel mandou uma breve mensagem de ativação para o Centro de Operações no Boulevard Rei Saul. Então, pouco antes das sete, ouviu um Waleed al-Siddiqi com voz cansada subindo no voo 411 da Austrian Air no aeroporto Schwechat de Viena. Quando seu avião estava passando sobre Linz, um sedã preto parou na frente de um apartamento no distrito Innere Stadt. Cinco minutos depois, Jihan Nawaz, a filha de Hama, saiu na rua.

Nas três horas seguintes, o mundo de Gabriel se limitou às 15 polegadas luminosas de sua tela de computador. Não havia guerra na Síria, nem em Israel, nem na Palestina. Sua esposa não estava grávida de gêmeos. Na verdade, ele não tinha esposa. Só havia as luzes vermelhas piscando que mostravam as posições de

Jihan Nawaz e Waleed al-Siddiqi, e as luzes azuis piscando que mostravam onde estava sua equipe. Era ordenado, saudável, um mundo sem perigo. Parecia que nada poderia dar errado.

Às 8h15, a luz vermelha de Jihan chegou ao aeroporto Schwechat de Viena, e às nove tudo se apagou quando obedeceu as instruções da aeromoça de desligar todos os aparelhos eletrônicos. Gabriel então voltou sua atenção a Waleed al-Siddiqi que, naquele momento, estava entrando no escritório de Paris de um famoso banco francês onde tinha secretamente depositado várias centenas de milhões de dólares dos bens sírios. O banco estava localizado em uma parte elegante da rue Saint-Honoré, no primeiro *Arrondissement*. A Mercedes preta de al-Siddiqi ficou estacionada na rua. Uma equipe de vigilância do Escritório da Estação de Paris tinha identificado o motorista como membro da inteligência síria na França — segurança, principalmente, mas ocasionalmente coisas mais pesadas, também. Gabriel pediu uma foto e recebeu em cinco minutos a imagem de um homem carrancudo com o pescoço grosso atrás do volante do carro luxuoso.

Dez minutos depois das nove, horário de Paris, al-Siddiqi entrou no escritório de monsieur Gérard Beringer, um dos vice-presidentes do banco. O sírio não ficou lá muito tempo, porque às 9h17 recebeu uma ligação em seu celular que o levou ao corredor em busca de privacidade. A ligação era de um número em Damasco, a voz de barítono do outro lado denotava masculinidade, uma pessoa de autoridade. Ao final da conversa — que demorou apenas vinte segundos e foi realizada no dialeto alauíta do árabe sírio —, al-Siddiqi desligou seu celular e sua luz vermelha desapareceu da tela de computador.

Gabriel ouviu a gravação da conversa cinco vezes e não conseguiu determinar exatamente o que foi dito. Então pediu ao Boulevard Rei Saul uma tradução e recebeu a informação de que a voz em barítono tinha instruído al-Siddiqi a ligar de volta de outro aparelho. A análise de voz não conseguiu encontrar combinações para a identidade de quem tinha ligado. A unidade 8200 estava tentando localizar o número em Damasco.

— As pessoas desligam o celular o tempo todo — falou Eli Lavon. — Especialmente pessoas como Waleed al-Siddiqi.

— É verdade — respondeu Gabriel. — Mas geralmente fazem isso quando acham que alguém está ouvindo.

— Alguém *está* ouvindo.

Gabriel não falou nada. Estava olhando para a tela de computador como se tentasse fazer com que a luz de al-Siddiqi voltasse à vida por sua única vontade.

— A ligação provavelmente tinha algo a ver com o homem sentado no hotel Métropole — falou Lavon depois de um momento.

— É o que me preocupa.

— Não é tarde demais para pegar o dinheiro e desistir, Gabriel. Você pode fazer oito bilhões de dólares desaparecerem. E pode fazer a garota desaparecer também.

— E se tiver mais oito bilhões aí fora, Eli. E se houver *oitenta* bilhões?

Lavon não falou nada por um tempo. Então, finalmente, perguntou:

— O que você vai fazer?

— Vou considerar todas as razões pelas quais Waleed al-Siddiqi poderia ter desligado seu celular. E depois vou tomar uma decisão.

— Infelizmente acho que não há tempo para isso.

Gabriel olhou de novo para a tela do computador. A filha de Hama tinha acabado de chegar em Genebra.

A sala de desembarque do aeroporto de Genebra estava mais lotada do que o normal: diplomatas, repórteres, polícia e segurança extra, um grupo de exilados sírios cantando a música de protesto que foi escrita por um homem cuja garganta tinha sido cortada pela polícia secreta. Como resultado disso, Jihan demorou um tempo para encontrar seu motorista. Tinha trinta e poucos anos, cabelo escuro e pele morena, parecia um pouco inteligente demais para trabalhar como chofer. Seu olhar se voltou para ela quando se aproximou — obviamente tinha visto uma fotografia — e ele deu um sorriso, expondo uma fileira de dentes muito brancos. Ele falou com ela em árabe, com um sotaque sírio.

— Espero que tenha feito uma boa viagem, senhorita Nawaz.

— Foi boa — respondeu ela, fria.

— O carro está aí fora. Siga-me, por favor.

Ele apontou para a porta correta. A rota os fez passar pelos manifestantes, que ainda estavam cantando a música de protesto, e pelo pequeno israelense quadrado que parecia capaz de dobrar barras de ferro. Jihan olhou como se ele fosse invisível e saiu. Uma Mercedes S-Class preta com janelas bem escuras e placas diplomáticas estava esperando. Quando o motorista abriu a porta traseira, Jihan hesitou antes de entrar. Ela esperou até a porta se fechar antes de virar a cabeça e olhar para o homem sentado ao lado dela. Era vários anos mais velho do que o motorista, com cabelo preto fino, um bigode cheio e as mãos de um pedreiro.

— Quem é você? — perguntou Jihan.

— Segurança — respondeu ele.

— Por que preciso de segurança?

— Porque está prestes a de se encontrar com um oficial do ministério de Relações Exteriores da Síria. E porque há muitos inimigos do governo sírio em

Genebra no momento, incluindo aquela turba aí dentro — acrescentou ele apontando para o prédio do terminal. — É importante que chegue a seu destino com segurança.

O motorista subiu no carro e fechou sua porta.

— *Yallah* — disse o que estava no banco traseiro e o carro arrancou.

Só quando saíram do aeroporto foi que ele falou seu nome. Disse que se chamava sr. Omari. Trabalhava, ou foi o que disse, como oficial de segurança sênior para os postos diplomáticos sírios na Europa Ocidental — um trabalho difícil, acrescentou com um ar cansado, por causa das tensões políticas do momento. Era claro por seu sotaque que ele era alauíta. Também era claro que o motorista, que parecia não ter nenhum nome, não estava pegando a rota direto para o centro de Genebra. Ele andou por um vasto terreno de prédios industriais baixos por vários minutos, olhando constantemente pelo espelho retrovisor, antes de finalmente pegar a rota de Meyrin, que os levou por um bairro residencial frondoso e, no final, às margens do lago. Quando cruzaram a Pont du Mont-Blanc, Jihan percebeu que estava apertando sua bolsa tão forte que os nós de seus dedos tinham ficado brancos. Ela se forçou a relaxar e sorrir um pouco quando olhou pela janela para a linda cidade iluminada pelo sol. A visão dos policiais suíços alinhados na muralha da ponte fez com que sentisse um momento de conforto; e quando chegaram à margem oposta do lago, viu o israelense com o rosto marcado olhando a vitrine de uma loja Armani no Quai du Géneral-Guisan. O carro passou por ele e parou na frente da fachada verde-acinzentada do Métropole. O sr. Omari esperou um momento antes de falar.

— Suponho que o sr. al-Siddiqi contou o nome do homem esperando por você?

— Sr. al-Farouk.

Ele assentiu lentamente.

— Está esperando no quarto 312. Por favor, vá direto ao quarto dele. Não fale com a recepcionista ou qualquer outra pessoa no hotel. Está claro, senhorita Nawaz?

Ela assentiu.

— Quando tiver os documentos, deve sair do quarto dele e voltar diretamente a esse carro. Não faça nenhuma parada. Não fale com ninguém. Entendeu?

Ela assentiu de novo.

— Algo mais? — perguntou ela.

— Sim — disse ele. — Por favor, entregue-me seu celular, junto com qualquer outro aparelho eletrônico que tiver na sua bolsa.

Dez segundos depois, a luz vermelha do celular de Jihan desapareceu da tela de computador de Gabriel. Ele imediatamente falou com Yaakov, que tinha seguido Jihan até o hotel, e mandou que abortasse a missão. Mas já era tarde demais; ela estava caminhando pelo lobby do hotel lotado como se estivesse marchando, o queixo levantado desafiador, sua bolsa no ombro. Então entrou no elevador, que fechou suas portas, e desapareceu da vista dele.

Yaakov rapidamente subiu no elevador ao lado e apertou o botão para o terceiro andar. A viagem pareceu durar uma eternidade; e quando as portas finalmente se abriram, ele viu um segurança sírio, parado no hall, as mãos fechadas, os pés abertos, como se estivesse preparado para um ataque frontal. Os dois homens trocaram um olhar longo e frio. Então as portas se fecharam, e o elevador desceu lentamente de volta ao lobby.

52

HOTEL MÉTROPOLE, GENEBRA

E LA BATEU DE LEVE NA PORTA — LEVE DEMAIS, aparentemente, porque demorou longos segundos para alguém responder. Então a porta recuou alguns centímetros, e um par de olhos escuros olhou para ela por cima da trava de segurança. Os olhos pertenciam a outro segurança. Era mais parecido com o motorista de Jihan do que com o implacável sr. Omari, jovem, bem vestido e penteado, um assassino em uma embalagem apresentável. No hall de entrada ele revistou sua bolsa para ter certeza de que ela não tinha trazido um revólver ou um colete suicida. Então a convidou a segui-lo até a sala de estar da luxuosa suíte. Havia mais quatro seguranças como ele no lugar; e sentado no sofá estava Kemel al-Farouk, vice-ministro de Relações Exteriores, ex-oficial da Mukhabarat, amigo e conselheiro do dirigente. Estava segurando uma xícara e um pires em uma mão e balançando sua cabeça para algo que um repórter da Al Jazeera estava falando na televisão. Havia papéis no sofá e na mesinha de café. Jihan ficou imaginando o conteúdo. Papéis sobre a posição deles em relação às negociações de paz? Uma contagem das recentes vitórias nos campos de batalha? Uma lista de números recentes de opositores mortos? Finalmente, ele virou a cabeça alguns graus e, com um aceno, convidou-a a se sentar. Nem se levantou nem ofereceu sua mão. Homens como Kemel al-Farouk eram muito poderosos para se preocupar com boas maneiras.

— Sua primeira vez me Genebra? — perguntou ele.

— Não — respondeu ela.

— Já veio aqui antes a trabalho para o sr. al-Siddiqi?

— De férias, na verdade.

— Quando veio aqui de férias, Jihan? — Ele sorriu de repente e perguntou:
— Tudo bem se eu chamá-la de Jihan?

— Claro, sr. al-Farouk.

O sorriso dele desapareceu. Ele perguntou de novo sobre as circunstâncias de suas férias em Genebra.

— Eu era criança — falou ela. — Não me lembro muito.

— O sr. al-Siddiqi me disse que você foi criada em Hamburgo.

Ela assentiu.

— É uma das grandes tragédias do nosso país, a grande diáspora síria. Quantos de nós fomos dispersos aos quatro ventos? Dez milhões? Quinze milhões? Se eles voltassem, a Síria seria realmente uma grande nação.

Ela queria explicar a ele que a diáspora nunca voltaria enquanto homens como ele estivessem dirigindo o país. Em vez disso, assentiu pensativa, como se ele tivesse falado palavras de grande inspiração. Estava sentado como o pai do dirigente, com os pés descansados no chão e as mãos nos joelhos. Seu cabelo bem aparado tinha um toque avermelhado, assim como sua barba bem cortada. Com seu terno feito sob medida e gravata discreta era quase possível imaginar que ele fosse realmente um diplomata e não um homem que costumava crucificar oponentes por diversão.

— Café? — perguntou ele, como se de repente tivesse percebido sua falta de educação.

— Não, obrigada — respondeu ela.

— Algo para comer, talvez?

— Me mandaram pegar os documentos e partir, sr. al-Farouk.

— Ah, sim, os documentos. — Ele pegou um envelope ao lado dele no sofá. — Gostou de crescer em Hamburgo, Jihan?

— Sim, acho que sim.

— Havia muitos outros sírios lá, não?

Ela assentiu.

— Inimigos do governo sírio?

— Não saberia dizer.

Seu sorriso dizia que não acreditava nela.

— Você morava em Marienstrasse, não morava?

— Como sabe disso?

— São tempos difíceis — falou ele depois de um momento, como se a Síria estivesse passando por uma fase de clima inclemente. — Meus homens de segurança me contaram que nasceu em Damasco.

— Isso mesmo.

— Em 1976.

Ela assentiu lentamente.

— Também tempos difíceis — falou ele. — Salvamos a Síria dos extremistas na época e vamos salvar a Síria de novo agora. — Ele olhou para ela por um momento. — Você quer que o governo ganhe essa guerra, não quer, Jihan?

Ela levantou o queixo um pouco e olhou diretamente para ele.

— Quero paz para o nosso país — falou ela.

— Todos queremos a paz — respondeu ele. — Mas é impossível fazer a paz com monstros.

— Concordo plenamente, sr. al-Farouk.

Ele sorriu e colocou o envelope na mesa em frente a ela.

— Quanto tempo até a saída do seu voo? — perguntou ele.

Ela olhou para o relógio e falou:

— Noventa minutos.

— Tem certeza de que não quer café?

— Não, obrigada, sr. al-Farouk — falou ela, tímida.

— Nem comer alguma coisa?

Ela forçou um sorriso.

— Comerei algo no avião.

Durante alguns minutos naquela gloriosa manhã de segunda-feira em Genebra parecia que o imponente hotel Métropole era o centro do mundo civilizado. Limusines pretas chegavam e saíam da entrada; diplomatas e banqueiros cinzentos entravam e saíam de suas portas. Uma famosa repórter da BBC usava sua fachada como fundo de uma reportagem ao vivo. Um grupo de manifestantes gritava para o hotel por permitir que assassinos dormissem pacificamente debaixo de seu teto.

Dentro do hotel, tudo estava quieto. Depois de sua breve visita ao terceiro andar, Yaakov tinha se sentado na última mesa livre no bar Mirror e olhava para os elevadores por cima de um café com creme morno. Às 11h40, as portas se abriram e Jihan apareceu de repente. Quando ela entrou no hotel alguns minutos antes, carregava sua bolsa no ombro direito. Agora estava no esquerdo. Era um sinal pré-combinado. Ombro esquerdo significava que tinha os documentos. Ombro esquerdo significava que estava segura. Yaakov rapidamente se comunicou com Gabriel pedindo ordens. Gabriel falou para Yaakov deixá-la ir.

A equipe tinha o hotel cercado pelos quatro lados, mas ninguém se preocupou com a cobertura fotográfica. Não importava; quando Jihan passou pela entrada principal, cruzou na frente das filmagens da BBC. A imagem, transmitida ao vivo para o mundo todo e guardada até hoje nos arquivos digitais da estação, foi a última feita dela. Seu rosto parecia calmo e resoluto; seus passos eram rápidos e determinados. Ela parou, como se estivesse confusa sobre qual das Mercedes estacionadas na frente do hotel era a dela. Então o homem com trinta e poucos anos acenou para ela, que desapareceu no banco de trás de um carro. O homem de trinta e poucos anos olhou para os andares mais altos do hotel antes de se sentar no volante. O carro se afastou da calçada e a filha de Hama desapareceu.

Entre os muitos aspectos da saída de Jihan que não foram capturados pela câmera da BBC estava o Toyota prateado que a seguiu. Kemel al-Farouk notou o carro, no entanto, porque no momento estava parado na janela de seu quarto no terceiro andar do hotel. Ex-oficial de inteligência, não pôde deixar de admirar a forma como o motorista do Toyota se enfiou no trânsito sem pressa ou urgência. Era profissional; Kemel al-Farouk tinha certeza disso.

Tirou um celular do bolso, discou um número e murmurou algumas palavras em código que informava ao homem do outro lado da chamada que estava sendo seguido. Então desligou e ficou olhando a Jet d'Eau lançar um jato de água por cima do lago. Seus pensamentos, no entanto, estavam nos eventos que iriam acontecer em seguida. Primeiro, o sr. Omari faria com que ela falasse. Depois, o sr. Omari iria matá-la. Prometia ser uma tarde divertida. Kemel al-Farouk só queria ter tempo em sua agenda complicada para fazer isso pessoalmente.

No apartamento seguro do boulevard de Saint-Georges, Gabriel estava na frente do computador, uma mão descansando sobre o queixo, a cabeça virada para o lado, paralisado. Eli Lavon caminhava devagar atrás dele, uma xícara de chá na mão, um escritor procurando o verbo perfeito. O rádio seguro contava tudo que era preciso saber; o computador só fornecia provas comprobatórias. Jihan Nawaz estava segura de volta ao carro e este ia na direção do Aeroporto Internacional de Genebra. Mikhail Abramov estava a duzentos metros atrás deles na *route* de Meyrin, com Yossi servindo como navegador e segundo par de olhos de reserva. Oded e Rimona Stern estavam cobrindo o terminal. O resto da equipe estava a caminho. Tudo estava indo de acordo com o plano, com uma pequena exceção.

— Qual é? — perguntou Eli Lavon.

— O celular — respondeu Gabriel.

— O que tem?

— Só estou imaginando por que o sr. Omari não o devolveu para ela.

Outro minuto se passou e a luz vermelha piscando ainda não apareceu na tela. Gabriel levantou o rádio até seus lábios e mandou que Mikhail se aproximasse.

Mais tarde, durante o inquérito secreto que se seguiu aos eventos em Genebra, haveria alguns questionamentos de quando precisamente Mikhail e Yossi receberam a ordem de Gabriel. No final, todos concordaram que foi às 12h17. Não havia nenhuma dúvida sobre a localização deles no momento; estavam passando pelo bar e restaurante Les Asters no número 88 da Route de Meyrin. Uma mulher de cabelo escuro estava parada na varanda de seu apartamento bem em cima do café. Um bonde estava vindo na direção deles. Era o número 14. Mikhail e Yossi tinham certeza disso.

Tinham certeza, também, de que a Mercedes levando Jihan Nawaz estava a cem metros na frente deles e indo a uma velocidade considerável. Tão considerável, na verdade, que Mikhail achou difícil diminuir o intervalo separando os dois carros. Ele passou o farol vermelho na avenida Wendt e quase atropelou um temerário pedestre, mas não funcionou. O motorista da Mercedes estava pisando fundo pelo boulevard como se estivesse com medo que Jihan perdesse seu voo.

Finalmente, na saída do compacto centro da cidade de Genebra, Mikhail conseguiu pisar fundo no acelerador. E foi quando o caminhão comercial branco, muito novo, sem nenhuma marca, veio cruzando pela rua lateral estreita. Mikhail teve menos de um segundo para considerar a ação evasiva e nesse momento determinou que não havia escolha. Havia um bonde parado no centro do boulevard, e trânsito pesado vindo na direção dele nas faixas opostas. O que não lhe deixou alternativa a não ser pisar nos freios enquanto girava o volante à esquerda, uma manobra que fez com que o carro derrapasse de forma controlada.

O motorista do caminhão brecou, bloqueando assim as duas faixas do boulevard. E quando Mikhail fez um gesto para que saísse, o motorista desceu do caminhão e começou a discutir em uma língua que parecia uma mistura de francês e árabe. Mikhail desceu também e por um momento pensou em mostrar sua arma. Mas não foi necessário; depois de fazer um último gesto obsceno, o motorista do caminhão voltou à cabine e, sorrindo, saiu do caminho lentamente. A Mercedes não estava em lugar nenhum e Jihan Nawaz tinha oficialmente desaparecido das telas do radar.

O celular que pertencia ao sr. Omari, primeiro nome desconhecido, tocou duas vezes depois que ele saiu do hotel Métropole; quando estavam cruzando a Pont du Mont-Blanc e novamente quando estava se aproximando do aeroporto. Durante a primeira ligação ele não falou nada; durante a segunda, emitiu algo mais que um grunhido antes de desligar. O celular de Jihan estava perto do console do centro. Até o momento, ele não tinha dado nenhuma indicação de que planejava devolvê-lo, agora ou mais tarde.

— Deve estar curiosa sobre a natureza desses documentos — falou ele depois de um momento.

— De jeito nenhum — respondeu ela.

— É mesmo? — Ele se virou e olhou para ela. — Acho difícil acreditar.

— Por quê?

— Porque a maioria das pessoas é naturalmente curiosa quando se trata dos negócios financeiros de pessoas poderosas.

— Trabalho com pessoas poderosas o tempo todo.

— Não como o sr. al-Farouk. — Ele deu um sorriso desagradável. Então falou: — Vá em frente. Dê uma olhada.

— Me mandaram não olhar.

Jihan não se moveu. O sorriso dele desapareceu.

— Olhe os documentos — voltou a falar.

— Não posso.

— O sr. al-Farouk acabou de me contar que queria que você abrisse o envelope antes de entrar no avião.

— Ele não me falou isso, então não posso.

— Olhe os documentos, Jihan. É importante.

Ela tirou o envelope de sua bolsa e entregou para ele. O homem levantou as mãos na defensiva, como se estivessem oferecendo uma cobra venenosa para ele.

— Não tenho permissão para vê-los — falou ele. — Só você.

Ela soltou a presilha de metal, levantou a aba e tirou o maço de documento. Tinha meio centímetro de grossura e estava preso com um gancho de metal. A página de cima estava em branco.

— Pronto — falou ela. — Já vi. Podemos ir ao aeroporto agora?

— Olhe a página seguinte — falou ele, sorrindo de novo.

Ela fez isso. Também estava em branco. Assim como a terceira. E a quarta. Então levantou a vista para o sr. Omari e viu a arma em sua mão, a arma que estava apontada para o peito dela.

53

GENEBRA

ÀS DUAS HORAS DAQUELA TARDE, a Conferência de Genebra sobre a Síria se reuniu na sede da ONU em Genebra. O sério secretário de Estado norte-americano pediu uma transição organizada do regime para a democracia, algo que o ministro de Relações Exteriores sírio disse que nunca iria acontecer. Não foi surpreendente que sua posição ganhou o apoio do representante russo, que avisou que o Kremlin iria vetar qualquer tentativa, militar ou diplomática, de forçar que seu único aliado no mundo árabe fosse retirado do poder. Na conclusão da sessão, o secretário-geral da ONU declarou timidamente que as negociações tiveram um "início promissor". A imprensa global discordou. Eles caracterizaram todo o episódio como uma monumental perda de tempo e dinheiro, principalmente o deles, e foram atrás de uma história melhor para cobrir.

Em outro lugar da pequena cidade encantada, a vida corria como sempre. Os banqueiros ocupavam-se de seus negócios na rue du Rhône, os cafés da Cidade Velha se enchiam e esvaziavam, os aviões brancos subiam aos céus claros sobre o Aeroporto Internacional de Genebra. Entre os voos que saíram naquela tarde estava o 577 da Empresa Austríaca. A única irregularidade era a ausência de uma única passageira, uma mulher de 39 anos, nascida na Síria e criada numa rua em Hamburgo, que estaria para sempre ligada ao terrorismo islâmico. Por causa do passado incomum da mulher e dos eventos acontecendo em Genebra naquele dia, a companhia aérea enviou um informe à autoridade de aviação suíça que, por sua vez, enviou a informação ao NDB, o serviço de inteligência e segurança da Suíça. No final, esse informe chegou à mesa de Christoph Bittel, que, coincidentemente, tinha sido colocado no comando da segurança para as conversações de paz da Síria. Ele fez um pedido de rotina por informações de seus companheiros em

Berlim e Viena, e recebeu a resposta de que não tinham nenhuma informação. Mesmo assim, mandou uma cópia do arquivo e da foto dela para a polícia de Genebra, para os serviços de segurança diplomáticos norte-americano e russo, e até para os sírios. E então passou para assuntos mais urgentes.

A mulher que não conseguiu pegar um avião para Viena era bem mais importante para os dois homens no apartamento do boulevard de Saint-Georges. Em poucos minutos, o humor deles passou da confiança calma ao desespero silencioso. Eles tinham recrutado, mentido e depois se revelado para ela. Tinham prometido protegê-la, dar a ela uma nova vida em um lugar onde os monstros que tinham assassinado sua família nunca a encontrariam. E agora, num piscar de olhos, eles a perderam. Mas por que os monstros a trouxeram a Genebra para início de conversa? E por que tinham permitido que entrasse em um quarto de hotel onde Kemel al-Farouk, vice-ministro de Relações Exteriores da Síria e conselheiro do dirigente, estava presente?

— Obviamente — falou Eli Lavon — era uma armadilha.

— Obviamente? — perguntou Gabriel.

Lavon olhou para a tela do computador.

— Está vendo alguma luz vermelha? — perguntou ele. — Porque eu não estou.

— Isso não significa que era uma armadilha.

— O que significa?

— Por que trazê-la aqui durante a conferência de paz? Por que não raptá-la em Linz?

— Porque sabiam que estávamos cuidando dela, e acharam que não conseguiriam raptá-la facilmente.

— Então criaram uma desculpa para trazê-la até Genebra? Algo que não poderíamos resistir? É isso que está falando, Eli?

— Já viu isso antes?

— O que está falando?

— É exatamente como teríamos feito isso.

Gabriel não ficou convencido.

— Você notou algum agente de inteligência síria quando estávamos em Linz?

— Isso não significa que não estavam lá.

— Notou, Eli?

— Não — falou, balançando a cabeça. — Não posso falar que vi.

— Nem eu — respondeu Gabriel. — E é por que Waleed al-Siddiqi e Jihan Nawaz eram os únicos sírios na cidade. Ninguém a seguia até seu avião pousar em Genebra.

— O que aconteceu?

— Aconteceu isso. — Gabriel apertou o ícone de PLAY no computador e uns segundos depois apareceu o som de Waleed al-Siddiqi murmurando algo em árabe.

— A ligação de Damasco? — perguntou Lavon.

Gabriel assentiu.

— Se tivesse que adivinhar — falou ele — era alguém da Mukhabarat dizendo a Waleed que ele contratou uma mulher de Hama para trabalhar como sua gerente de contas.

— Grande erro.

— E foi por isso que Waleed ligou depois para Kemel al-Farouk no hotel Métropole e mandou que cancelasse a reunião.

— Mas al-Farouk tinha uma ideia melhor?

— Talvez tenha sido ideia de al-Farouk. Ou talvez do sr. Omari. A questão é — acrescentou Gabriel —: eles não tem nada contra ela a não ser o fato de ter mentido sobre seu local de nascimento.

— Algo me diz que não vai demorar muito para eles descobrirem a verdade.

— Concordo.

— Então, o que vai fazer?

— Um acordo, claro.

— Como?

— Assim. — Gabriel digitou uma mensagem de três palavras para o Boulevard Rei Saul e apertou SEND.

— Isso vai chamar a atenção deles — falou Lavon. — Tudo que precisamos agora é de alguém para negociar.

— Temos alguém, Eli.

— Quem?

Gabriel virou o computador para Lavon ver a tela. Uma luz vermelha estava piscando na rue Saint-Honoré, no primeiro *Arrondissement* de Paris. Waleed al--Siddiqi tinha finalmente ligado seu celular.

Uzi Navot tinha um corpo construído para a força, não para a velocidade. Mesmo assim, todos que foram testemunhas de sua corrida do Centro de Operações até a sala 414C mais tarde diriam que nunca tinham visto o chefe se mover tão rápido. Ele bateu tão forte na porta que parecia que estava tentando quebrá-la, e quando entrou foi direto para o terminal de computador que tinha sido reservado para o roubo.

— Ainda está pronto? — perguntou ele para ninguém em especial, e de algum lugar da sala veio a resposta de que tudo estava em ordem. Navot se inclinou e, com mais força do que era necessário, apertou o botão. Eram 16h22 em Tel Aviv, 15h55 em Genebra. E ao redor do mundo, armadilhas estavam sendo desatadas e o dinheiro estava começando a fluir.

Aproximadamente cinco minutos depois de cruzar a fronteira francesa, o sr. Omari arrastou Jihan aos gritos para o porta-malas do carro. A tampa fechou sobre ela com um barulho forte e definitivo, e seu mundo se tornou negro. Era como Hama durante o sítio, ela pensou. Mas aqui no porta-malas do carro não havia explosões ou gritos para cortar a escuridão, só o enlouquecedor zumbido dos pneus sobre o asfalto. Ela imaginou que estava nos braços de sua mãe de novo, agarrando seu hijab. Até imaginou que conseguia sentir o perfume de rosas dela. Então o cheiro de gasolina superou tudo, e a memória do abraço de sua mãe desapareceu, deixando somente o medo. Ela sabia qual seria seu destino; já tinha visto isso tudo antes, durante os dias negros depois do sítio. Ela seria interrogada. Depois seria morta. Não havia nada a fazer. Era a vontade de Deus.

O escuro fazia com que fosse impossível que Jihan visse seu relógio e, portanto, acompanhasse a passagem do tempo. Ela cantarolou para esconder seu medo. E, por um breve momento, pensou no oficial de inteligência israelense cujo nome tinha escrito na superfície do Attersee. Ele nunca a abandonaria; tinha certeza disso. Mas ela precisava ficar viva tempo suficiente para que ele a encontrasse. Então se lembrou de um homem que tinha conhecido em Hamburgo quando era estudante universitária, um dissidente sírio que tinha sido torturado pela Mukhabarat. Ele tinha sobrevivido, contou, porque havia contado aos interrogadores coisas que achou que queriam ouvir. Jihan iria fazer a mesma coisa — não a verdade, claro, mas uma mentira tão irresistível que iriam querer saber de tudo. Não tinha dúvidas de sua capacidade de enganá-los. Tinha enganado as pessoas sua vida toda.

E assim, deitada no escuro, com a estrada debaixo dela, inventou a história que esperava que salvaria sua vida. Era a história de uma aliança improvável entre um homem poderoso e uma jovem solitária, uma história de ambição e enganos. Ela repassou o começo, fez uma edição e reescreveu aqui e ali, e quando o carro finalmente parou, estava terminada. Quando o porta-malas se abriu, ela viu o rosto do sr. Omari antes que ele enfiasse um saco preto em sua cabeça. Tinha esperado por isso. O dissidente sírio tinha contado que a Mukhabarat gostava da privação dos sentidos.

Ela foi tirada do porta-malas e levada por um caminho de terra. Então a forçaram a descer umas escadas tão íngremes que no final desistiram e a carregaram. Um momento depois eles a largaram num chão de concreto como se ela estivesse morta. Então ouviu uma porta se fechar, seguida pelo som de passos masculinos se afastando. Ela ficou imóvel por vários segundos antes de finalmente tirar o saco e descobrir que estava novamente em um lugar totalmente escuro. Tentou não tremer, mas não conseguiu evitar. Tentou não chorar, mas as lágrimas escorriam por seu rosto. Então pensou em sua história. Era culpa do sr. al-Siddiqi, ela falou para si mesma. Nada disso teria acontecido se o sr. al-Siddiqi não tivesse oferecido um emprego para ela.

54

TEL AVIV - HAUTE-SAVOIE, FRANÇA

No final, os dez gênios da computação conhecidos coletivamente como Minyan estavam errados sobre o tempo que iria demorar. O processo não durou cinco minutos, mas pouco mais de três. Como resultado, à 16h25, hora de Tel Aviv, 8,2 bilhões dos bens do dirigente sírio estavam sob controle do Escritório. Um minuto depois, Uzi Navot enviou uma mensagem para Gabriel no apartamento de Genebra confirmando que a transferência tinha sido completada. Nesse ponto, Gabriel deu a ordem para uma segunda transação: a transferência de quinhentos milhões para uma conta no Bank TransArabian em Zurique. O dinheiro chegou às 15h29, hora local, quando o dono da conta, Waleed al-Siddiqi, estava preso no trânsito da tarde de Paris. Gabriel ligou para o número do celular do banqueiro, mas ele não atendeu. Cortou a ligação, esperou outro minuto, e ligou de novo.

Não a fizeram esperar muito, cinco minutos apenas. Então Jihan ouviu a primeira batida na porta, e uma voz masculina mandou que colocasse o saco na cabeça de novo. Era um dos que tinham esperado por ela no aeroporto de Genebra; ela reconheceu sua voz e o cheiro de colônia horrível um momento depois, quando ele a levantou. Guiou-a até a escada íngreme, depois por um piso de mármore. Ela percebeu que era algum tipo de grande espaço institucional porque os ecos de seus passos pareciam ir bem longe. Finalmente, ele mandou que ela parasse e a forçou a se sentar em uma cadeira de madeira dura. E ela ficou ali sentada por vários minutos, cega pelo saco e pelo medo do que viria a seguir. Ficou imaginando quanto tempo tinha de vida. Ou talvez, pensou, já estivesse morta.

Outro minuto se passou. Então uma mão arrancou o saco, levando um tufo de cabelo de Jihan com ele. O sr. Omari estava na frente dela, de camiseta regata, um cassetete de borracha na mão. Jihan olhou onde estava. Era uma grande sala bonita de um grande château. Não um château, ela pensou de repente, mas um palácio. Parecia recentemente decorado e ainda vazio.

— Onde estou? — perguntou ela.
— Que diferença isso faz?
Ela voltou a olhar para a sala e perguntou:
— De quem é esse lugar?
— Do presidente da Síria. — Ele fez uma pausa, depois acrescentou: — Seu presidente, Jihan.
— Sou cidadã alemã. Você não tem o direito de me prender.

Os dois homens sorriram um para o outro. Então o sr. Omari colocou seu celular na pequena mesa decorativa ao lado da cadeira de Jihan.

— Ligue para seu embaixador, Jihan. Ou melhor ainda — acrescentou ele —, por que não liga para a polícia francesa? Tenho certeza de que eles chegariam em pouco tempo.

Jihan não se moveu.

— Ligue para eles — exigiu ele. — O número de emergência na França é um, um, dois. Aí você disca 17 para a polícia.

Ela esticou a mão para pegar o telefone, mas antes que pudesse agarrá-lo, o cassetete atingiu as costas de sua mão como um martelo. Instantaneamente, ela se dobrou pela metade e agarrou a mão atacada como se fosse um passarinho machucado. Então o cassetete caiu sobre suas costas, e ela rolou no chão. Ficou ali como uma bola defensiva, incapaz de se mover, incapaz de fazer qualquer som a não ser um profundo soluço de agonia. "Então é aqui que vou morrer", ela pensou. "No palácio do dirigente, em uma terra que não é a minha." Ela esperou pelo golpe seguinte, mas ele não veio. Em vez disso, o sr. Omari juntou um punhado do cabelo dela e puxou seu rosto para perto do dele.

— Se estivéssemos na Síria — falou ele —, teríamos muitos aparelhos à nossa disposição para obrigá-la a falar. Mas aqui só temos esse — acrescentou ele, apontando para o cassetete de borracha. — Podemos demorar um pouco, e não vai sobrar muito da sua cara quando eu terminar, mas você vai falar, Jihan. Todo mundo fala.

Por um momento, ela não conseguiu responder. Então, finalmente, retomou a capacidade de falar.

— O que quer saber?
— Quero saber para quem você está trabalhando.
— Trabalho para Waleed al-Siddiqi no Bank Weber AG em Linz, Áustria.

O cassetete atingiu a lateral de seu rosto. Sentiu que ficou temporariamente cega.

— Quem a seguiu até o hotel em Genebra essa manhã?

— Não sabia que estava sendo seguida.

Dessa vez, o cassetete atingiu a lateral de seu pescoço. Não teria ficado surpresa se tivesse visto sua cabeça rolando pelo chão de mármore do dirigente.

— Você está mentindo, Jihan.

— Não estou mentindo! Por favor — pediu ela —, não me bata de novo.

Ele ainda estava segurando-a pelo cabelo. O rosto dele estava vermelho pela raiva e pelo esforço.

— Vou fazer uma pergunta simples, Jihan. Confie em mim quando digo que sei a resposta para essa pergunta. Se me disser a verdade, nada vai acontecer com você. Mas se mentir, não vai sobrar muita coisa de você quando eu terminar. — Ele balançou violentamente a cabeça dela. — Está me entendendo, Jihan?

— Estou.

— Diga onde você nasceu.

— Síria

— Em que lugar da Síria, Jihan?

— Hama — respondeu ela. — Nasci em Hama.

— Qual era o nome do seu pai?

— Ibrahim Nawaz.

— Ele era membro da Irmandade Muçulmana?

— Era.

— Ele morreu durante o levante em Hama em fevereiro de 1982?

— Não — respondeu ela. — Ele foi assassinado pelo regime em 1982, junto com meus irmãos e minha mãe.

Claramente, o sr. Omari não estava interessado em ficar discutindo o passado.

— Mas você não — afirmou ele.

— Não — respondeu ela. — Eu sobrevivi.

— Por que não contou ao sr. al-Siddiqi nada disso quando ele a contratou para trabalhar no Bank Weber?

— Como assim?

— Não brinque comigo, Jihan.

— Não estou brincando — disse.

— Disse ao sr. al-Siddiqi que tinha nascido em Hama?

— Disse.

— Contou ao sr. al-Siddiqi que sua família tinha morrido durante esse levante?

— Contei.

— Contou a ele que seu pai era um Irmão Muçulmano?
— Claro — falou ela. — Contei tudo ao sr. al-Siddiqi.

Na quarta tentativa, Waleed al-Siddiqi finalmente atendeu o telefone. Durante vários segundos ele não disse nada, a luz vermelha piscando como um coração nervoso na tela do computador de Gabriel. Então, em árabe, ele perguntou:
— Quem é?
— Estou ligando sobre um problema em uma de suas contas — disse Gabriel, calmo. — Na verdade, em várias das suas contas.
— Do que você está falando?
— Se eu fosse você, Waleed, ligaria para Dennis Cahill no Trade Winds Bank nas ilhas Caimã e perguntaria sobre alguma atividade recente nas contas da LXR Investments. E, aproveitando, eu ligaria para Gérard Beringer, o homem com o qual acabou de se reunir na Société Générale. E depois quero que você me ligue de volta. Você tem cinco minutos. Rápido, Waleed. Não me deixe esperando.

Gabriel desligou e colocou o celular na mesa.
— Isso vai chamar a atenção dele — falou Eli Lavon.
Gabriel olhou para a tela do computador e sorriu.
Já tinha chamado.

Ele ligou para o Trade Winds e o Société Générale. Depois ligou para o UBS, o Credit Suisse, o Centrum Bank de Liechtenstein e o First Gulf Bank de Dubai. Em cada instituição, ouviu a mesma história. Finalmente, dez minutos atrasado, ligou para Gabriel.
— Você nunca vai se safar disso — falou ele.
— Já me safei.
— O que você fez?
— Não fiz nada, Waleed. Foi *você* que roubou o dinheiro do dirigente.
— Do que você está falando?
— Acho que deveria fazer mais uma ligação, Waleed.
— Para onde?
Gabriel contou. Então cortou a ligação e aumentou o volume do computador. Dez segundos depois, um telefone estava tocando no TransArabian Bank em Zurique.

55

HAUTE-SAVOIE, FRANÇA

ELES TROUXERAM UMA TIGELA com água gelada para sua mão. A tigela era grande e prateada; sua mão era uma massa ensanguentada. O choque do frio ajudou a diminuir a dor, mas não a raiva queimando dentro dela. Homens como o sr. Omari tinham tirado tudo dela — sua família, sua vida, sua cidade. Agora, tanto tempo depois, ela tinha a chance de enfrentá-lo. E talvez, pensou, vencê-lo.

— Cigarro? — perguntou ele, e ela respondeu que sim, ela aceitaria outra misericórdia cordial do assassino. Ele colocou um Marlboro entre seus lábios partidos e acendeu. Ela tragou e, com dificuldade, segurou o cigarro com a mão esquerda.

— Está confortável, Jihan?

Ela tirou a mão direita da água gelada, mas não falou nada.

— Não teria acontecido se tivesse me contado a verdade.

— Não me deu muita oportunidade.

— Estou dando agora.

Ela decidiu jogar devagar. Tragou o cigarro de novo e soltou uma nuvem de fumaça na direção do teto ornamentado do dirigente.

— E se eu contar o que sei? O que acontece?

— Vai ficar livre para ir embora.

— Para onde?

— A escolha é sua.

Ela colocou de novo sua mão na água.

— Me desculpe, sr. Omari — falou ela —, mas você pode imaginar que não tenho muita confiança no que você fala.

— Então acho que não tenho escolha a não ser quebrar sua outra mão. — Outro sorriso cruel. — E depois vou quebrar suas costelas e todos os ossos em seu rosto.

— O que quer de mim? — perguntou ela depois de um momento.

— Quero que me conte tudo que sabe sobre Waleed al-Siddiqi.

— Ele nasceu na Síria. Ganhou muito dinheiro. Comprou participação em um pequeno banco privado em Linz.

— Sabe por que ele comprou o banco?

— Usa como plataforma para investir dinheiro e esconder bens para clientes poderosos do Oriente Médio.

— Conhece alguns dos nomes deles?

— Só um — respondeu ela, olhando para a sala.

— Como soube a identidade do cliente?

— O sr. al-Siddiqi me contou.

— Por que ele diria algo assim?

— Acho que queria me impressionar.

— Sabe onde o dinheiro está investido?

— Zurique, Liechtenstein, Hong Kong, Dubai, os lugares de sempre.

— E os números das contas? Sabe quais são, também?

— Não — disse ela, negando com a cabeça. — Só o sr. al-Siddiqi conhece os números das contas. — Ela colocou sua mão sobre seu coração. — Ele carrega a informação aqui, em um caderno de couro preto.

Naquele exato momento, o homem no centro da incrível narrativa de Jihan estava sentado sozinho no banco de trás de seu carro, pensando em qual seria seu próximo movimento — ou, como Christopher Keller falaria depois, tentando decidir como se matar com o mínimo de dor possível. Finalmente, al-Siddiqi ligou para Gabriel e capitulou.

— Quem é você? — perguntou ele.

— Logo vai descobrir.

— O que quer de mim?

— Quero que ligue para Kemel al-Farouk e diga como você perdeu oito bilhões de dólares do dinheiro do dirigente. Depois quero que diga como uma parte importante desses bens terminou em uma conta no seu nome.

— E depois?

— Vou oferecer uma incrível oportunidade de investimento — falou Gabriel. — É uma oportunidade única, uma chance incrível de ganhar muito dinheiro bem rápido. Está me ouvindo, Waleed? Tenho toda sua atenção agora?

O sr. Omari estava a ponto de perguntar a Jihan sobre a natureza de seu relacionamento com Waleed al-Siddiqi quando seu celular vibrou baixinho. Ele ouviu em silêncio por um momento, emitiu um grunhido e desligou. Então fez um gesto para seu jovem motorista e cúmplice, que colocou o saco escuro sobre a cabeça de Jihan e a levou de volta para sua cela. E lá eles a deixaram no escuro, a mão latejando, a cabeça tomada pelo medo. Talvez ela já estivesse morta. Ou talvez, pensou, tivesse vencido.

56

ANNECY, FRANÇA

Gabriel e Eli Lavon fizeram uma última viagem juntos, Gabriel atrás do volante, Lavon no banco do passageiro, inquieto e preocupado como sempre. Eles foram para o oeste, cruzaram a fronteira francesa, depois viraram para o sul atravessando o campo de Haute-Savoie até Annecy. Era quase noite quando chegaram; Gabriel deixou Lavon perto da prefeitura e estacionou o carro perto da Igreja de Saint-François de Sales. Uma bonita estrutura branca no aterro do rio Thiou, lembrou a Gabriel a Igreja de San Sebastiano em Veneza. Espiou dentro dela, imaginando se veria um restaurador parado sozinho na frente de um Veronese, e depois caminhou até um café próximo chamado Savoie Bar. Era um lugar com um menu simples e umas poucas mesas organizadas debaixo de um teto vermelho. Em uma das mesas estava Christopher Keller. Ele estava novamente usando a peruca loira e os óculos de lentes azuis de Peter Rutledge, o falso ladrão de arte. Gabriel se sentou na frente dele e colocou seu BlackBerry na mesa; e quando um garçom finalmente se aproximou, ele pediu um café com creme.

— Tenho que admitir — falou Keller depois de um momento — que não esperava que isso terminasse assim.

— Como esperava que terminasse, Christopher?

— Com você encontrando o Caravaggio, claro.

— Não dá para ter tudo. Além disso, encontrei algo muito melhor que o Caravaggio. E mais valioso, também.

— Jihan?

Gabriel assentiu.

— A garota de oito bilhões de dólares — murmurou Keller.

— São 8,2 — respondeu Gabriel. — Mas quem está contando?

— Não está arrependido?

— De quê?

— De fazer um acordo.

— De jeito nenhum.

Nesse momento, Eli Lavon passou por eles na praça e se juntou a Yaakov no café da outra esquina. Mikhail e Yossi estavam estacionados na rua estreita chamada rue Grenette. Oded estava olhando o carro de uma mesa na obrigatória lanchonete de kebab.

— São bons homens — disse Keller enquanto olhava a praça. — Todos. Não foi culpa deles. Você organizou uma boa operação em Linz, Gabriel. Algo deve ter dado errado no final.

Gabriel não falou nada, apenas olhou para seu BlackBerry.

— Onde está ele? — perguntou Keller.

— A menos de dois quilômetros ao norte e chegando rápido.

— Acho que vou gostar muito disso.

— Algo me diz que Waleed não vai sentir o mesmo.

Gabriel colocou o BlackBerry de volta na mesa, olhou para Keller e sorriu.

— Desculpe metê-lo em tudo isso — falou ele.

— Na verdade, não perderia por nada desse mundo.

— Talvez exista esperança para você, afinal, Christopher. Você conseguiu não matar ninguém dessa vez.

— Tem certeza de que não matamos ninguém?

— Ainda não.

Gabriel olhou de novo para o BlackBerry. A luz vermelha piscando entrou nos limites da cidade de Annecy.

— Ainda vindo na nossa direção? — perguntou Keller.

Gabriel assentiu.

— Talvez você devesse me deixar fazer a negociação.

— Por que faria isso?

— Porque pode não ser uma boa ideia deixar que o vejam. Afinal — acrescentou Keller —, até o momento eles não sabem que o Escritório está envolvido.

— A menos que tenham arrancado a informação de Jihan.

Keller ficou em silêncio.

— Aprecio a oferta, Christopher, mas isso é algo que tenho que fazer. Além disso — acrescentou Gabriel —, quero que o açougueiro mirim e seus escudeiros saibam que eu estava por trás da operação. Algo me diz que vai facilitar meu trabalho quando eu assumir o Escritório.

— Você não vai fazer isso, vai?

— Não tenho muita escolha na questão.

— Todos escolhemos a vida que levamos. — Keller fez uma pausa, depois acrescentou: — Até eu.

Gabriel permitiu que um silêncio caísse entre eles.

— Minha oferta ainda está de pé — falou ele finalmente.

— Trabalhar para você no Escritório?

— Não — falou Gabriel. — Pode trabalhar para Graham Seymour no MI6. Ele vai lhe dar uma nova identidade, uma nova vida. Poderá voltar para casa. E, mais importante, poderá falar a seus pais que ainda está vivo. É terrível o que fez com eles. Se não gostasse tanto de você, acharia que é um verdadeiro...

— Acha que daria certo? — perguntou Keller, interrompendo.

— O quê?

— Eu como agente do MI6?

— Por que não?

— Gosto de morar na Córsega.

— Mantenha uma casa lá.

— O dinheiro não seria tão bom.

— Não — concordou Gabriel —, mas você já tem muito dinheiro.

— Seria uma grande mudança.

— Às vezes, é bom mudar.

Keller ficou pensando.

— Nunca gostei muito de matar pessoas, sabe. Acontece que sou bom nisso.

— Sei exatamente como você se sente, Christopher. — Gabriel olhou de novo para o BlackBerry.

— Onde ele está?

— Perto — falou Gabriel. — Muito perto.

— Onde? — perguntou Keller de novo.

Gabriel apontou para a rue Grenette.

— Bem ali.

57

ANNECY, FRANÇA

ERA A MESMA MERCEDES que o tinha levado a sua reunião na Société Générale, dirigida pelo mesmo agente de inteligência sírio em Paris. Mikhail entrou no banco de trás e, com uma arma apontada para as costas do motorista, revistou Waleed al-Siddiqi. Quando terminou, os dois homens saíram e ficaram parados na calçada enquanto o carro seguia pela rua. Então, Mikhail acompanhou al-Siddiqi pela praça vazia e o colocou na mesa do Savoie Bar onde Gabriel e Keller estavam esperando. O sírio não parecia muito bem, mas isso não era nenhuma surpresa. Banqueiros que perdem oito bilhões de dólares em uma simples tarde raramente parecem bem.

— Waleed — falou Gabriel, alegre. — Que bom que veio. Desculpe arrastá-lo até aqui, mas essas coisas são melhor quando feitas pessoalmente.

— Onde está o dinheiro?

— Onde está minha garota?

— Não sei.

— Resposta errada.

— É a verdade.

— Me dê seu telefone.

O banqueiro sírio entregou. Gabriel abriu o diretório de chamadas recentes e viu os números que al-Siddiqi tinha ligado freneticamente desde que descobriu que oito bilhões de dólares pertencentes ao dirigente da Síria tinham desaparecido de repente.

— Qual? — perguntou Gabriel.

— Esse — respondeu o banqueiro, tocando a tela.

— Quem vai atender?

— Um cavalheiro chamado sr. Omari.

— O que ele faz para viver?
— Mukhabarat.
— Ele a machucou?
— Infelizmente é o que ele faz.

Gabriel ligou para o número. Depois de dois toques, uma voz masculina atendeu.

— Sr. Omari, suponho?
— Quem é?
— Meu nome é Gabriel Allon. Talvez já tenha ouvido falar de mim.

Houve um silêncio.

— Vou entender como um sim — falou Gabriel. — Agora, poderia ser gentil e passar o telefone para Jihan por um momento? Quero ter certeza de que você está com ela.

Houve um breve silêncio. Gabriel ouviu o som da voz de Jihan.

— Sou eu — foi tudo que ela disse.
— Onde você está?
— Não tenho certeza.
— Eles a machucaram?
— Não foi tão ruim.
— Fique tranquila, Jihan. Você está quase em casa.

O telefone mudou de mãos. O sr. Omari voltou à linha.

— Onde quer que a gente vá? — perguntou ele.
— Para a rue Grenette no centro de Annecy. Tem um lugar perto da igreja chamado Chez Lise. Estacione em frente e espere minha ligação. E não ouse colocar as mãos nela de novo. Se fizer isso, vou dedicar minha vida a encontrá-lo e matá-lo. Só para ficar claro.

Gabriel finalizou a ligação e devolveu o celular a al-Siddiqi.

— Achei que você parecia familiar — disse o sírio. Então olhou para Keller e acrescentou: — Ele também. Na verdade, ele parece bastante com um homem que estava tentando vender um Van Gogh roubado em Paris algumas semanas atrás.

— E você foi estúpido o suficiente para comprar. Mas não se preocupe — acrescentou Gabriel. — Não era verdadeiro.

— E a Iniciativa de Negócios Europeia em Londres? Acho que era falsa, também.

Gabriel não falou nada.

— Parabéns, Allon. Sempre ouvi dizer que você era muito criativo.
— Quantos você tem, Waleed?
— Quadros?

Gabriel assentiu.

— O suficiente para abrir um pequeno museu.

— O suficiente para manter a família dirigente vivendo no estilo que está acostumada — falou Gabriel friamente — caso alguém descubra as contas bancárias.

— Isso — falou o sírio. — Por via das dúvidas.

— Onde estão os quadros agora?

— Aqui e ali — respondeu al-Siddiqi. — Cofres bancários principalmente.

— E o Caravaggio?

— Não saberia dizer.

Gabriel se inclinou para frente, ameaçador.

— Eu me considero um cara razoável, Waleed, mas meu amigo, o sr. Bartholomew, é conhecido por ter pouca paciência. Ele também é uma das poucas pessoas no mundo que é mais perigosa do que eu, então dessa vez não banque o tolo.

— Estou dizendo a verdade, Allon. Não sei onde está o Caravaggio.

— Quem o teve pela última vez?

— É difícil dizer. Mas se eu fosse chutar, diria que foi Jack Bradshaw.

— E é por isso que você o matou.

— Eu? — Al-Siddiqi negou com a cabeça. — Não tive nada a ver com a morte do Bradshaw. Por que iria matá-lo? Ele era minha única ligação com o lado sujo do mundo da arte. Estava planejando usá-lo para vender os quadros se precisasse de algum dinheiro rápido.

— Então quem o matou?

— Foi o sr. Omari.

— Por que um agente médio da Mukhabarat mataria alguém como Jack Bradshaw?

— Porque recebeu ordens.

— De quem?

— Do presidente da Síria, claro.

Gabriel não queria que Jihan ficasse nas mãos dos assassinos um minuto a mais do que fosse necessário, mas não havia como voltar atrás; ele precisava saber. E assim, com a noite caindo ao redor deles, marcada pelos sinos nas torres da igreja, ouviu o banqueiro explicar que o Caravaggio não deveria ser usado como estoque de dinheiro do submundo. Deveria ser contrabandeado para a Síria, restaurado e pendurado em um dos palácios do dirigente. E quando o quadro desapareceu, o dirigente teve um ataque de raiva violenta. Então mandou que o sr. Omari, um respeitado agente da Mukhabarat e guarda-costas de confiança de seu pai, encontrasse o quadro. Ele começou sua busca na residência de Jack Bradshaw no lago Como.

— Foi Omari quem matou Bradshaw? — perguntou Gabriel.

— E seu falsificador também — respondeu al-Siddiqi.

— E o Samir?

— Ele já não era mais necessário.

Assim como você, pensou Gabriel. Então, perguntou:

— Onde está o Caravaggio agora?

— Omari nunca conseguiu encontrá-lo. O Caravaggio sumiu. Quem sabe? — acrescentou al-Siddiqi, dando de ombros. — Talvez nunca tenha existido um Caravaggio.

Nesse instante, um carro parou na rue Grenette, uma Mercedes preta de vidros escuros. Gabriel pegou o celular de al-Siddiqi e ligou. Omari respondeu imediatamente. Gabriel mandou entregar o celular a Jihan.

— Sou eu — falou ela de novo.

— Onde você está? — perguntou Gabriel.

— Estacionada numa rua em Annecy.

— Está perto de um restaurante?

— Estou.

— Como se chama?

— Chez Lise.

— Mais alguns minutos, Jihan. Aí você poderá ir para casa.

A linha ficou muda. Gabriel entregou o telefone para al-Siddiqi e explicou os termos do acordo.

Eram bastante simples: 8,2 bilhões de dólares por uma mulher, menos cinquenta milhões para cobrir os custos de migração e a segurança pelo resto da vida dela. Al-Siddiqi concordou sem negociar ou reclamar. Para dizer a verdade, ele estava espantado com a generosidade da oferta.

— Para onde gostaria que eu enviasse o dinheiro? — perguntou Gabriel.

— Gazprombank em Moscou.

— Número da conta?

Al-Siddiqi entregou a Gabriel um pedaço de papel com o número escrito. Gabriel enviou a informação para o Boulevard Rei Saul e instruiu Uzi Navot a apertar o botão pela segunda vez. Só demorou dez segundos. Então o dinheiro desapareceu.

— Ligue para seu homem no Gazprombank — falou Gabriel. — Ele vai dizer que os ativos do seu banco aumentaram bastante.

Era meia-noite em Moscou, mas o contato de al-Siddiqi estava em sua mesa esperando a ligação dele. Gabriel conseguiu ouvir a animação em sua voz através do celular de al-Siddiqi. Ele ficou pensando quanto dinheiro o presidente russo pegaria antes que os sírios conseguissem movê-lo para lugares mais confiáveis.

— Satisfeito? — perguntou Gabriel.

— Bastante impressionante — falou o banqueiro.

— Me poupe dos elogios, Waleed. Ligue para o sr. Omari e diga para abrir a maldita porta.

Trinta segundos depois, a porta se abriu e a tensão aumentou na rua. Do carro saiu Jihan, os óculos escuros de estrela de cinema cobrindo as marcas no rosto, a bolsa no ombro esquerdo. Era o ombro esquerdo, notou Gabriel, porque a mão direita estava enfaixada demais para ser utilizada. Ela começou a cruzar a praça da igreja, os saltos fazendo barulho ao tocarem as pedras, mas Mikhail rapidamente a levou a um carro que a esperava, e ela desapareceu da visão deles. Um momento depois, al-Siddiqi ocupou o lugar dela na Mercedes e partiu, também, deixando Gabriel e Keller sozinhos no café.

— Acha que eles fazem operações assim no MI6? — perguntou Keller.

— Só quando estamos envolvidos.

— Não está arrependido?

— De quê, Christopher?

— Oito bilhões de dólares por uma única vida.

— Não — falou Gabriel, sorrindo. — Melhor acordo que já fiz.

PARTE CINCO

UMA ÚLTIMA JANELA

58

VENEZA

Nos nove dias seguintes, o mundo da arte girou tranquilo em seu eixo dourado, sem saber das riquezas perdidas que logo começariam a aparecer. Então, em uma tarde abafada do começo de agosto, o diretor do Rijksmuseum Vincent van Gogh anunciou que *Doze Girassóis numa Jarra*, óleo sobre tela, 95x73 cm, tinha voltado para casa. O diretor se recusou a falar precisamente onde a obra perdida tinha sido encontrada, apesar de que, mais tarde, descobririam que havia sido deixada em um quarto de hotel em Amsterdã. O quadro não tinha sofrido nenhum dano durante seu longo desaparecimento; na verdade, disse o diretor, parecia melhor do que estava na época do roubo. O chefe da polícia holandesa assumiu o crédito publicamente pela recuperação, apesar de não ter nada a ver com isso. Julian Isherwood, presidente do Comitê para Proteção da Arte, deu uma declaração hiperbólica em Londres dizendo que "era um grande dia para a humanidade e tudo que é decente e lindo nesse mundo". Naquela tarde, ele foi visto em sua mesa de sempre no Green's Restaurant, acompanhado por Amanda Clifton da Sotheby's. Todos os presentes mais tarde descreveriam a expressão no rosto dela como "encantada". Disseram que Oliver Dimbleby estava fervendo de ciúmes.

Somente Julian Isherwood, o ajudante secreto dos espiões, de um espião em particular, sabia que mais riquezas apareceriam. Outra semana se passou, tempo suficiente, disseram mais tarde, para que diminuísse a euforia com *Doze Girassóis numa Jarra*. Então, em um *palazzo* cor de creme no centro de Roma, o general Cesare Ferrari do Esquadrão de Arte mostrou três quadros, há muito desaparecidos, agora recuperados: *A Sagrada Família*, de Parmigianino, *Jovens Mulheres no Campo*, de Renoir e *Retrato de uma Mulher*, de Klimt. Mas o general não tinha terminado. Também anunciou a recuperação de *Praia em Pourville*, de

Monet e *Mulher com Leque,* de Modigliani, junto com obras de Matisse, Degas, Picasso, Rembrandt, Cézanne, Delacroix e algo que poderia ou não ser um Ticiano. A coletiva de imprensa foi realizada com toda a pompa e circunstância que fazia parte da fama do general Ferrari, mas foi talvez mais memorável pelo que o detetive de arte italiana *não* disse — especificamente, onde e como as obras tinham sido encontradas. Ele falou de uma grande e altamente sofisticada rede de ladrões, contrabandistas e intermediários, sugerindo que mais quadros iriam aparecer. Então, usando a desculpa de que se tratava de uma investigação em andamento, caminhou até a porta, fazendo uma pausa longa o suficiente para responder às obrigatórias perguntas sobre as perspectivas de encontrar o objetivo número um do Esquadrão da Arte: a *Natividade com São Francisco e São Lourenço,* de Caravaggio.

— Odiamos usar a palavra *nunca* —, disse ele tristemente e foi embora.

Os eventos em Amsterdã e Roma contrastaram com as notícias da Áustria, onde as autoridades estavam tentando resolver outro tipo de mistério: o desaparecimento de duas pessoas, um homem de cinquenta anos e uma mulher de 39, da antiga cidade comercial no Danúbio, Linz. O homem era Waleed al-Siddiqi, um sócio minoritário de um pequeno banco privado. A mulher era Jihan Nawaz, a gerente de contas do banco. O fato de que os dois eram da Síria alimentou a especulação de algo estranho, assim como a movimentação de Jihan Nawaz no dia do seu desaparecimento. Ela tinha viajado de Linz para Genebra, de acordo com as autoridades, onde as câmeras de segurança do hotel Métropole tinham mostrado ela entrar no quarto de Kemel al-Farouk, o vice-ministro de Relações Exteriores da Síria e um assessor e conselheiro próximo ao presidente do país. Inevitavelmente, isso levou a especulações de que a senhorita Nawaz era agente do governo sírio; na verdade, uma revista alemã, que já teve boa reputação, publicou um longo artigo acusando-a de ser espiã do serviço de inteligência síria. A história foi desmentida dois dias depois quando um parente de Hamburgo admitiu que os formulários de imigração alemães da mulher desaparecida não estavam totalmente corretos. Ela não tinha nascido em Damasco, como havia sido falado antes, mas na cidade de Hama, onde forças do regime tinham matado toda sua família em fevereiro de 1982. Jihan Nawaz não era agente do regime, falou o parente, mas uma fervorosa oponente.

As descobertas logo levaram a especulações de que Jihan Nawaz tinha trabalhado não para o governo sírio, mas para um serviço de inteligência ocidental. A teoria ganhou força com o lento vazamento para a imprensa de mais informações biográficas sobre seu chefe, também desaparecido, informações que sugeriam que ele estava envolvido na administração de bens financeiros escondidos do dirigente sírio. Então chegou um relatório de uma respeitável empresa de segurança de computadores sobre uma série de transações financeiras que tinham sido detectadas durante o monitoramento rotineiro da internet. Parecia que vários bilhões de dólares tinham sido tirados de vários bancos importantes do mundo e movidos para um único local em um período de tempo excepcionalmente curto. A empresa nunca conseguiu mostrar uma estimativa precisa da quantidade de dinheiro envolvido, nem foi capaz de identificar os responsáveis. Conseguiu, no entanto, encontrar traços de códigos espalhados pelo mundo. Todos que analisaram o código ficaram chocados com sua sofisticação. Não foi o trabalho de hackers comuns, disseram, mas de profissionais trabalhando para um governo. Um especialista comparou com o *worm* de computador Stuxnet que tinha sido inserido na rede de computadores do programa de armas nucleares iraniano.

Foi nesse momento que um holofote indesejado iluminou o serviço de inteligência com sede em um anônimo bloco de escritórios em Tel Aviv. Os especialistas viram uma evidência conclusiva, um elo perfeito de habilidade e motivação, e estavam corretos. Mas nenhum deles ligaria o suspeito movimento de dinheiro com a recente recuperação de várias obras de arte roubadas, ou com o homem de altura e físico medianos, o sol entre as pequenas estrelas, que voltou a uma igreja em Veneza na terceira quarta-feira de agosto. A plataforma de madeira em cima de seu andaime estava exatamente como ele tinha deixado vários meses antes: frascos de produtos químicos, um maço de algodão, um pacote de cavilhas de madeira, uma lente de aumento, duas fortes lâmpadas halógenas. Ele colocou uma cópia de *La Bohème* no aparelho de som manchado de tinta e começou a trabalhar. *Molhar, girar, descartar... Molhar, girar, descartar...*

Havia dias que ele mal podia esperar que terminassem, e dias que esperava que nunca tivessem fim. Seu caprichoso estado mental aparecia na frente da tela. Às vezes, ele trabalhava com a lentidão de Veronese; em outras, com a velocidade despreocupada de Vincent, como se estivesse tentando captar a essência de seu tema antes que definhasse e morresse. Felizmente, não havia ninguém para testemunhar suas mudanças de humor. Os outros membros da equipe já tinham completado o trabalho durante sua longa ausência. Ele estava sozinho na casa de outra fé, de outro povo.

A operação raramente abandonava seus pensamentos por muito tempo. Ele a via em sua mente como um ciclo de naturezas mortas, paisagens e retratos: o espião caído, o ladrão de arte, o assassino profissional, a filha de Hama escrevendo o nome dele na superfície do lago. *A garota de oito bilhões de dólares...* Ele nunca se arrependeu de sua decisão de entregar o dinheiro em troca da liberdade dela. Dinheiro pode se ganhar e perder, encontrar e congelar. Mas Jihan Nawaz, a única sobrevivente de uma família assassinada, era insubstituível. Ela era um original. Era uma obra de arte.

A Igreja de San Sebastiano estava programada para reabrir ao público no primeiro dia de outubro, o que significava que Gabriel não tinha escolha a não ser trabalhar de manhã à noite sem parar. Na maioria dos dias, Francesco Tiepolo passava ao meio-dia com um saco de *cornetti* e uma garrafa térmica com café fresco. Se Gabriel estivesse se sentindo caridoso, permitia que Tiepolo desse uns leves retoques, mas na maioria dos dias o italiano só podia olhar por cima do ombro de Gabriel e pedir que trabalhasse mais rápido. E, invariavelmente, ele interrogava Gabriel, gentilmente, sobre seus planos futuros.

— Estamos prestes a receber um pedido muito bom — disse ele numa tarde enquanto uma tempestade castigava a cidade. — Algo importante.

— Muito importante? — perguntou Gabriel.

— Não tenho a liberdade de dizer.

— Igreja ou *scuola*?

— Igreja — falou Tiepolo. — E o retábulo tem o seu nome.

Gabriel sorriu e pintou em silêncio.

— Não fica nem tentado?

— Está na hora de ir para casa, Francesco.

— Essa é a sua casa — respondeu Tiepolo. — Você deveria criar seus filhos aqui em Veneza. E quando morrer, vamos enterrá-lo debaixo de um cipreste em San Michele.

— Não sou tão velho, Francesco.

— Também não é tão jovem.

— Não tem nada melhor para fazer? — perguntou Gabriel, enquanto passava o pincel da mão direita para a esquerda.

— Não — respondeu Tiepolo, sorrindo. — O que poderia ser melhor do que ficar olhando você pintar?

Os dias ainda estavam quentes e pesados com umidade, mas à noite uma brisa vinda da lagoa deixava a cidade mais tolerável. Gabriel pegava Chiara em seu escritório e a levava para jantar. No meio de setembro, ela estava de seis meses, tendo passado o ponto onde era possível manter sua gravidez em segredo do resto da pequena, mas fofoqueira, comunidade judaica de Veneza. Gabriel achava que estava mais bonita do que nunca. Sua pele estava luminosa, seus olhos brilhavam como ouro e até quando se sentia desconfortável, ela parecia incapaz de qualquer expressão que não fosse um amplo sorriso. Era uma planejadora por natureza, criadora de listas, e no jantar a cada noite falava incessantemente de todas as coisas que precisavam fazer. Tinham decidido ficar em Veneza até a última semana de outubro, até a primeira de novembro, no máximo. Então voltariam a Jerusalém para preparar o apartamento na rua Narkiss para o nascimento das crianças.

— Vão precisar de nomes, você sabe — disse Gabriel uma noite quando estavam caminhando pela fonte de Zattere.

— Sua mãe tinha um lindo nome.

— Tinha sim — respondeu Gabriel. — Mas Irene não é um nome apropriado para um menino.

— Então talvez devêssemos chamar a garota de Irene.

— Boa ideia.

— E o menino?

Gabriel ficou em silêncio. Era muito cedo para começar a escolher um nome para o menino.

— Falei com Ari essa manhã — disse Chiara depois de um momento. — Como você deve imaginar, ele está ansioso para que a gente volte para casa.

— Falou para ele que preciso terminar o Veronese primeiro?

— Falei.

— E?

— Ele não entende por que um retábulo pode manter vocês dois distantes em um momento como esse.

— Porque esse retábulo pode ser o último que tenho a chance de restaurar.

— Talvez — disse Chiara.

Eles caminharam em silêncio por um tempo. Então Gabriel perguntou:

— Como ele estava?

— Ari?

Ele assentiu.

— Nada bem, na verdade. — Ela olhou para ele séria e perguntou: — Sabe de algo que eu não sei?

— A *signadora* me disse que ele não tem muito tempo.

— Ela disse algo mais que eu deveria saber?

— Disse — respondeu ele. — Disse que estava perto.

Nesse momento, era final de setembro, Gabriel estava terrivelmente atrasado. Tiepolo ofereceu alguns dias a mais, mas Gabriel era cabeça-dura e recusou; não queria que a última restauração em sua adorada cidade das águas e quadros fosse lembrada somente pelo fato de que ele não tinha conseguido terminar no prazo combinado. Por isso se isolou na igreja sem distrações e trabalhou com uma energia e velocidade que nunca teria imaginado que fosse possível. Ele retocou a Virgem e o Menino Jesus em um único dia, e no final da tarde reparou o rosto do anjo de cabelo encaracolado que, de uma nuvem celestial, estava olhando para o sofrimento terreno abaixo. O anjo se parecia muito com Dani, e Gabriel chorou baixinho enquanto trabalhava. Quando terminou, enxugou seus pincéis e seu rosto, e ficou parado na frente da enorme tela, uma mão no queixo, a cabeça levemente inclinada para um lado.

— Terminou? — perguntou Francesco Tiepolo, que estava olhando para ele da base do andaime.

— Terminei — falou Gabriel. — Acho que terminei.

59

VENEZA

No canto noroeste do Campo di Ghetto Nuovo existe um pequeno e inóspito memorial para os judeus de Veneza que, em dezembro de 1943, foram capturados, confinados em campos de concentração e assassinados em Auschwitz. O general Cesare Ferrari estava parado na frente do memorial quando Gabriel chegou à praça, às seis e meia daquela tarde. Sua mão direita defeituosa estava enfiada no bolso de sua calça. Seu olhar duro parecia mais crítico do que o normal.

— Nunca soube o que tinha acontecido aqui em Veneza — falou ele depois que Gabriel se aproximou. — A captura em Roma foi diferente. A de Roma foi grande demais para ser esquecida. Mas aqui... — Ele olhou ao redor da tranquila praça. — Não parece possível.

Gabriel ficou em silêncio. O general deu um passo para frente e passou sua mão defeituosa sobre uma das sete placas em baixo relevo.

— De onde eles foram levados? — perguntou ele.

— De lá — falou Gabriel.

Ele apontou para o prédio de três andares à sua direita. A placa acima da porta dizia CASA ISRAELITICA DI RIPOSO. Era uma casa de repouso para membros idosos da comunidade.

— Quando o cerco finalmente aconteceu — disse Gabriel depois de um momento —, a maioria dos judeus que ainda viviam em Veneza já tinha se escondido. Os únicos que tinham ficado na cidade eram os velhos e doentes. Foram arrastados de suas camas pelos alemães e seus ajudantes italianos.

— Quantos vivem ali agora? — perguntou o general.

— Uns dez.

— Não são muitos.

— Não sobraram muitos.

O general olhou de novo para o memorial.

— Não sei por que você vive em um lugar assim.

— Não vivo — falou Gabriel. Então perguntou ao general por que tinha voltado a Veneza.

— Precisei fazer uma limpeza no escritório do Esquadrão de Arte aqui. Também queria participar da reabertura da Igreja de San Sebastiano. — O general fez uma pausa, depois acrescentou: — Ouvi dizer que o retábulo principal está maravilhoso. Você obviamente conseguiu terminá-lo.

— Com umas poucas horas para descansar.

— *Mazel tov*.

— *Grazie*.

— E agora? — perguntou o general. — Quais são seus planos?

— Vou passar o próximo mês tentando ser o melhor marido possível. E depois vou voltar para casa de novo.

— As crianças vão chegar logo, não é?

— Logo — falou Gabriel.

— Como pai de cinco, posso garantir que sua vida nunca mais será a mesma.

No outro canto da praça, a porta do escritório da comunidade se abriu e Chiara emergiu das sombras. Ela olhou para Gabriel e depois desapareceu novamente pela entrada do museu do gueto. O general parecia não ter notado; estava olhando para a estrutura de metal verde próxima ao memorial onde um *carabinieri* uniformizado estava sentado atrás de um vidro à prova de balas.

— É uma pena que tenhamos que colocar um posto de segurança no meio desse lindo lugar.

— Infelizmente faz parte do jogo.

— Por que esse ódio eterno? — perguntou o general, balançando a cabeça lentamente. — Por que nunca termina?

— Me diga você.

Acolhendo o silêncio, Gabriel perguntou novamente ao general por que ele tinha voltado a Veneza.

— Faz tempo que procuro uma coisa — disse o italiano — e esperava que você pudesse me ajudar a encontrar.

— Eu tentei — disse Gabriel. — Mas parece que escapou por entre meus dedos.

— Ouvi falar que você realmente chegou perto. — O general baixou a voz e acrescentou: — Mais perto do que você imagina.

— Como sabe disso?

— Como sempre. — O general olhou sério para Gabriel e perguntou: — Existe alguma chance de você concordar com um interrogatório antes de sair do país?

— O que quer saber?

— Tudo que aconteceu depois que você roubou o *Doze Girassóis numa Jarra*.

— Eu não *roubei*. Peguei emprestado por sugestão do comandante do Esquadrão de Arte. E a resposta é não — acrescentou Gabriel, balançando a cabeça. — Não vou sentar para responder a nenhum interrogatório, nem agora nem no futuro.

— Então talvez possamos comparar tranquilamente nossas anotações.

— Infelizmente, minhas anotações são secretas.

— Isso é bom — falou o general, sorrindo. — Porque as minhas também são.

Eles cruzaram a praça até o café kosher perto do centro da comunidade e pediram uma garrafa de pinot grigio enquanto, ao redor deles, a escuridão começava a aumentar. Gabriel principiou fazendo o general jurar segredo e o ameaçando com retaliações se o juramento de silêncio fosse algum dia quebrado. Então contou tudo que tinha acontecido desde a última reunião deles, iniciando com a morte de Samir Basara em Stuttgart e terminando com a descoberta, e devolução, de oito bilhões de dólares que pertenciam ao presidente da Síria.

— Suponho que isso tenha algo a ver com aqueles dois banqueiros sírios que desapareceram na Áustria — disse o general quando Gabriel terminou.

— Que banqueiros sírios?

— Vou entender isso como um sim. — O general tomou um gole do vinho. — Então Jack Bradshaw se recusou a entregar o Caravaggio porque os sírios mataram a única mulher que ele já amou? É isso que está falando?

Gabriel assentiu lentamente e ficou olhando um par de estudantes *yeshiva* com casacos pretos cruzarem a praça.

— Agora eu entendo por que você me fez jurar não mencionar o nome de Bradshaw durante a coletiva com a imprensa — dizia o general. — Não queria que eu arrastasse postumamente o nome dele para a lama. — Fez uma pausa, depois acrescentou: — Queria que ele descansasse em paz.

— Ele merece.

— Por quê?

— Porque foi torturado sem misericórdia e não falou o que fez com o quadro.

— Acredita em redenção, Allon?

— Sou um restaurador — falou Gabriel.

O general sorriu.

— E os quadros que descobriu no Freeport de Genebra? — perguntou ele. — Como conseguiu tirá-los da Suíça sem levantar suspeitas?

— Com a ajuda de um amigo.

— Um amigo suíço?

Gabriel assentiu.

— Não sabia que isso era possível.

Dessa vez foi Gabriel que sorriu. Os estudantes *yeshiva* entraram no *sottoportego* e desapareceram de vista. A praça agora estava vazia exceto por duas crianças, um menino e uma menina, que estavam jogando uma bola um para o outro sob o olhar cuidadoso de seus pais.

— A pergunta é: o que Jack Bradshaw fez com o Caravaggio? — disse o general, olhando para sua taça de vinho.

— Suponho que colocou em algum lugar onde achou que ninguém iria encontrar.

— Talvez — concordou o general. — Mas não é o que se fala por aí.

— O que você ouviu?

— Que ele entregou para alguém guardar.

— Alguém do lado sujo do negócio?

— É difícil dizer. Mas como você poderia esperar — acrescentou rapidamente o general —, outras pessoas estão procurando. O que significa que é imperativo que encontremos antes delas.

Gabriel ficou em silêncio.

— Não fica nem tentado, Allon?

— Meu envolvimento nesse assunto está oficialmente terminado.

— Parece que está falando sério dessa vez.

— Estou.

A família foi embora em silêncio, deixando o *campo* vazio. O pesado silêncio parecia perturbar o general. Ele olhou as luzes iluminando as janelas da Casa Israelitica di Riposo e balançou a cabeça lentamente.

— Não entendo por que você escolheu morar no gueto — falou ele.

— É um bom bairro — respondeu Gabriel. — O melhor de Veneza, se me perguntar.

60

VENEZA

N OS DIAS SEGUINTES, Gabriel raramente saiu do lado de Chiara. Preparava o café da manhã todo dia. Passava as tardes com ela no escritório da comunidade judaica. Sentava-se na pia da cozinha à noite e ficava olhando enquanto ela preparava a comida. No começo, ela gostava da atenção dele, mas aos poucos o peso de seu afeto incessante começou a incomodá-la. Era, ela diria mais tarde, um pouco demais de uma coisa boa. Ela pensou em pedir a Francesco Tiepolo um quadro para restaurar — algo pequeno e não muito danificado —, mas preferiu organizar uma viagem. Nada muito extravagante, ela disse, e nenhum lugar que exigisse tomar um avião. Dois dias, três no máximo. Gabriel teve uma ideia. Naquela noite, ele ligou para Christoph Bittel e pediu permissão para entrar na Suíça; e Bittel, que sabia bem o motivo pelo qual seu recente amigo e cúmplice queria voltar à Confederação, concordou prontamente.

— Talvez seja melhor que eu me encontre com você — falou ele.

— Estava esperando que dissesse isso.

— Conhece a região?

— Nada — mentiu Gabriel.

— Tem um hotel nos arredores da cidade chamado Alpenblick. Vou esperá-los lá.

E assim foi. No começo da manhã seguinte, Gabriel e Chiara deixaram sua adorada cidade das águas e dos quadros, e partiram para o pequeno país sem saída para o mar, cheio de riquezas e segredos, que tinha um papel importante nas suas vidas. Já era o meio da manhã quando eles cruzaram a fronteira em Lugano e continuaram para o norte pelos Alpes. A neve caía nas passagens altas, mas quando chegaram às margens do Interlaken, o sol estava brilhando forte em um céu sem nuvens. Gabriel encheu o tanque com gasolina e depois cruzou o vale até Grindewald. O hotel Alpenblick era uma construção rústica e solitária na fronteira da cidade. Gabriel deixou o carro no pequeno estacionamento do hotel e, com Chiara ao seu lado, subiu os degraus até o terraço. Bittel estava tomando café e olhando para os impressionantes picos do Monch e do Eiger. Levantando-se, ele apertou a mão de Gabriel. Depois olhou para Chiara e sorriu.

— Você certamente tem um nome realmente muito bonito, mas não vou cometer o erro de perguntá-lo. — Ele olhou para Gabriel e disse: — Você nunca me falou que seria pai de novo, Allon.

— Na verdade — falou Gabriel —, ela é apenas minha degustadora.

— Que pena.

Bittel se sentou e acenou para um garçom. Então apontou para um prado verde, na direção da base das montanhas.

— O chalé fica bem ali — falou para Gabriel. — É um bom lugar, boa vista, muito limpo e confortável.

— Você tem futuro como corretor imobiliário, Bittel.

— Prefiro proteger meu país.

— Suponho que você tenha um posto de observação permanente em algum lugar.

— Estamos no chalé ao lado — falou Bittel. — Vamos manter dois agentes aqui em tempo integral e outros vão se revezar de acordo com as necessidades. Ela nunca vai a nenhum lugar sem acompanhantes.

— Algum visitante suspeito?

— Sírio?

Gabriel assentiu.

— Há todos os tipos de pessoas em Grindewald — respondeu Bittel —, então é difícil dizer. Mas até agora, ninguém chegou perto dela.

— Como está o humor dela?

— Ela parece solitária — disse Bittel, sério. — Os guardas passam o máximo de tempo possível com ela, mas...

— Mas o quê, Bittel?

O policial suíço sorriu tristemente.

— Posso estar errado — falou ele —, mas acho que ela precisava de um amigo.

Gabriel se levantou.

— Não tenho como lhe agradecer o suficiente por cuidar dela, Bittel.

— É o mínimo que podemos fazer para agradecer pela limpeza da bagunça no Freeport de Genebra. Mas você deveria ter pedido nossa permissão antes de realizar aquela operação no hotel Métropole.

— Teria dado?
— Claro que não — respondeu Bittel. — O que significa que ainda teria oito bilhões de dólares de dinheiro sírio na sua conta bancária.

"São 8,2", pensou Gabriel quando caminhava para seu carro. Mas quem estava contando?

Gabriel deixou Chiara e Bittel no hotel e foi sozinho até aquele campo. A casa estava no final de uma rua, uma pequena estrutura de madeira escura com um teto bem inclinado e vasos de flores no balcão da janela. Jihan Nawaz apareceu assim que Gabriel parou na grama e desligou o motor. Estava usando jeans azul e um suéter de lã grosso. Seu cabelo estava mais comprido e escuro; um cirurgião plástico tinha alterado o formato de seu nariz, das bochechas e do queixo. Ela não estava bonita, mas não tinha mais uma aparência comum. Pouco depois, quando saiu pela porta da frente, trouxe com ela o doce perfume das rosas. Passou os braços ao redor do pescoço dele, abraçou-o com força e deu dois beijos em seu rosto.

— Posso chamá-lo pelo seu nome verdadeiro? — sussurrou em seu ouvido.

— Não — respondeu ele. — Aqui não.

— Quanto tempo você pode ficar?

— O tempo que você quiser.

— Venha — falou ela, pegando-o pela mão. — Fiz algo para comermos.

O interior do chalé era quente e confortável, mas não continha nenhum traço de que a pessoa que vivia ali tinha família ou algum passado. Gabriel sentiu uma pontada de arrependimento. Deveria tê-la deixado em paz. Waleed al-Siddiqi ainda estaria gerenciando o dinheiro do pior homem do mundo, e Jihan estaria vivendo tranquila em Linz. Ainda assim, ela sabia o nome do cliente especial de al-Siddiqi, ele pensou. E tinha ficado no banco por algum motivo.

— Já vi esse olhar no seu rosto antes — falou ela, olhando atentamente para ele. — Foi em Annecy, quando eu estava saindo do carro. Vi que estava sentado no café do outro lado da praça. Você parecia... — Ela deixou o pensamento no ar.

— O quê? — perguntou ele.

— Se sentir culpado — falou ela sem hesitar.

— Eu era culpado.

— Por quê?

— Nunca deveria ter deixado você entrar naquele hotel.

— Minha mão já está bem — falou ela, levantando-a como se quisesse provar sua afirmação. — E meus machucados também estão curados. Além disso, não foi nada em comparação com o que a maioria dos sírios sofreu desde que começou a guerra. Foi uma pena que não consegui fazer mais.

— Sua guerra terminou, Jihan.

— Foi você que me incentivou a me unir à rebelião síria.

— E nossa rebelião fracassou.

— Você pagou muito dinheiro por mim.

— Não estava querendo uma negociação prolongada — falou Gabriel. — Foi uma oferta rápida.

— Só gostaria de ter visto a cara do sr. al-Siddiqi quando ele descobriu que você tinha roubado o dinheiro.

— Devo admitir que desfrutei do sofrimento dele um pouco demais — falou Gabriel —, mas o seu era o único rosto que queria ver naquele momento.

Com isso, ela se virou e o levou até o jardim. Havia uma pequena mesa com café e chocolates suíços. Jihan se sentou de frente para o chalé; Gabriel, para a gigantesca montanha cinza. Quando se sentaram, ele perguntou sobre sua estadia em Israel.

— Passei as primeiras duas semanas trancada num apartamento em Tel Aviv — contou ela. — Foi horrível.

— Fazemos o máximo para que nossos visitantes se sintam bem-vindos.

Jihan sorriu.

— Ingrid foi me ver algumas vezes — disse ela —, mas você não. Se recusavam a me dizer onde você estava.

— Infelizmente, eu tinha outro negócio para resolver.

— Outra operação?

— Pode-se dizer que sim.

Ela encheu as xícaras de café.

— No final — ela voltou a contar —, permitiram que Ingrid e eu fizéssemos uma viagem juntas. Ficamos em um hotel nas colinas de Golã. À noite, dava para ouvir os bombardeios e ataques aéreos do outro lado da fronteira. Eu só conseguia pensar em quantas pessoas estavam morrendo cada vez que o céu se iluminava.

Gabriel não tinha uma resposta para isso.

— Li nos jornais essa manhã que os norte-americanos estão estudando ataques militares contra o regime.

— Também li.

— Acha que vão fazer isso dessa vez?

— Atacar o regime?

Ela balançou a cabeça. Gabriel não teve coragem de dizer a verdade, então contou uma última mentira.

— Acho — respondeu ele. — Acho que sim.

— E o regime vai cair se os norte-americanos atacarem?

— Pode ser.

— Se caísse — falou ela depois de um momento —, eu voltaria à Síria e ajudaria a reconstruir o país.

— Este é seu lar agora.

— Não — falou ela. — Esse é o lugar em que me escondo dos açougueiros. Mas Hama sempre será meu lar.

Uma brisa repentina soprou uma mecha de seu cabelo, recentemente clareado, sobre o rosto. Ela o afastou e olhou para a montanha. Sua base estava mergulhada nas sombras, mas os picos cobertos de neve estavam rosados com o sol do final da tarde.

— Adoro minha montanha — falou ela de repente. — Faz com que me sinta segura. Como se nada pudesse acontecer comigo.

— Está feliz aqui?

— Tenho um novo nome, um novo rosto, um novo país. É o quarto. Isso é o que significa ser síria.

— E judeu — falou Gabriel.

— Mas os judeus têm um lar agora. — Ela levantou a mão e apontou para o campo próximo. — E eu tenho isso.

— Vai conseguir ser feliz aqui?

— Sim — respondeu ela depois de pensar muito. — Acho que sim. Mas gostei do tempo que passamos juntos no Attersee, especialmente os passeios de barco.

— Eu também.

Ela sorriu, depois perguntou:

— E você? Está feliz?

— Gostaria que não tivessem machucado você.

— Mas nós vencemos, não foi? Pelo menos por um tempo.

— É, Jihan, nós vencemos.

A última luz caía sobre os picos das montanhas e a noite desceu como uma cortina sobre o vale.

— Tem uma coisa que você nunca me contou.

— O quê?

— Como me encontrou?

— Não iria acreditar.

— É uma boa história?

— Sim — respondeu ele. — Acho que sim.

— Como termina?

Ele deu um beijo no rosto dela e deixou-a sozinha com seu passado.

61

LAGO COMO, ITÁLIA

Gabriel e Chiara passaram as duas noites seguintes em um pequeno hotel nas margens do Interlaken e depois partiram da Suíça pela mesma rota pela qual tinham entrado. Nas passagens das montanhas, Gabriel recebeu uma mensagem segura do Boulevard Rei Saul com instruções para ligar o rádio; e quando cruzaram a fronteira italiana em Lugano, descobriu que Kemel al-Farouk, vice-ministro de Relações Exteriores, ex-agente da Mukhabarat, amigo e conselheiro do presidente sírio, morrera em uma misteriosa explosão em Damasco. Tinha sido uma operação de Uzi Navot, mas em muitos aspectos foi o primeiro assassinato da era de Allon. De alguma forma, ele suspeitava que não seria o último.

Estava chovendo quando chegaram ao Como. Gabriel deveria pegar a autoestrada até Milão, mas em vez disso seguiu a estrada sinuosa até chegar mais uma vez ao portão de ferro da *villa* de Jack Bradshaw. O portão estava bem fechado; ao lado havia uma placa que dizia que a propriedade estava à venda. Gabriel ficou ali por um momento, as mãos em cima do volante, tentando decidir o que fazer. Então ligou para o general Ferrari em Roma, pediu o código de segurança e digitou no teclado. Alguns segundos depois, o portão se abriu. Gabriel colocou o carro em movimento e avançou pelo caminho.

A porta estava trancada também. Gabriel rapidamente a abriu com uma ferramenta fina de metal que carregava habitualmente em sua maleta e guiou Chiara ao hall de entrada. Havia um forte cheiro de lugar fechado no ar, mas tinham limpado o sangue do chão de mármore. Chiara tentou acender a luz; o candelabro no qual Jack Bradshaw tinha sido enforcado ganhou vida. Gabriel fechou a porta e foi até a grande sala.

As paredes estavam vazias de quadros e tinham sido pintadas recentemente; uma parte dos móveis tinha sido removida para criar a ilusão de ter mais espaço. Mas não a pequena mesa de trabalho de Bradshaw. Estava no mesmo lugar que antes, mas as duas fotografias dele tinham desaparecido. O telefone continuava ali, coberto por uma fina camada de poeira. Gabriel colocou o fone no ouvido. Não havia sinal. Colocou-o de novo no lugar e olhou para Chiara.

— Por que estamos aqui? — perguntou ela.
— Porque *estava* aqui.
— Talvez — disse ela.
— Talvez — concordou ele.

Dias depois da descoberta inicial de Gabriel, o Esquadrão de Arte do general Ferrari tinha revirado a *villa* de Jack Bradshaw procurando outros quadros roubados. Era improvável que uma tela medindo 2,13 x 2,44 m não tivesse sido notada. Mesmo assim, Gabriel queria dar uma olhada final só para ter certeza. Tinha passado vários meses de sua vida perseguindo a mais famosa obra de arte perdida do mundo. E no final, tudo que tinha conseguido foram alguns quadros roubados e um açougueiro sírio morto.

Então, com o sol se pondo naquela tarde de outono, ele fez uma busca na casa de um homem que nunca conheceu, com sua esposa grávida ao seu lado — quarto por quarto, armário por armário, gaveta por gaveta, no chão, nos canos de ar, no porão, no sótão. Procurou partes que podiam ter sido renovadas nas paredes. Procurou nos tacos do chão se havia pregos novos. Procurou nos jardins por terra mexida recentemente. Até que finalmente, cansado, frustrado e sujo de terra, voltou a se sentar à escrivaninha de Bradshaw. Levantou o telefone, mas continuava sem linha. Então tirou seu BlackBerry do bolso do casaco e ligou para um número que tinha guardado em sua memória. Alguns segundos depois, uma voz masculina atendeu em italiano.

— É o padre Marco — falou. — Como posso ajudá-lo?

62

BRIENNO, ITÁLIA

A IGREJA DE SAN GIOVANNI EVANGELISTA era pequena e branca contrastando com a rua. À direita havia uma cerca de ferro, e atrás dela o pequeno jardim da paróquia. O padre Marco estava esperando no portão quando Gabriel e Chiara chegaram. Era jovem, tinha 35 anos no máximo, com o cabelo escuro bem penteado e um rosto que parecia ter vontade de perdoar todos os pecados.

— Bem-vindos — falou ele, apertando as mãos dos dois. — Por favor, sigam-me.

Levou-os por um caminho no jardim até a cozinha. Era um espaço apertado com paredes pintadas de branco, uma mesa de madeira e latas de comida organizadas em prateleiras. O único luxo era uma máquina de espresso automática, que o padre Marco usou para preparar três xícaras de café.

— Lembro-me do dia em que você telefonou — disse ele, quando colocou a xícara na frente de Gabriel. — Foi dois dias depois do assassinato do *signor* Bradshaw, não foi?

— Exato — falou Gabriel. — E por alguma razão, você desligou duas vezes antes de atender.

— Já recebeu uma ligação telefônica de um homem que acabou de ser brutalmente assassinado, *signor* Allon? — O padre estava sentado na frente de Gabriel e colocava açúcar em seu café. — Foi uma experiência perturbadora, para dizer o mínimo.

— Parecia que estava bastante em contato com ele na época de sua morte.

— Estava.

— Antes e depois.

— Julgando pelo que li nos jornais — disse o padre. — Eu provavelmente liguei para a *villa* quando ele estava pendurado morto do candelabro. É uma imagem terrível.

— Ele era paroquiano aqui?

— Jack Bradshaw não era católico — disse o padre. — Foi criado na Igreja Anglicana, mas não tenho certeza se era realmente cristão.

— Eram amigos?

— Acho que sim. Mas eu era principalmente seu confessor. Não no sentido verdadeiro da palavra — acrescentou o padre rapidamente. — Não poderia conceder absolvição de seus pecados.

— Ele estava perturbado na época de sua morte?

— Profundamente.

— Falou o motivo?

— Disse que tinha algo a ver com seus negócios. Era algum tipo de consultor. — O padre deu um sorriso de desculpas. — Desculpe, *signor* Allon, mas não sou muito sofisticado quando se trata de negócios e finanças.

— Somos dois então.

O padre voltou a sorrir e mexeu em seu café.

— Ele costumava se sentar onde você está agora. Trazia uma cesta de comida e vinho, e ficávamos conversando.

— Sobre o quê?

— O passado dele.

— Quanto ele contou ao senhor?

— O suficiente para saber que estava envolvido com trabalho secreto de algum tipo para o governo dele. Algo aconteceu há muitos anos quando estava no Oriente Médio. Uma mulher foi morta. Acho que era francesa.

— O nome era Nicole Devereaux.

O padre ergueu o olhar severamente.

— O *signor* Bradshaw contou isso para você?

Gabriel ficou tentado a responder de forma afirmativa, mas não tinha vontade de mentir para um homem de batina.

— Não — falou. — Nunca o conheci.

— Acho que teria gostado dele. Era muito inteligente, vivido, engraçado. Mas também carregava muita culpa pelo que tinha acontecido com Nicole Devereaux.

— Ele contou sobre o caso?

O padre hesitou, depois assentiu.

— Aparentemente, ele a amava muito, e nunca se perdoou pela morte dela. Nunca se casou, nunca teve filhos. De certa forma, vivia como um padre. — O padre Marco olhou ao redor e acrescentou: — Mas de uma forma muito mais luxuosa, claro.

— Já foi à *villa*?

— Muitas vezes. Era muito bonita. Mas não diz muito como era o *signor* Bradshaw de verdade.

— E como ele era de verdade?

— Generoso ao máximo. Manteve essa igreja funcionando quase sozinho. Também doou voluntariamente para nossas escolas, hospitais e programas para alimentar e agasalhar os pobres. — O padre sorriu triste. — Além do nosso retábulo.

Gabriel olhou para Chiara, que estava mexendo distraída na superfície da mesa como se não estivesse ouvindo. Então olhou de novo para o jovem padre e perguntou:

— Que retábulo?

— Foi roubado há um ano. O *signor* Bradshaw gastou muito tempo tentando recuperá-lo. Mais tempo que a polícia — acrescentou o padre. — Infelizmente, nosso retábulo tinha pouco valor artístico ou monetário.

— Ele conseguiu encontrá-lo?

— Não — disse o padre. — Então substituiu por um de sua coleção pessoal.

— Quando isso aconteceu? — perguntou Gabriel.

— Infelizmente, poucos dias antes de sua morte.

— Onde está o retábulo agora?

— Ali — disse o padre, inclinando sua cabeça para a direita. — Na igreja.

Eles entraram pela porta lateral e cruzaram a nave até o altar. Uma estante com velas votivas jogava uma luz vermelha tremeluzente sobre o nicho contendo a estátua de São João, mas o retábulo estava invisível no escuro. Mesmo assim, Gabriel conseguiu ver que as dimensões eram mais ou menos corretas. Então ouviu o barulho de um interruptor de luz e, com a súbita iluminação, viu uma crucificação ao estilo de Guido Reni, competentemente executada, mas pouco inspirada, que mal valia o lucro do vendedor. Sentiu o coração apertar. Então, calmamente, olhou para o padre e perguntou:

— Você tem uma escada?

Em uma empresa de produtos químicos no bairro industrial de Como, Gabriel comprou acetona, álcool, água destilada, um béquer de vidro, óculos e máscara de proteção. Em seguida, parou em uma loja de artesanato no centro da cidade onde comprou cavilhas de madeira e um pacote de algodão. Quando voltou à igreja, o padre Marco tinha conseguido uma escada de seis metros que estava colocada na frente do quadro. Gabriel rapidamente misturou uma solução básica de solvente e, envolvendo um pouco de algodão numa cavilha de madeira, subiu na escada. Com Chiara e o padre olhando de baixo, abriu uma janela no centro do quadro e viu a mão de um anjo, bastante danificada, agarrando uma tira de seda branca. Em seguida abriu uma segunda janela, uns trinta centímetros mais abaixo na tela e alguns centímetros para a direita, e viu o rosto de uma mulher exausta por ter dado à luz. A terceira janela revelou outro rosto — o de uma criança recém-nascida, um menino, iluminado por uma luz celestial. Gabriel colocou os dedos gentilmente na tela e, para sua própria surpresa, começou a chorar incontrolavelmente. Então fechou bem os olhos e deu um grito de alegria que ecoou pela igreja vazia.

A mão de um anjo, uma mãe, uma criança...
Era o Caravaggio.

NOTA DO AUTOR

O *caso Caravaggio* é uma obra de ficção e deve ser lida apenas como tal. Os nomes, personagens, lugares e incidentes retratados na história são produto da imaginação do autor ou foram usados de maneira ficcional. Qualquer semelhança com pessoas reais, mortas ou vivas, empresas, eventos ou locais é total coincidência.

Existe realmente uma Igreja de San Sebastiano na *sestiere* de Dorsoduro — foi consagrada em 1562 e é considerada uma das cinco grandes igrejas da peste em Veneza — e o principal retábulo de Veronese, *Virgem e o Menino em Glória com Santos*, está descrito com precisão. Visitantes da cidade procurarão em vão a empresa de restauração de Francesco Tiepolo e o rabino Zolli no antigo gueto judeu. Há várias casas pequenas de calcário na rua Narkiss em Jerusalém, mas até onde sei ninguém com o nome de Gabriel Allon vive em nenhuma delas. A sede do serviço secreto israelense não está mais localizada no Boulevard Rei Saul em Tel Aviv. Escolhi manter a sede do meu fictício serviço ali, em parte porque sempre gostei do nome da rua.

Há muitas lojas excelentes de antiguidades e galerias de arte na rue de Miromesnil em Paris, mas a Antiquités Scientifiques não é uma delas. Maurice Durand já apareceu em três livros de Gabriel Allon e, mesmo assim, ele ainda não existe. Nem Pascal Rameau, seu cúmplice no submundo criminoso de Marselha. A Divisão de Defesa do Patrimônio Cultural dos Carabinieri, mais conhecida como Esquadrão de Arte, está localizada realmente em um lindo *palazzo* na Piazza di Sant'Ignazio de Roma. Seu chefe é o competente Mariano Mossa, não Cesare Ferrari de um olho só. Minhas profundas desculpas ao Rijksmuseum Vincent van Gogh em Amsterdã por pegar emprestado o *Doze Girassóis numa*

Jarra de sua magnífica coleção, mas às vezes a melhor forma de encontrar uma obra roubada é roubando outra.

Não existe nenhuma Igreja de San Giovanni Evangelista em Brienno, Itália. Portanto, o glorioso *Natividade* de Caravaggio, roubado do Oratorio di San Lorenzo em Palermo em outubro de 1969, não poderia ter sido encontrado pendurado sobre seu altar, disfarçado como uma crucificação ao estilo de Guido Reni. A história da turbulenta vida de Caravaggio contida em *O caso Caravaggio* é totalmente verdadeira, apesar de que alguns poderão discordar das escolhas que fiz em relação a datas e detalhes de certos eventos, já que ocorreram há quatro séculos e, por isso, estão abertas à interpretação. Até hoje, as exatas circunstâncias da morte de Caravaggio estão envoltas em mistério. Assim como, também, a localização da *Natividade*. A cada ano que passa, as chances de encontrar a grande tela intacta vão ficando cada vez mais remotas. O impacto de sua perda não pode ser minimizado. Caravaggio viveu apenas 39 anos e deixou pouco mais de cem trabalhos que podem sem dúvida ser atribuídos a ele. O desaparecimento de um único quadro deixaria um buraco no cânone ocidental que nunca poderia ser preenchido.

Não existe nenhuma empresa registrada em Luxemburgo com o nome de LXR Investments, nem existe um banco privado em Linz, Áustria, conhecido como Bank Weber AG. Os bancos da Áustria já estiveram entre os mais sigilosos do mundo — mais sigilosos, até, que os bancos da Suíça. Mas em maio de 2013, sob pressão da União Europeia e dos Estados Unidos, os bancos austríacos concordaram em começar a compartilhar informações sobre seus clientes com autoridades fiscais de outros países. Para o bem ou para o mal, instituições como o Bank Weber — bancos estilo butique, controlados por famílias, que atendem os muitos ricos — estão rapidamente entrando em extinção. Quando escrevi este livro, o número de bancos privados na Suíça tinha diminuído para apenas 148 instituições, e espera-se, com as consolidações e fusões, que o número caia ainda mais no futuro. Claramente, os dias dos gnomos parecem contados, com os governos norte-americano e europeu dispostos a tomar medidas anda mais agressivas para combater a evasão fiscal.

Houve realmente um massacre na cidade síria de Hama em 1982 e, usando numerosas fontes, tentei descrever o horror de forma precisa. O homem que ordenou a destruição da cidade, e o assassinato de mais de vinte mil de seus residentes, não foi o ditador sem nome mostrado em *O caso Caravaggio*. Foi Hafez al-Assad, dirigente da Síria de 1970 até sua morte, em 2000, quando seu filho do meio, Bashar, que estudou em Londres, assumiu o controle. Alguns especialistas em Oriente Médio confundiram Bashar com um reformista. Mas em março de 2011, quando a chamada Primavera Árabe finalmente chegou à Síria, ele respondeu com uma selvageria que incluiu o uso de gás venenoso contra mulheres e crianças. Mais de cento e cinquenta mil pessoas foram mortas na guerra civil síria, e outros dois milhões ficaram sem casa ou tiveram que fugir para os países vizinhos, principalmente Líbano, Jordânia e Turquia. O número de sírios vivendo como refugiados vai logo superar os quatro milhões, o que faria dela a maior população refugiada do mundo. Este é o legado de quatro décadas e meia de domínio da família Assad. Se a matança e o êxodo continuarem nesse ritmo, os Assads poderiam se tornar, um dia, os dirigentes de uma terra sem povo.

Mas por que os Assads continuam a lutar quando a maioria de seu povo claramente quer se livrar deles? E por que essa perversa despreocupação com as normas civilizadas? Claramente, deve ter algo a ver com dinheiro. "É um típico negócio familiar", disse à CNBC Jules Kroll, o investigador corporativo internacional e especialista em recuperação de bens, em setembro de 2013. "Só que este negócio familiar é um país. Estimativas publicadas da riqueza dos Assads variam muito. Bashar supostamente possui mais de um bilhão de dólares, embora especialistas estimem que a fortuna total da família ronde os 25 bilhões de dólares. O caso do Egito é ilustrativo. O ex-presidente Hosni Mubarak, que recebeu benesses dos contribuintes norte-americanos por mais de trinta anos, possui uma fortuna estimada em cerca de setenta bilhões — isso em um país onde o cidadão médio subsiste com apenas oito dólares por dia.

Uma pequena fração dos bens do regime sírio foi congelada pelos Estados Unidos e seus aliados europeus, mas bilhões de dólares continuam cuidadosamente escondidos. Enquanto escrevia este livro, caçadores de bens profissionais estavam ocupados procurando o dinheiro. Assim como Steven Perles, advogado de Washington, DC, que representa vítimas do terrorismo patrocinado pela Síria. Especialistas concordam que caçadores de bens provavelmente vão precisar da ajuda de alguém dentro da Assad S.A. para ter sucesso em seus esforços. Talvez essa pessoa tenha comprado a participação em um pequeno banco particular na Áustria. E talvez exista uma jovem corajosa, filha de Hama, observando todos os movimentos dele.

AGRADECIMENTOS

ESTE LIVRO, COMO OS outros 13 livros na série de Gabriel Allon, não poderia ter sido escrito sem a ajuda de David Bull, que realmente é um dos melhores restauradores de arte do mundo. A cada ano, David abre mão de seu tempo valioso para me aconselhar em questões técnicas ligadas à arte da restauração e revisar meu manuscrito com precisão. Seu conhecimento de história da arte só é ultrapassado pelo prazer de sua companhia, e sua amizade enriqueceu nossa família de muitas formas.

Conversei com vários políticos e agentes de inteligência israelenses e norte-americanos durante a preparação desse manuscrito, e agradeço a eles agora em anonimato, que é como eles iriam preferir. Também, um agradecimento muito especial ao brilhante Patrick Matthiesen, que é dono de uma encantadora galeria de arte de Velhos Mestres em Mason's Yard, muito perto da de Julian Isherwood. O único outro traço que possuem em comum é a decência — decência é algo em falta nesses dias, em Londres ou qualquer outro lugar.

Estou em dívida com T, um investidor internacional e empresário com grande experiência no Oriente Médio, que me contou sobre os ajudantes silenciosos dos ditadores que caminham por aí com listas de contas bancárias em seus bolsos. Louis Toscano, meu querido amigo e há muito tempo editor pessoal, fez incontáveis melhorias no meu manuscrito, assim como minha revisora, Kathy Crosby. Obviamente, a responsabilidade por qualquer erro no livro final é somente minha, não deles.

Consultei centenas de livros, jornais, artigos em revistas e sites na internet enquanto preparava esse manuscrito, demais para poder nomeá-los aqui. Iria me arrepender, no entanto, se não mencionasse a extraordinária ajuda de Andrew Graham-Dixon, Helen Langdon, Edward Dolnick, Peter Watson, Patrick Seale,

Thomas L. Friedman, Francine Prose, Jonathan Harr, Simon Houpt e Fouad Ajami. Também quero prestar um respeitoso agradecimento aos repórteres e fotojornalistas que corajosamente se aventuraram na Síria durante esse tempo de guerra e destruição. São uma lembrança muito forte de por que o mundo ainda precisa de jornalistas de qualidade.

Somos abençoados com muitos amigos que enchem nossas vidas de amor e risos em momentos críticos durante o ano de escrita, especialmente Betsy e Andrew Lack, Andrea e Tim Collins, Enola e Stephen Carter, Stacey e Henry Winkler, Mirella e Dani Levinas, Elsa Walsh e Bob Woodward, Jane e Burt Bacharach, Nancy Dubuc e Michael Kizilbash, Joy e Jim Zorn, Caryn e Jeff Zucker, Elliott Abrams, e Fred Zeidman. Um forte agradecimento a Michael Gendler e Linda Rappaport por todo o apoio e sábios conselhos. Também para a incrível equipe de profissionais na HarperCollins, especialmente Jonathan Burnham, Brian Murray, Michael Morrison, Jennifer Barth, Josh Marwell, Tina Andreadis, Leslie Cohen, Leah Wasielewski, Mark Ferguson, Kathy Schneider, Brenda Segel, Carolyn Bodkin, Doug Jones, Karen Dziekonski, David Watson, Shawn Nicholls, Amy Baker, Mary Sasso, David Koral, Leah Carlson-Stanisic e Archie Ferguson.

Finalmente, gostaria de estender minha profunda gratidão e amor a meus filhos, Nicholas e Lily, e à minha esposa, Jamie Gangel, que me ouviu pacientemente enquanto construía minha trama e depois editou, com precisão, meu manuscrito. Se não fosse por sua paciência e atenção a detalhes, *O caso Caravaggio* não teria terminado no prazo. Minha dívida com ela é imensurável, assim como meu amor.

Visite Daniel Silva na Web: www.danielsilvabooks.com (Conteúdo em inglês.)

Curta Daniel Silva no Facebook: www.facebook.com/danielsilvabooks (Conteúdo em inglês.)

Siga Daniel Silva no Twitter: twitter.com/danielsilvabook (Conteúdo em inglês.)

Assine a e-newsletter de Daniel Silva: danielsilvabooks.com/about-daniel/join-the-mailing-list/ (Conteúdo em inglês.)

Este livro foi impresso no Rio de Janeiro, em 2022,
pela Corprint, para a HarperCollins Brasil.
A fonte usada no miolo é Fournier MT Std, corpo 11/14,2.
O papel do miolo é pólen natural 80g/m², e o da capa é cartão 250g/m².